후궁의 초대

후궁의 초대 1

초판 1쇄 인쇄일 2020년 10월 05일
초판 1쇄 발행일 2020년 10월 23일

지은이 | 린아(潾娥)
펴낸이 | 김기선

편집부 | 김아름, 박신혜, 신현정, 현혜원, 김수린, 한혜정
표지디자인 | 디자인그룹 헌드레드
내지디자인 | 한주희

펴낸곳 | 와이엠북스(YMBOOKS)
출판등록 | 2012년 7월 17일 (제2014-17호)
주소 | 서울시 도봉구 노해로 379, 1005호(창동, 대성빌딩)
전화 | 02)906-7768 / 팩스 | 02)906-7769
E-mail | ymbooks@nate.com

ISBN 979-11-322-5800-1 (04810)
ISBN 979-11-322-5799-8 (set)

값 11,000원

후궁의 초대

린아(潾娥) 장편소설

1

Ym BOOKS

차 례

프롤로그

사면이 온통 검은 방.

기네비어 공국이 시작되던 날부터 성안에 존재했다던 금지된 방이 열렸다. 기네비어의 초대 여왕이 직접 닫아걸었다고 알려진 방이었다.

“공주님, 이러다가 공왕께서 아시기라도 하는 날엔……!”

“문이 열렸을 때부터 알아차리셨을걸. 그리 호락호락하신 분이 아니라.”

케이티가 힐라리아 뒤로 바짝 달라붙었다.

“그런데도 들어가시려고요? 아이참, 공주님!”

케이티가 벌벌 떨며 주변을 둘러보았다. 새벽녘, 모두가 잠든 복도엔 오가는 개미 한 마리도 보이지 않았다. 곧 있으면 공왕이 달려와 당장이라도 두 사람의 목덜미를 잡아챌 테지만, 케이티가 그 시간을 최대한 늦추기 위해 문을 꼭 닫아걸었다. 그녀의 두려움을 아는지 모르는지, 힐라리아는 조금의 망설임도 없이 방 안을 가로질렀다.

힐라리아의 희고 갸름한 손이 빛 한 점 들지 않음에도 금색으로 빛났다. 곧 그녀의 주변에 금빛으로 타오르는 나비들이 날아올랐다. 날개를 팔락이며 힐라리아의 주변을 맴도는 나비들 덕분에 방의 온도가 한층 올라갔다.

나비가 방출하는 빛을 친구 삼아 힐라리아가 방의 중간으로 나아갔다.

아무것도 없다고 여겨졌던 방의 중심에는 아기 주먹만 한 구슬이 둥둥 떠 있었다. 구슬은 묘한 생명력으로 일렁이고 있었다. 붉은색으로 보이다가, 금색으로 보이다가, 혹은 은색으로 보이기도 했다.

마치 숨을 쉬고 있는 것 같았다. 케이티가 두려움에 질려 힐라리아의 치맛자락을 꾹 쥐었다. 힐라리아가 구슬을 향해 손을 뻗었다. 손바닥에 가까워진 구슬에서 흘러드는 마력은 감히 힐라리아가 감당하지 못할 만큼 강대했다. 질식당할 것 같았다.

'이게 바로…….'

기네비어 공국에 전해져 내려오는 비밀이자 그들의 근원과 같은 것이었다. 아주 오랜 옛날부터 존재해왔다는 근원의 구슬. 구슬이 심장처럼 박동했다. 구슬에서 전해진 파장이 힐라리아와 케이티를 훑고 방으로 퍼져나갔다. 그녀의 주변을 맴돌고 있었던 나비들이 날갯짓을 빨리했다. 파장에 밀려나지 않기 위함이었다. 예쁘기만 했던 나비들이 마치 야수처럼 이를 드러내기 시작한다.

"괜찮아."

힐라리아가 파드득거리며 존재감을 표출하는 나비들을 진정시키기 위해 자신의 기운을 흘려보냈다. 힐라리아는 지금 기네비어의 금기를 범하려 하고 있었다. 그건 바로, 미래를 엿보는 것. 그녀의 왼손에는 잔뜩 구겨진 편지가 쥐어져 있었다. 힐라리아가 그것을 힐끗 보고는 다시 구슬을 향해 오른손을 뻗었다. 힐라리아를 거부하는 것 같았던 구슬이 이번엔 그녀를 받아들였다. 마치 그녀와 공명을 하고 있는 것처럼 느껴졌다.

"공주님!"

힐라리아가 구슬로 빨려 들어가는 것을 케이티가 망연히 지켜보았다.

"아……. 아, 아! 안 돼애!!!"

그곳에서 힐라리아는 지옥을 맛보았다. 심장이 산 채로 뜯겨나가는 것만 같은 절망에 허우적거리는 힐라리아 자신을 직접 보았다. 힐라리아는 발밑을 적시는 붉은 액체를 피해 뒷걸음질 치다가 넘어져 엉덩방아를 찧었다.

황제가 내민 손을 거절하고 황비로 입궁하지 않았을 경우 겪을 미래였다. 아무도 도와주지 않았다. 황제가 내민 손을 거절한 죄로 황궁은 기네비어 공국을 구원하지 않았다.

전쟁의 희생양으로써 사신의 낫 아래의 이슬로. 제국의 서부 국경을 지키던 기네비어는 그렇게 수만 대군의 검 아래에서 무너졌다.

Chapter 1.

힐라리아의 초대

마치 아귀처럼 입을 벌린 황성 앞에 힐라리아를 태운 마차가 멈췄다.

"여기서부터는 걸어가셔야 해요. 황성 안에 마차는 들어갈 수 없대요."

힐라리아가 눈을 깜빡였다.

"아가씨?"

힐라리아의 시녀 케이티가 한숨을 푹 내쉬었다.

"아가씨!"

결국 케이티가 손을 뻗어 힐라리아의 몸을 거세게 흔들고 나서야 힐라리아가 정신을 차렸다.

"으. 도착했어?"

"네. 도착했어요, 아가씨. 고작 3시간이었는데……."

케이티가 손수건을 꺼내 힐라리아 입가를 톡톡 두드렸다.

"나 마차만 타면 멀미하는 거 알잖아."

"그리고 저는 그게 변명이라는 걸 알고요. 일단 내려요, 아가씨."

힐라리아가 키득거리며 고개를 끄덕였다. 아무도 마중 나오지 않은 바깥을 확인한 케이티가 당황한 얼굴로 힐라리아를 돌아보았다.

'역시. 마중 나올 리가 없지.'

애초에 힐라리아는 조금의 기대도 하지 않았다. 황제와의 결혼, 모든 영애라면 한 번쯤 바라마지 않을 일이었지만…… 힐라리아 기네비어. 그녀는 오로지 기네비어를 위해서 이곳까지 온 것이었다.

기꺼이 황제의 인질이 되기 위하여. 그 목적에 걸맞게 결혼식도 없이 그저 입궁만 하는 절차에 무얼 기대할 수 있겠는가. 이 결혼의 주인공이 될 두 사람 중 누구도 이 결혼에 진심이 없었다. 힐라리아가 마차에서 내리고 나서야 황성에서 머리를 깔끔히 넘기고 정장을 갖춰 입은 남자가 나왔다.

"안녕하세요, 힐라리아 영애. 저는 황성, 블라디슬라프의 시종장 스베인입니다. 황성에 오신 걸 환영합니다."

남자가 복장만큼이나 깔끔하게 웃었다. 하지만 힐라리아는 그 모습에 속지 않았다.

'스베인. 황제의 개라고 했던가?'

황제가 시키는 건 무엇이든 한다는 남자였다. 저번 달, 황성에서 시체로 나온 베니체 황비도 저 남자가 저지른 일이라는 이야기도 들었다. 스베인의 잔인함과 무섭도록 치밀한 구석에 대해서는 공국에서도 소문이 파다했다.

'이 정도쯤이야.'

기후가 춥고, 황무지가 많은 데다가 자카리 족의 빈번한 침해를 받는 기네비어 공국의 남자들도 저 정도 기세는 뿜어낸다. 오히려 힐라리아는 속으로 콧방귀를 꼈다.

"예. 날이 좋아 그런지 마차의 속력도 빨랐던 듯합니다. 다행히 약속시간에 딱 맞춰 도착할 수 있었습니다."

손님도 약속시간에 맞춰왔는데 주인이 늦게 나왔다는 타박을 알아들은 스베인이 눈썹을 꿈틀했다. 스베인이 그린 듯한 미소를 지었다.

"날이 좋아서, 그렇군요. 이제 블라디슬라프로 모시겠습니다. 힐라리아 영애께서 머무르시게 될 곳으로 안내해드리겠습니다."

힐라리아가 여유롭게 그 뒤를 따랐다.

'황성도 사람 사는 곳인데, 뭐.'

긴장이라곤 조금도 하지 않은 힐라리아를 케이티가 걱정하며 뒤쫓았다.

"아가씨, 아가씨이!"

"날씨 진짜 좋다. 이런 날 입궁이라니. 소풍 나온 거 같지 않니?"

"소풍이요?"

"응. 황성 조경이 그렇게 아름답다고들 하잖아. 명성만큼은 하는 것 같네."

케이티가 고개를 내저었다. 힐라리아의 대범함은 예나 지금이나 혀를 내두르게 했다.

"아무 걱정도 안 되세요? 무섭지 않으시냐고요."

힐라리아가 피식 웃으며 뒤를 힐끗 보았다.

'겁?'

그녀는 이미 이것보다 더한 진창도 보았다. 사랑하는 가족과 친구들의 목이 바닥을 뒹굴고 그들의 피가 힐라리아의 발끝을 적셨다. 그녀가 평생을 살아온 기네비어의 성이 불타고, 황폐해진 그곳에 힐라리아는 홀로 서 있었다. 힐라리아가 가족들 몰래 다녀온 미래에서 그녀만 살아남아 있었다. 울부짖으며 땅을 기어대도, 아무도 그녀의 목소리를 들어주지 않았다.

그곳에서 미래의 힐라리아를, 그녀가 보고 서 있었다. 그건 심장을 토할 것처럼 끔찍한 기분이었다. 차라리 죽었으면 나았을 것을 그녀 홀로 살아남았다. 그것이 힐라리아가 기네비어에 내려오는 마도구를 통해 다녀온 미래였다. 그녀가 이 정략결혼을 거절하고, 기네비어 공국이 제국의 비호를 잃게 되었을 때의 미래.

마도구가 보여준 미래는 절대로 변하지 않는다. 그래서 힐라리아는 기네비어를 위해 황제와 결혼하는 길을 택했다. 힐라리아는 기네비어를 위해선 목숨이라도 걸 수 있었다. 사랑하는 가족이고, 그녀의 고향이었다. 어디서든 배척받는 그녀의 핏줄이 유일하게 편히 쉴 수 있는 요람이었다. 누구라도 그걸 망치게 두진 않을 것이다. 그래서 다른 길을 선택했으니 후회도 두려움도 없었다.

'내 두 발로 걸어 나가 주겠어!'

굳은 다짐과 결기만 있을 뿐.

***

황성은 미로처럼 축조되어 있었다. 그중에서 힐라리아가 머물게 될 곳은 블라디슬라프의 서관이었다. 황제의 침실은 동관이니 웬만해서는 마주칠 일도 없었다. 들어올 때 케이티를 제외한 호위무사와 하녀 전부를 기네비어로 돌려보냈다. 황제의 명령이라나.

스베인은 시녀들이 잔뜩 기다리고 있는 홀에 힐라리아를 데려다주고는 돌아가 버렸다. 다리로 연결된 블라디슬라프의 서관 건물 중에서도 한 채가 힐라리아의 몫으로 떨어진 것이다. 스베인을 닮은 시녀장이 힐라리아 앞에서 고개를 조아렸다.

"서관의 스틸로즈 궁입니다. 서관의 궁들 중에 가장 아름답다고 손꼽히는 곳이지요. 황제 폐하께서 기네비어의 아가씨께 이곳의 아름다운 정경을 선물하신다 하셨습니다."

힐라리아가 주변을 둘러보았다.

'기네비어의 공주이니 최대한 성의를 표하겠다?'

그 정도 속셈을 읽지 못할 힐라리아가 아니다. 만약, 힐라리아를 제대로 대우해주지 않았다면 기네비어에 황실에 항의할 기회를 줬을 텐데 조금은 아까웠다.

"저는 스틸로즈 궁의 시녀장 첼로스테입니다. 앞으로 아가씨를 모시게 되었습니다."

"잘 부탁해요. 첼로스테. 이 아이는 케이티예요. 어린 시절을 함께 보낸 시녀죠. 이 애도 잘 부탁할게요."

"예, 아가씨. 먼저 침실을 안내해드리겠습니다."

침실이라.

'황제와 첫날밤을 보내는 건가.'

명색이 후궁의 결혼식인데 정말 뭣도 없이 훅하고 지나갔다. 일주일 전, 힐라리아가 서명했던 결혼서약서가 정말로 전부였던 모양이다. 힐라리아가 방긋 웃었다. 오늘 황제와 처음으로 밤을 보내야 하니 당연한 수순이었다. 순순하게 첼로스테를 쫓아가는 힐라리아를 케이티가 의심의 눈초리로 훑어보았다. 부당한 일을 당했을 때 가만히 있을 힐라리아가 아니다. 괜히 공국의 망아지 공주라고 불리겠는가. 그런 시선을 아는지 모르는지 힐라리아의 걸음은 가벼웠다.

'시녀장 하나에 시녀 다섯이라.'

꽤 후한 처사였다. 침실은 2층 중앙 홀을 기준으로 정중앙에 위치해 있었는데 기네비어에 있는 힐라리아의 방보다 2배는 넓은 것 같았다. 힐라리아가 주변을 둘러보는 틈을 타서 첼로스테가 시녀들을 향해 손짓했다. 미리 준비해둔 행거들과 보석함 같은 것들이 들어왔다.

한편, 힐라리아는 붉은 비단에 금색 실로 수놓은 커튼을 살피고 있었다. 그것 말고도 방 안 여기저기에 켜져 있는 향초들이 오늘 밤 여기서 무슨 일이 있을지 말해주는 듯했다. 모두 야릇한 분위기를 내기 위한 것뿐이었으니까.

힐라리아가 콧잔등을 찡긋했다. 하지만 이런 냄새로는 힐라리아의 그 무엇도 자극하지 못할 것이다. 애초에 기네비어는 검술로도 유명하지만, 약초를 잘 다루는 걸로도 유명했다. 어릴 때부터 많은 향과 약초들을 접해온 덕에 웬만한 약과 향, 독약에 내성이 생겼다. 힐라리아가 피식 웃고는 커튼을 쥐고 있던 손에서 힘을 빼고 첼로스테가 기다리고 있는 쪽으로 다가갔다.

'괜한 수고를 하셨군.'

그 생각을 모를 첼로스테가 힐라리아를 쓱 훑어보고는 말했다.

"아가씨께서는 유독 피부가 희시군요. 어떤 드레스도 어울리시겠어요."

시녀장 첼로스테가 결론 내렸다.

"붉은색 어떠신가요?"

힐라리아가 얌전히 고개를 끄덕였다. 어차피 곧 있으면 자존심을 꺾고 힐라리아의 발밑에 엎드릴 여자였다. 첼로스테가 손뼉을 치자, 시녀들이 일사분란하게 움직였다. 붉은색 계통의 드레스가 걸린 행거가 맨 앞으로 나왔다. 사이즈와 디자인이 다양했다.

"내가 가져온 드레스도 있으니 그걸 입는 게 어떨까 싶은데."

힐라리아의 말에 첼로스테가 동요 없는 표정으로 대답했다.

"블라디슬라프에서는 바깥의 물건을 절대 사용하지 못하십니다."

첼로스테가 눈짓하자 시녀들이 드레스를 한 벌 가져다가 뒤집어 보였다. 드레스의 가슴팍 부근 안쪽에 분홍 꽃 한 송이가 수놓아져 있었다.

"이건 블라디슬라프의 상징입니다. 황제 폐하께서는 보라색, 황후 폐하께서는 붉은색, 후궁 마마들께서는 분홍색 꽃을 사용하십니다. 황손들께서는 노란색이시고요. 이 꽃이 수놓아지지 않은 옷을 입는 것은 황궁 법에 어긋납니다."

별 귀찮은 법도가 다 있다고 생각하며 힐라리아가 고개를 끄덕였다.

'뒤탈이 날까 싶어 그런 건가.'

피부에 닿으면 발현되는 독도 있긴 했다.

'흠. 재단사들을 매수하면 될 일을.'

힐라리아의 속내를 첼로스테는 전혀 모를 것이다. 힐라리아는 당하는 쪽이 아니라 매수해서 남들을 골려주는 쪽이라는 것을. 오히려 첼로스테가 한 말은 힐라리아에게 유용한 정보로 자리매김했다.

"공부할 것이 많으실 겁니다. 황제 폐하를 좀 더 자주 만나시려면……."

첼로스테의 말을 가만 듣던 힐라리아가 생긋 웃으며 그녀를 돌아보았다.

"나를 도와줄 첼로스테라고 했죠?"

"네."

첼로스테가 공손히 대답했다. 힐라리아가 또각또각 구두소리가 나게 걸어서 드레스가 걸린 행거를 손으로 훑었다. 그녀의 손이 스친 드레스들이 사락 소리를 내며 흔들렸다. 별것 아닌 행동이었는데 갑자기 힐라리아의 위압감이 방 안을 가득 채운 것처럼 느껴졌다. 힐라리아가 내뿜는 분위기가 방 안의 공기를 억눌렀다. 하지만, 힐라리아의 목소리는 봄날의 바람결처럼 가볍고 부드러웠다.

"나는 소박한 사람이에요. 기네비어 사람들은 대개 그렇죠."

첼로스테를 돌아보는 힐라리아의 눈동자가 생기 있게 반짝였다. 첼로스테의 가슴이 왠지 모르게 뛰었다. 그녀는 황성에 18살에 시녀로 들어와 여태까지 20년을 근속했다. 게다가 이번 황제가 들인 후궁만 5명째다. 그중에 한 명은 죽고, 다른 한 명은 폐비되어 황궁을 나갔다.

한데 저런 얼굴을 하는 사람은 처음이다. 이상한 불안감이 첼로스테의 목을 옥죄는 것 같았다. 힐라리아가 그 불안감에 부채질하듯 몽롱한 목소리로 말했다. 첼로스테를 비롯해 함께 있던 모든 이들의 심장이 철렁 내려앉을 말을.

"황제에게 잘 보여 아들을 낳고, 이 성에서 오래도록 살고 싶은 생각 없어요, 나는."

게다가 힐라리아는 제 남편으로 삼을 생각도 없는 황제를 침실에서 처음으로 마주하고 싶지도 않았다.

'웩. 같은 침대를 써야 한다니.'

그것도 얼굴도 모르는 남자랑! 차라리 바닥에서 자는 게 나을 것 같다. 첼로스테가 눈을 질끈 감았다. 힐라리아의 진심이 전해졌다. 힐라리아가 첼로스테에게 못 박듯 한 글자, 한 글자 공을 들여 말했다.

"나는 첼로스테가 말한 붉은 꽃, 노란 꽃이 탐나지 않는다는 말이에요."

케이티가 힐라리아를 막기 위해 입술을 달싹였지만, 이내 포기하고 한숨을 내쉬었다. 말려서 들을 힐라리아라면 금지의 방에 들어가 미래를 엿보지도 않았을 것이고 지금 여기에 있지도 않았으리라. 게다가 기네비어도 포기하고 도망가면 된다던 공왕마저 뿌리치고 입궁하지 않았던가.

사실 힐라리아는 자존심과 책임감을 빼면 시체였으니 공왕도 그저 해본 말이었을 것이다. 아무튼 힐라리아를 막을 수 있는 건 이 세상에 없어 보였다. 그런데 감히 케이티가 힐라리아를? 말도 안 되는 일이다. 힐라리아가 사뿐사뿐 걸어 첼로스테의 앞에 바짝 다가섰다. 멈칫하고 뒤로 물러서는 팔을 붙든 힐라리아가 그녀를 잡아당겼다.

"그러니 첼로스테가 나를 위해 노력해줘야 할 건 그런 게 아니에요. 어떻게 하면 내가, 이 궁을 빠르게 나갈 수 있을까지."

힐라리아의 눈동자가 기묘하게 반짝였다.

"그, 그게 무슨……."

"나는 내 목표를 이루고 나면 이 황궁을 나갈 계획이거든요. 나는 이런 곳에 살 만큼 넓은 그릇이 되지 못해서. 내 위에 누가 있는 것도 견디지 못하겠거든."

그럼 황후가 되는 건 어떻겠냐는 물음이 목 끝까지 치받았지만, 가까스로 삼켰다. 그녀가 모시게 될 주인은 그런 자리에 관심이 없어 보였다. 잘못 말을 꺼냈다가는 맹수처럼 날을 세우고 있는 힐라리아의 심기를 거스를 것 같았다. 힐라리아가 붙든 팔뚝을 중심으로 소름이 오소소 돋았다. 첼로스테가 주변으로 눈짓했지만, 그 누구도 이 상황에서 그녀를 구해줄 수 있을 것 같지 않았다. 첼로스테의 두려움을 알아차린 것일까. 힐라리아가 분위기를 반전시키듯 생긋 웃었다.

"내가 첼로스테에게 원하는 건 그게 다예요. 내 말을 고분고분 잘 듣는 거. 이 정도면 아기도 알아들을 수 있도록 쉽게 설명했다. 그렇죠?"

자신도 모르게 첼로스테가 고개를 끄덕였다. 힐라리아의 말이 틀렸더라도 맞다고 해야 할 것 같은 압박감이 들었다.

"착하다. 이제 나가서 황제에게 고해요. 내 몸이 좋지 못해 같이 밤을 보내지 못할 것 같다고."

힐라리아가 고개를 들어 주변을 훑어보았다. 지금 힐라리아는 여기에 있는 시녀들을 실험해보려 하고 있었다. 첼로스테가 힐라리아의 말을 알아들었다면 황제에게 그녀의 말을 전하고 돌아올 것이고 그렇지 않다면 힐라리아의 침실에 황제를 들일 것이다. 말은 여러 가지로 바꿔서 전할 수 있으니까.

예를 들어, 황제에게는 힐라리아가 황제를 모실 준비가 다 되었다고 고한 다음, 그녀에게 돌아와 황제가 아프더라도 밤을 보내야 한다고 했다고 말할 수도 있다. 첼로스테는 힐라리아에 대해서 잘 모르니 그녀를 속이려고 들 수도 있었다. 하지만, 힐라리아는 그녀를 속이는 시녀를 부릴 만큼 관대한 사람이 아니었다.

"잘 할 수 있겠죠?"

"하, 하지만, 황제 폐하와 밤을 보내셔야 황비의 직위를……."

힐라리아가 쾌활하게 웃었다. 직위라니. 그만큼 하찮고 쓸모없는 게 있을까. 씁쓸한 입 안을 힐라리아가 혀끝으로 훑었다. 하지만, 막 입궁한 힐라리아가 다른 이들을 장악하는 데 가장 필요한 것이기도 했다.

"별 쓸데없는 걱정을 다 하네. 첼로스테, 나는 평범한 귀족의 딸이 아니에요. 기네비어 공국의 공주지. 황비로 입궁한 이들 중에 나와 같은 대접을 받은 이가 있었나요?"

가장 넓은 궁과 가장 좋은 비단들. 힐라리아가 입궁하기 두 달 전부터 이미 준비되어 있었던 혼례품들. 기네비어의 답변을 받기 전부터 힐라리아를 위해 스틸로즈 궁은 모든 준비가 완료된 상태였다. 게다가 힐라리아는 모르겠지만, 황제의 시종장이 직접 마중을 나갔던 후궁도 힐라리아 한 명뿐이었다. 확실히 대단하긴 했다. 그래서 첼로스테는 힐라리아가 황제의 총애를 얻어 어쩌면 황후가 될지도 모른다는 꿈도 조금은 꿔봤다. 줄을 잘 타 황후가 될 주인을 모시게 되나, 그런 허황된 꿈. 붉게 칠한 힐라리아의 손톱이 첼로스테의 볼을 쓸었다. 그게 마치 자신의 피 같아 첼로스테의 팔에 소름이 오소소 돋았다.

"하지만, 하지만……."

"하지만은 없어요. 내가 황제를 거부해도 그는 내게 황비의 자리를 내놓아야 해. 그게 기네비어와 황실의 약속이니까. 설사 내가 황궁을 집어삼킬 독사라 해도 말이야."

힐라리아가 첼로스테에게서 물러섰다.

"그러니 잘 생각해야 할 거예요."

힐라리아와 눈이 마주친 시녀들이 고개를 조아렸다.

"내 편이 되어 이 황궁을 손아귀에 넣어볼지, 아니면."

힐라리아가 달콤하고 나른한 숨을 길게 내쉬었다.

"내게 내쳐져 성에서 버려질지."

팔락- 첼로스테를 붙든 힐라리아의 손에서 금색 나비가 나타나 첼로스테의 목 뒤에 스며들었지만, 아무도 그걸 눈치채지 못했다. 첼로스테의 몸이 뻣뻣하게 굳었다. 순진하고 쾌활하기만 한 아가씬 줄 알았는데, 그녀의 예상이 완전히 틀렸다. 기네비어는 기네비어다. 힐라리아는 기네비어의 태생이 가진 거칠고 야생적인 눈빛을 그대로 물려받았다. 첼로스테는 왠지 힐라리아가 그녀의 목을 물어뜯을 것 같다고 생각했다. 제 목을 더듬으며 침을 꿀꺽 삼켰다.

"명을 받들겠습니다, 아가씨."

힐라리아가 생긋 웃었다. 첼로스테가 눈을 깜빡였다. 일순 힐라리아의 눈동자가 금색으로 보인 까닭이었다. 하나, 첼로스테가 다시 눈을 떴을 때 힐라리아의 눈은 여전히 푸른색이었다.

'잘못 봤나.'

첼로스테로부터 멀어진 힐라리아가 발코니를 활짝 열어젖혔다. 봄 내음이 물씬 나는 정원에 가득 핀 꽃을 보는 낯빛이 해사했다.

"너무 겁먹진 말아요. 나도 사람인데."

힐라리아가 마지막 한 마디를 덧붙였다.

"우리, 잘 지내봐요."

***

첼로스테를 비롯한 시녀들이 물러가자, 케이티가 걱정스럽게 물었다.

"너무 겁주신 거 아니에요, 아가씨? 첼로스테가 황제에게 쪼르르 가서 여기서 있었던 일을 고하면 어떡해요?"

"너는 너무 쓸데없는 걱정이 많아."

힐라리아가 어깨를 으쓱했다. 드레스를 갈아입지 않은 채로 침대에 대뜸 누운 힐라리아가 눈을 깜빡였다.

"내가 작은 거짓을 고했다고 한들 황제는 나를 어찌하지 못해. 나는 지금 이 후궁에 있는 이들 중 가장 귀한 인질이거든."

"그건 그렇지만……."

기네비어의 가치는 고작 시녀 여섯에 비할 바가 아니다.

"황제의 가장 충실한 심복인 스베인이 나를 데리러 나온 것만 해도 그래. 황제가 나를 신경 쓰고 있다는 증거 아니겠어?"

스베인의 정체에 대해서는 이미 파악하고 있었다. 공국을 못마땅하게 생각하는 황성으로 들어오면서 그 정도 사전 조사도 안 했을까. 홀로 황성으로 떠나는 막내딸을 위해 공왕은 할 수 있는 모든 것을 했다. 제국 수도에 기거하는 지인들과 인맥을 이용해 황성에 대한 정보를 끌어모았다.

황성은 지금 황제와 황태후의 대립으로 살얼음판이었다. 그건 황제가 황태후의 친아들이 아니라는 점에서 이미 예견된 일이었지만, 그녀의 친아들이 섬에 유배가 되고 나서부터 극심해졌다. 황제는 황태후를 견제하기 위해 황후는 들이지 않는 대신 후궁을 들였다. 황태후의 편에 선 귀족들과 중립을 선언한 귀족들의 딸들이 그 대상이었다. 그녀들은 후궁에 들어 똑같은 지위를 받았다. 허울뿐인 황비. 오늘이 지나면 힐라리아도 제국의 황비가 될 것이다.

"저는 힐라리아 아가씨만 믿어요. 아가씨가 조금이라도 다치시면 진짜."

케이티가 눈을 질끈 감았다. 힐라리아가 피식 웃으며 중얼거렸다.

"우리 아버지가 극성이시라니까."

"당연한 일 아니겠어요? 하나뿐인 따님이신데."

"으. 그 말은 그만해."

힐라리아가 황성으로 간다는 말에 울음을 터뜨리던 큰 오빠의 얼굴이 떠오른 까닭이었다. 아들만 셋인 집의 막내딸은 너무 고달팠다. 힐라리아가 몸을 데굴데굴 굴렸다. 황성에서 나가기 전에 기네비어를 절대로 건드려서는 안 된다는 인식을 제국에 제대로 심어줄 생각이었다.

'수도의 편안한 귀족들은 쓴맛을 봐야 정신을 차리지.'

황무지에서 살아남기 위해 기네비어가 살아온 역사에 비하면 수도의 귀족들은 온실 속 화초에 불과하다. 기네비어를 우습게 알고 촌뜨기 취급을 하는 이들을 모두 발아래 꿇리기 전까진 이곳을 떠나지 않을 것이다. 물론, 힐라리아의 최종적인 목표는 제국을 승리로 이끄는 데 있었다. 황궁은 기네비어를 얻어 오스발트와 사리프, 에르킨 3개 왕국 연합과의 전쟁에서 승리한다. 힐라리아가 본 미래에서 에벤에셀은 기네비어를 먹잇감으로 던져주고 승리를 얻었다. 하지만, 이번엔 다르다. 기네비어는 힐라리아를 앞세우고 에벤에셀과 손을 잡았으니까. 힐라리아의 목표를 위해서는 이 황성을 먼저 손아귀에 넣어야 한다.

"복도에 아무도 없는지 살펴봐."

"네, 공주님."

케이티가 문밖을 살피곤 문을 닫아걸었다. 아무도 없다는 케이티의 말에 힐라리아가 몸을 일으켜 발코니를 눈짓했다. 케이티가 재빠르게 발코니를 닫아걸고 커튼을 단단히 쳤다. 방에 날카롭고 뜨거운 바람이 휘몰아쳤다. 하지만, 힐라리아를 중심으로 일어난 바람은 그 어떤 것에도 영향을 끼치지 않았다. 육안으로 보일 정도로 거센 바람에 휘말린 건 없었다. 힐라리아의 푸른 눈동자가 금안으로 물들었다.

파드득- 그와 동시에 힐라리아의 주변에 금색의 나비 떼가 나타났다. 손바닥만 한 날개를 파닥이며 꽃잎처럼 그녀의 주변을 날아다니는 나비를 보며 케이티가 몸을 물렸다. 나비들이 가진 잔인한 속성을 아는 까닭이었다. 힐라리아의 주변으로 바람이 휘몰아쳤다. 나비들이 천장 높이 날아올라 녹아내렸다. 그녀의 의지를 담은 금색 나비들이 너울너울 황궁 곳곳으로 퍼져나갔다. 케이티의 눈동자에 비친 나비들이 금빛으로 번뜩였다. 벽에 녹아들어 사라진 나비들이 어디로 갔는지는 오로지 힐라리아만이 알고 있을 것이다.

"후욱."

힐라리아가 숨을 깊게 들이쉬었다가 내쉬었다. 몸속에서도 불길이 치솟는 느낌이었다. 그녀가 사용한 방대한 마력의 빈자리를 채우기 위해 힐라리아의 생명력이라도 태우는 것처럼. 화르륵- 힐라리아의 주변에 나비와 비슷한 색의 불꽃들이 피어올랐다가 사그라들었다.

"후우."

그녀가 숨을 내쉼과 동시에 금안이 원래의 푸른 눈으로 돌아왔다.

"힘을 너무 한 번에 사용하시는 거 아니에요?"

케이티가 걱정스럽게 물었다.

"마석 좀."

힐라리아가 숨을 몰아쉬며 손을 내밀었고, 그 위에 케이티가 붉은빛이 일렁이는 마석을 올려주었다. 그 마석을 통째로 흡수하고 나서야 힐라리아의 숨이 안정되었다. 나비들은 힐라리아의 눈에 기생하는 불의 정령들이었다. 그들은 힐라리아의 마력을 주식 삼아 그녀의 명령을 수행하곤 했다. 나비들은 황궁 사람들을 감시하고 그들의 이야기를 엿듣고 힐라리아에게 전해줄 것이다.

기네비어의 핏줄 중에서도 이렇게 정령들을 부릴 수 있는 이들은 드물었다. 지금에 이르러서 정령 나비를 부릴 수 있는 사람은 힐라리아를 포함해 고작 10명도 되지 않았다. 예상보다 넓은 황궁에 나비를 심느라 많은 마력이 소모되었다. 힐라리아가 숨을 가다듬고는 물었다.

"가져온 마석의 양이 얼마나 되지?"

기네비어에서 황궁으로 올 때 마석을 넉넉히 숨겨왔지만, 한 번에 많은 나비를 부리기 위해서는 마력이 많이 필요했다. 게다가 이 황궁을 나가기 전까지는 이 상태를 유지해야 한다. 마석을 제때 섭취하지 못하면 몸에 무리가 갈 것이다. 케이티가 주머니를 열어보고는 미간을 찌푸렸다.

"한 달 정도 버티시겠어요. 얼른 베아트리체 아가씨께 연락을 취해야 할 것 같아요."

"베베에게도 나비를 보냈어."

힐라리아가 도로 침대에 털썩 주저앉았다.

"곧 연락이 올 거야. 자, 이제 첼로스테를 기다려볼까?"

지금쯤 곤란한 얼굴로 스베인에게 붙들려 있을 첼로스테가 기다려졌다. 그녀에게 심어둔 정령이 첼로스테의 행적을 낱낱이 전해주고 있었다.

[오랜 마차 여행으로 몸이 안 좋으신 듯해요.]

[아깐 분명 멀쩡해 보였는데?]

스베인의 짜증스러운 목소리가 들려왔다.

[지금 침대에 누워 일어나시질 못하세요.]

[하아. 폐하께 고하지. 오히려 좋아하시겠군. 곧 의사를 보낼 테니 자네도 돌아가.]

[예. 시종장님.]

힐라리아가 키득대며 웃었다.

"왜, 왜 그러세요? 제발 그렇게 혼자 웃지 마시라니까."

얼마나 무서운지 아냐며 케이티가 몸서리를 쳤다.

"첼로스테가 현명한 선택을 한 모양이야."

"다행이네요."

케이티가 진심을 다해 말했다. 만약, 첼로스테가 그릇된 선택을 했다면 다음번 나비의 먹이는 그녀가 됐을지도 모른다.

"너무 겁먹지 마, 케이티. 나는 내 나비들에게 이상한 걸 먹일 생각은 없으니까."

이상한 거라니! 케이티가 울상을 지었다. 예쁜 나비로 화한 불의 정령들이 육식을 한다는 사실을 누가 알까. 황궁 사람들을 그림자처럼 좇아다니는 나비들은 언제고 뜻을 거스르면 사람을 집어삼킬 수도 있었다. 보통 사람들 사이에서 성스럽고 귀엽기만 한 존재로 인식되어 있던 정령들의 실체를 아는 건 기네비어뿐이었다. 거친 초원을 달리는 야생마 같은 기네비어의 남자들은 검을 들어 가족을 지켰고, 여자들은 정령을 부려 공국을 지켜냈다. 공국은 벼랑 끝에 몰렸던 이들의 마지막 요람이었다. 힐라리아의 손끝에 금빛 나비가 내려앉았다. 마치 춤을 추는 것처럼 나비가 그녀의 손끝에서 노닐었다.

"쉿, 공주님! 황궁엔 쥐가 산다잖아요!"

케이티가 떨리는 목소리로 속삭였다. 그에 아랑곳하지 않고 힐라리아의 가늘고 긴 손가락이 나비를 희롱했다. 그 모습을 보고 있던 케이티의 등골이 오싹해졌다. 아무도 모를 것이다. 세상에서 가장 위험한 나비를 황성 안에 들였다는 사실을.

***

한편, 그 시각. 스베인에게서 말을 전해 들은 황제가 입을 열었다.

"호오."

스베인이 전한 말을 들은 황제가 작은 감탄사를 내뱉었다.

"네가 보기에 어떠하냐."

스베인이 한숨이 섞인 목소리로 대답했다.

"거짓이겠지요. 입궁 시에만 해도 멀쩡하셨던 분입니다. 게다가 첼로스테도 어디가 아프신지 명확히 말하지 않았고요."

황제가 무심하게 턱을 괸 채로 읽고 있던 책을 슬렁슬렁 넘겼다.

"기네비어의 공주가 깜찍한 짓을 하는군."

"어차피 제국의 후궁들이 아무도 황제 폐하와 같은 침대에 누워본 일이 없다는 건 다들 아는 사실인데요, 뭘."

스베인이 입술을 이죽거렸다. 그동안 황실 후계의 중요성에 대해 역설했지만, 황제에게는 조금도 먹히지 않았다. 그저 재밌다는 듯이 슬며시 웃고 말 뿐이다. 지금처럼. 스베인이 제 가슴을 퍽퍽 치곤 이를 악물었다.

"공주에겐 의사를 보내고 황비의 칭호를 내리게."

"예. 언제나 그렇듯이요."

"그리고 내일 아침 식사는 함께할 수 있을지 물어보게."

"네?"

후궁들과의 식사를 한 번도 먼저 청한 일이 없던 황제의 말에 스베인이 눈을 동그랗게 떴다. 파락- 황제의 손이 무심하게 책장을 넘겼다. 그의 날카로운 청안이 책장을 읽어 내렸다.

"좀 있으면 어마마마의 탄일인데 공주의 얼굴을 몰라서야 쓰나. 신분에 따라 나와 가장 가까운 자리에 앉을 사람 아니냐.”

사실 황제가 하기에는 별스러운 말이었다. 그가 지금 황궁에 살고 있는 황비들의 머리색도 잘 모를 거라는 데에 스베인은 가진 전 재산을 걸 수 있었다.

“잘 생각하셨습니다.”

하지만, 스베인이 지당하다는 듯 고개를 끄덕였다. 황제가 실소를 흘렸다.

‘깜찍한 공주님께서는 무슨 생각이실까.’

후궁들 전부 훗날에는 남이 될 이들이다. 하여 단 한 번도 아내라고 여겨 본 적도 없고, 그녀들로 하여금 후궁으로서의 의무를 다하게도 하지 않았다. 그럼에도 힐라리아 기네비어와 똑같은 행보를 보인 이들은 없었다. 가장 오랫동안 황비의 자리를 지켜온 실로테 공녀나, 그보다는 재물에 관심이 많은 올리비아 영애조차도 처음엔 어리숙했다.

한데 힐라리아는 입궁하자마자 첼로스테를 제 편으로 만들었다. 철저히 황궁의 사람으로 살아온 첼로스테를 고작 몇 시간 만에 그렇게 만들다니. 기네비어의 여자들은 사람을 홀린다던데. 에벤에셀 황제의 청안이 매혹적으로 휘어졌다. 기네비어가 딸을 어떻게 키운 것인지 궁금해졌다. 또한, 힐라리아의 생각마저도.

‘재밌군.’

힐라리아는 의도치 않게 숨을 죽이고 상황을 관망하고 있던 황제의 관심을 끌고야 말았다.

***

“……아침? 아침 식사를 같이하자고?”

황제는 힐라리아에게 아침을 청해왔다.

'대체 왜? 지긋지긋한 남편 노릇에서 해방시켜주겠다는데.'

아침 먹다가 체하는 건 사절인데. 힐라리아는 그저 황제에게 동등하게 제안할 수 있을 정도의 권력은 스스로 쥐고 싶을 뿐이다. 그런데 웬 아침?

"아가씨에 대한 황제 폐하의 성의이실 겁니다."

첼로스테가 눈치를 살피며 말했다. 그녀는 미묘하게 기뻐 보였다. 힐라리아는 특별했다. 후궁이 잠자리를 거부했음에도 그녀는 벌을 받는 대신 아침 식사에 초대되었다. 단 한 번도 황제와 겸상해본 적 없는 후궁들이 알면 이를 아득바득 갈 소식이었다. 한데 그녀의 새로운 주인은 그런 건 상관도 없다는 듯 한숨만 푹푹 쉬어댄다.

"블라디슬라프 동관의 주방장 솜씨가 정말로 뛰어나답니다, 아가씨. 분명 즐거운 아침 식사가 되실 거예요."

첼로스테가 눈치를 살피며 말했다.

"……맛이라도 있어서 다행인 건가."

불편한 아침 식사의 대가가 그건가 보다. 힐라리아가 못마땅함에 입술을 달싹였다.

"다른 마마님들이 부러워하실 거예요."

힐라리아가 키득대며 웃었다.

"그건 당연한 거야, 첼로스테."

"예?"

첼로스테가 눈을 동그랗게 떴다.

"나는 기네비어의 공주지. 그들하고 내가 같아? 나는 신분도, 재력도, 능력도. 그들보다 월등한걸."

첼로스테가 할 말을 잃었다. 거들먹거리는 힐라리아의 말이 옳아서 반박할 수도 없었다. 외려 힐라리아가 할 말이 남았다는 듯 말을 덧붙였다.

"그러니 그들의 시기를 황제 폐하의 덕으로 돌리지 마. 그건 전부 내 덕이니까."

힐라리아가 제 붉은 머리카락을 쓸어 넘기며 말했다. 그녀의 등 뒤로 지는 석양이 힐라리아와 지독히도 어울렸다. 붉은 여왕. 기네비어 공국을 세웠다던 초대 여왕이 문득 떠오를 정도였다. 여왕은 수백 년이 지난 지금까지 아름다운 외모와 강력한 힘으로 칭송받고 있었다.

'정말로 초상화랑 닮은 것 같기도 하고.'

첼로스테가 쓸데없는 생각을 접고 말했다.

"……곧 의사께서 오실 겁니다."

"의사께선 몸이 약한 후궁을 위해 멀미 진단을 내려주실 거야. 그렇지, 첼로스테?"

첼로스테는 그제야 힐라리아가 자연스럽게 반말하고 있다는 사실을 인지했다. 오만한 모습이 오히려 더 어울렸다. 첼로스테가 침을 삼키곤 고개를 끄덕였다. 다행히 황궁의 의사들은 말귀를 잘 알아듣는 편이었다.

"그리고 내일 손님이 오실 거야."

"어떤 손님 말씀이신지요?"

"제너시스 후작 영애."

힐라리아가 생긋 웃었다. 첼로스테는 기가 질렸다.

'대체 어떻게 제너시스 후작 영애를……!'

사교계에서도 명성이 대단한 데다가 재력과 권력, 그 어느 것도 뒤지지 않는 가문이었다. 제너시스 가문은 중립을 표방하고 있어 그들이 어느 쪽으로 기우느냐의 따라 훗날 제국의 향방이 결정될 거라는 말도 있었다. 한데 이제 막 기네비어에서 올라온 힐라리아가 제너시스 후작 영애와 알고 지내는 사이였다니! 기네비어와 제너시스의 연합이라. 등골이 오싹해졌다. 힐라리아가 어디까지 해낼 수 있을지 궁금해졌다. 점차 공포로 물들어가는 첼로스테 앞에서 힐라리아는 여유롭게 찻잔을 기울였다.

'아직 나는 아무것도 하지 않았어.'

이제부터 시작이다. 이 황성을, 아니. 수도를 정복하는 일은. 힐라리아는 다음 날부터 황비의 직위를 받았고 공주님이 아닌 마마님이라고 불리게 되었다.

***

에벤에셀 윈프리드.

윈프리드 황가의 정점에 서 있는 남자의 이름이었다. 고작 15살의 나이로 황위에 올라 황태후의 섭정을 이겨내고 결국 실권을 움켜쥔 인물이기도 했다. 에벤에셀의 결단력과 추진력, 행동력은 선황보다 낫다는 평가를 받고 있었다. 후궁을 들이는 방법으로 황태후를 견제하는 에벤에셀을 두고 호사가들은 비열한 정책가라고 불렀으나, 당대의 정치학자들은 그를 두고 숨죽인 사자라고 칭했다.

에벤에셀은 그것 말고도 외모로도 유명했다. 친모를 닮아 꽃에 비견될 정도로 아름다운 외모 덕에 종종 장미에 비유되곤 했다. 그의 청안이나 신비로워 보이는 청색이 도는 흑발 같은 것들이 그의 미모를 돋보이게 했다. 그는 제 외모를 시기적절하게 사용하곤 했는데, 그건 지금도 마찬가지였다. 에벤에셀이 사르르 꽃이 피는 것처럼 웃었다.

"안 드십니까?"

깨작거리던 힐라리아가 고개를 들었다.

'윽. 이건 불공평하잖아!'

일어나자마자 퉁퉁 부은 눈을 간신히 뜨고 식사 자리에 참석한 그녀와는 다르게 에벤에셀은 상큼한 낯을 하고 있었다.

'아침부터 왜 저렇게…….'

예뻐? 자존심 상하게! 첫 만남부터 체면을 구겼다는 생각에 기분이 약간 상했다. 힐라리아가 입술을 삐죽이고는 샐러드를 입 안에 욱여넣었다.

"먹습니다."

에벤에셀이 은은히 웃었다. 생각했던 것보다…….

'귀엽네.'

첼로스테를 한 번에 찍어 눌렀다며 마녀 같은 여자라고 했던 스베인의 말과는 다르게, 머리카락을 풀어 내리고 볼을 부풀린 채로 샐러드를 씹는 모습은 어린애처럼 보였다. 에벤에셀이 턱을 괴고 말했다.

"복스럽게 드시니 보기 좋군요. 어제 몸이 안 좋으시다 들었는데, 오늘은 괜찮으신지?"

"푹 자고 일어났더니 괜찮습니다."

"정말 다행입니다. 귀한 공주님, 멀리 보내주신 기네비어 공왕을 볼 면목이 없을뻔했습니다. 이것도 참 맛있습니다. 많이 드셔야……."

힐라리아와 에벤에셀의 눈이 마주쳤다. 두 사람만 인식 가능한 짧은 정적이 스쳐 지나갔다. 에벤에셀의 입술이 잘게 떨렸다. 푸르게 타오르는 힐라리아의 눈동자는 매혹될만한 강렬한 힘이 있었다.

'마녀임에 틀림없어요!'

스베인의 외침이 귀에 광광 울렸다.

"많이 먹어야?"

힐라리아의 물음에 바로 속내를 갈무리한 에벤에셀이 싱긋 웃었다. 힐라리아가 그에 맞춰 웃었다. 왠지 모르게 잘 웃는 에벤에셀이 차디찬 얼음처럼 느껴졌다. 보고 있자니 어쩐지 목덜미가 송연해지는 것 같은 느낌이었다. 그렇다고 힐라리아가 겁먹을 정도는 아니었지만.

'미모를 낭비하네.'

힐라리아가 코웃음 치고는 작은 에스프레소 한 잔으로 식사를 마무리하는 에벤에셀을 속으로 비웃었다.

"건강해지시지요. 늘 잘 드셔야 합니다. 잠도 잘 주무시고요. 운동도 하시면 더 좋습니다."

"예, 명심하지요."

힐라리아가 심드렁하게 대답하자 잔을 내려놓은 에벤에셀이 말했다.

"황성에 들어온 후궁들 중에 황제와 밤을 보내지 않은 이들은 무시당합니다. 오늘 몸이 불편하지 않다면 함께 밤을 보내는 건 어떻겠습니까?"

에벤에셀의 청안이 검처럼 벼려졌다. 에벤에셀이 말 한 마디로 힐라리아를 시험대 위에 올렸다. 그녀가 다른 후궁들처럼 황제의 후광을 바랄지, 혹은 다른 꿈을 꾸는 사람일지 시험하는 것이다. 힐라리아가 먹던 것을 내려놓고 입가를 닦았다. 몸을 기울이고 도전적으로 에벤에셀을 쳐다보았다.

"감사한 제안이지만 거절하겠습니다, 폐하."

"흠?"

"저는 다른 이들하고 똑같은 건 싫습니다. 저는 특별한 게 좋거든요."

힐라리아가 입술을 끌어 올렸다.

"특별한 것? 어떻게 하면 황비가 좀 더 특별해질까요?"

"한 가지만 약속해주세요, 폐하."

"무엇을?"

"그 전에 제가 이 성에 사는 노회한 너구리를 잡아 드리겠습니다."

에벤에셀의 눈동자가 차게 굳었다.

"……위험한 말씀을 하시는군요."

"이 황성을 제 손아귀에 쥐면 믿어주실까요?"

에벤에셀이 제 입매를 매만졌다. 그리곤 옅은 웃음기가 밴 목소리로 물었다.

"그러면 저는 무엇을 해드리면 되겠습니까?"

버석한 얼음이 가루가 되어 떨어질 것처럼 서늘한 눈빛이었다.

'내 나비들이 다 얼어버리겠군.'

정령들은 똑같은 정령이 아니면 해할 수 없다. 한데, 황제에게 특별한 이능이 있을 리 없음에도 그런 생각이 들었다. 힐라리아가 대답했다.

"훗날 제 소원을 하나 들어주시면 됩니다."

에벤에셀이 몸을 뒤로 물렸다. 힐라리아가 무엇을 바랄지는 충분히 짐작할 수 있었다. 그가 의자에 가볍게 기댄 채로 힐라리아를 잠시간 응시했다.

"소원 말입니까?"

"예. 분명 들어주실 수 있을 겁니다. 그저 작은 소원이거든요."

"작은 소원? 얼마나 사소한 소원일까요? 그런 건 지금도 충분히 들어드릴 수 있는데. 황제는 할 수 있는 게 많답니다. 예를 들어, 지금 황비를 황후로 만들어드릴 수도 있지요."

힐라리아의 눈초리가 파르르 떨렸다. 지금 황제는 자신이 무슨 말을 하고 있는지 알고 있는 걸까? 고의든 아니든 말 한 마디로 사람 목숨을 손바닥 위에 올려놓고 굴리고 있었다. 기네비어를 황태후의 적으로 돌리기라도 하려는 건지. 황태후가 자신의 세력을 황후로 만들기 위해 안간힘을 쓰고 있는 걸 뻔히 알 텐데도 말이다.

"폐하. 그건 사소하지 않아요. 저처럼 그릇이 작은 사람이 견딜 수 있는 자리가 아닙니다. 저는 질투도 많고 마음도 좁지요. 투기로 미쳐버릴지도 몰라요. 게다가 사치도 심합니다. 제국에 흉이 될 거예요."

에벤에셀이 힐라리아를 향해 손을 뻗었다. 그가 흘러내린 힐라리아의 머리카락을 귀 뒤로 넘겨주었다.

"그런 건 걱정하지 않아도 됩니다. 힐라리아는 짐의 어여쁜 꽃이면 되지 않겠습니까?"

그저 장식용 꽃으로, 황후로 살라는 말이었다.

'으, 미친 거 아냐?'

황제는 힐라리아의 예상보다 위험한 사람이었다. 힐라리아는 에벤에셀이 하는 경고를 알아들었다. 힐라리아가 권력을 탐해 황후의 자리를 노린다면 그는 그녀를 황실의 그림자로 만들어주겠다고 말하고 있었다.

"그건, 그건 싫습니다."

힐라리아가 숨을 들이켰다. 그녀의 볼을 스치고 지나가는 커다란 손이 위협적으로 느껴진 까닭이었다. 그런 분위기에 맞지 않게 그의 손에선 따뜻한 냄새가 났다. 코가 간지러웠다. 힐라리아의 손바닥에 땀이 차올랐다. 분명 같은 눈인데 그의 푸른 눈은 힐라리아의 것보다 은은한 빛을 띠었고, 금방이라도 물이 차올라 흘러내릴 것만 같았다. 무엇에 홀리기라도 한 듯, 그에게서 눈을 뗄 수 없었다.

'너무…… 잘생겼잖아…….'

다행히 힐라리아가 황제에게 완전히 홀려버리기 전에 그가 힐라리아에게서 손을 떼어냈다. 그것으로 두 사람 사이의 긴장감이 먼지처럼 흩어졌다.

"물론 황비께선 똑똑하시니 그런 건 원하지 않겠지요."

"네. 그렇습니다."

힐라리아가 마른 입술을 적시곤 빠르게 대답했다. 에벤에셀이 피식 웃음을 흘리며 고개를 끄덕였다.

"좋습니다. 황비를 믿고 기다려보겠습니다."

"그 말씀, 꼭 지켜주세요."

평정을 되찾은 힐라리아의 눈이 빛났다.

"황제의 말은 한 마디, 한 마디가 무겁습니다."

"그럼 저도 믿어볼게요. 정말 사소한 소원이니 들어주실 것이라고요."

힐라리아가 사르르 웃었다.

"그리고 폐하."

"네."

"황태후 폐하께 인사를 드리러 가야 할까요?"

그건 매우 의도적인 물음이었다. 힐라리아가 황태후에게 불편한 인사를 가지 않아 생길 모든 문제에 대해 황제를 방패막이로 쓰겠다는 뜻이기도 했다. 에벤에셀이 힐라리아의 볼에 닿았던 손가락을 손바닥에 움켜쥐었다. 허전해진 손끝이 뜨거웠다.

'욕구불만인가.'

그녀의 볼은 말랑하고 따뜻했다. 단언컨대 그는 황제가 된 이후로 한 번도 여자를 가까이한 적이 없었다. 사방이 적인데 누가 칼을 품고 들어올 줄 알고 여자를 들이겠는가. 에벤에셀이 피식 웃었다.

'발칙하고 깜찍하군.'

모든 뜻을 간파하고 있으면서도 에벤에셀이 순순히 입을 열었다.

"가지 마십시오. 짐이 허락하지 않은 일입니다."

그건 당차게 구는 힐라리아가 그의 흥미를 점점 끌어당긴 까닭이었다. 수도에서 독하기로 소문난 실로테 공녀조차도 저만치 당돌하진 않았다. 이제 막 기네비어를 벗어난 시골내기 아가씨가 앞으로 황궁에서 벌일 일들이 퍽 기대되었다.

"감사합니다, 폐하."

오늘 아침 식사에 참여한 대가로 원하는 것을 모두 얻어낸 힐라리아가 화사하게 웃었다. 동시에 그녀가 눈을 깜빡이자, 아주 미세한 크기로 나타난 나비가 팔랑팔랑 날아 에벤에셀 쪽으로 향했다. 힐라리아가 눈을 가늘게 떴다. 시범 삼아 날려 보낸 나비가 점차 에벤에셀의 머리카락에 가까워졌다. 파스스- 그러나 나비는 그에게 닿기도 전에 흔적도 없이 사라지고 말았다. 힐라리아가 헛웃음을 삼켰다.

'뭔가 있군그래.'

하나 그녀는 그런 속내는 모두 감춘 채 그저 생긋 웃었다. 순진하고 귀여운 얼굴로. 에벤에셀은 나비가 팔락이던 장소를 힐끗 보고는 모른 척 입매를 매만졌다.

'정말, 깜찍한 짓만 골라 하는군.'

두 사람이 서로의 존재를 뇌리에 깊이 새긴, 첫 만남이었다.

***

황제가 새로 입궁한 황비와 아침 식사를 했다는 소문이 황성에 파다하게 퍼졌다. 황태후와 후궁들을 비롯해 황성이 들썩이는 와중, 당사자인 힐라리아만 천하태평이었다. 그녀는 식사 후 한차례 시종의 방문을 받았다. 케이티가 가져온 작은 가방을 제외하고는 입궁과 동시에 압수당했는데, 꼼꼼한 검수를 받은 짐들을 이제야 돌려받게 된 것이었다.

"없어진 건 없니?"

"네, 마마."

케이티가 직접 짐을 정리하고 나서 대답했다. 어차피 옷가지들은 모두 빼앗겼고, 남은 건 장신구들과 몇 가지 소지품이 다였다. 딱-! 힐라리아가 손가락을 맞부딪히자 서랍에 얌전히 들어 있던 수첩이 둥실하고 떠올랐다.

"마마님!"

힐라리아가 주변을 둘러보고는 한숨을 푹 내쉬었다.

"누가 보면 어쩌려고 이러세요!"

"지금 너와 나뿐이잖아? 게다가 주변엔 아무도 없어."

힐라리아가 다시 한번 손가락을 맞부딪히자 벽에 스며들어 있던 나비들이 일제히 몸을 드러냈다. 이 방을 감시함과 동시에 보호하는 나비들이었다.

"세상에! 이렇게 마력을 많이 쓰시고 계셨다고요? 어쩐지!"

케이티가 바쁜 손길로 서랍에 든 보석함을 뒤적였다. 마석의 개수를 확인한 케이티가 몸을 홱 돌렸다.

"아, 마마니이임!"

"곧 베아트리체가 올 텐데, 뭐."

"정말이죠?"

힐라리아가 고개를 끄덕였다.

지금도 베아트리체가 호들갑을 떠는 게 들려오고 있었다.

[얘는 왜 이렇게 급하게 연락하고 그래! 지금 유통 가능한 불의 마석의 개수가 몇 개지?]

[일단 100개가 계약되어 있고 저택에 있는 건 50개가량 됩니다, 아가씨.]

[그거라도 일단 가져가야지. 황성에 전보를 보내주겠어? 내일 당장 입궁해야겠어! 아. 제발, 힐. 사고치지 말고 가만히 있어.]

힐라리아가 깜짝 놀라서 혀를 깨물었다. 베아트리체가 그녀에게 보낸 나비를 향해 고개를 확 하고 들이민 까닭이었다. 그녀가 속으로 고통을 삭이며 제 손에 떨어진 수첩을 열어젖혔다. 힐라리아가 아린 혀를 내민 채로 수첩을 설렁설렁 넘겼다. 힐라리아가 쓸만한 정보들을 정리한 수첩이었다.

"티파티를 열어야겠군."

"발음이 왜 그러세요?"

"몰라도 돼."

힐라리아가 새침하게 말하고는 얼얼한 혀를 입 안에 굴렸다.

"아무튼. 티파티를 열어야겠다고."

"티파티요?"

"그래. 너구리를 잡기 위해서는 돈이 필요해. 지금 베아트리체가 운용할 수 있는 자금은 별로 없으니까."

힐라리아가 눈을 반짝였다.

그녀가 보고 있는 건 붉은색으로 적힌 글자였다.

<무기 밀매.>

지금 무기 밀매를 주도하고 있는 가문이 몇 있었다. 베아트리체를 움직여 증거를 확보하고 그들을 협박해 사업체를 넘겨받은 다음, 합법적으로 승인을 받는 거다.

'세금은 들겠지만, 그 정도야 뭐.'

게다가 정보에 따르면 에벤에셀이 지금 전쟁을 준비 중이라고 한다. 기네비어를 끌어들인 것을 봐서도 황제의 뜻이 어디에 있는지는 짐작할 수 있었다. 기네비어의 무력은 대륙에서도 알아줬다. 여태껏 공국을 적대시하던 황실이 손을 내민 데에는 이유가 있는 것이다. 기네비어에겐 두 가지 선택지가 있었다. 손을 뿌리치고 몽땅 황실에 털어 먹히거나, 손을 잡고 협력을 하거나.

'뻔뻔한 윈프리드.'

기네비어가 왜 황무지로 쫓겨났는지 그 역사를 돌아보면 윈프리드는 역시 뻔뻔하다.

'이걸 그대로 삼키면 자금 문제는 해결되겠네.'

게다가 무기는 황실을 상대로 납품하게 될 테니 에벤에셀과 좀 더 호의적인 관계를 쌓을 수 있을 것이다. 힐라리아가 생긋 웃었다. 한숨을 푹 내쉰 케이티가 어깨 너머로 힐라리아가 보고 있는 것을 확인했다.

<무기 밀매.>

"그걸 한입에 털어드실 거죠?"

"응."

"……정말 뻔뻔하시네요."

"아니야. 이건 정당한 거지. 불법적인 일을 합법적으로 만들어주는 거잖아? 그들이 떼어먹은 세금은 내가 아주 후한 마음으로 지불해줄 예정이고 말이야."

"그러니까 뻔뻔하시다고요."

케이티가 들리지 않도록 작게 중얼거리곤 힐라리아의 곁에 섰다.

"그러면 누굴 초대할까요? 티파티 날짜는요?"

자신의 물음에 힐라리아가 불러주는 대로 받아 적으며 케이티는 고개를 끄덕였다.

"준비는 어떻게 할까요?"

"기다려. 해줄 사람이 곧 올 것 같으니까."

이 밀림 같은 황궁에 살고 있던 독사들이 그녀를 향해 고개를 치켜들기 시작했다.

[애쥬라. 힐라리아라는 여자를 데려와. 직접 얼굴을 봐야겠으니. 기네비어 여자들은 거친 바람을 맞고 자라서 피부가 거북이 등딱지 같다지?]

독이 바짝 오른 목소리가 들려왔다. 독사를 잘 길들여 애완뱀으로 만들 생각에 힐라리아의 뺨이 달아올랐다. 대체 어떤 희생양이 힐라리아에게 걸려든 것인지. 케이티가 안타까움을 감추지 못하고 수첩을 덮었다.

***

다음 날, 제너시스 후작가로부터 베아트리체의 전보가 도착했다. 황실 전보국으로부터 전달된 소식에 따르면 오늘 오후 3시경에 입궁하겠다고 적혀 있었다.

"흥. 성격 급하기는."

"말도 없이 수도로 오신 마마님이 하실 소리는……."

힐라리아의 날카로운 눈총을 받은 케이티가 입을 꾹 다물었다. 힐라리아는 여유롭게 차를 마시며 잡지를 넘겼다. 시시콜콜한 사교계의 가십들이 잔뜩 담겨 있는 잡지였다. 그녀는 기네비어 공국에 있을 때도 매주 '시디카 잡지'를 구독해왔다. 쓸모없는 가십들이 사교계에서 어떤 힘을 발휘하는지 아는 까닭이고, 의외로 힘이 될만한 정보도 담겨 있기 때문이었다.

"음. 어머. 첼로스테, 브렌다 백작 영애가 평민 기사랑 야반도주했다가 붙잡혀왔다는 게 정말인가요?"

힐라리아가 다정하게 말을 건넸다. 그녀의 존댓말이 어색하고 오싹해 첼로스테가 목을 움츠렸다.

"네, 마마님. 잡히시는 데 채 하루도 걸리지 않으셨어요. 브렌다 백작 영애가 불편한 생활에 영 적응을 못 하셔서요."

첼로스테는 첫날 이후로 마음을 굳힌 뒤 힐라리아가 원하는 정보를 술술 제공했다. 힐라리아도 첼로스테에 대한 걱정은 한 스푼 덜었다. 어차피 나비로 감시하고 있으니 무서워할 것도 없었다. 그녀는 브렌다 백작 영애에 관한 기사를 샅샅이 읽었다. 장녀임에도 불구하고 둘째가 아들이라는 이후로 후계에서 밀린 여자였다.

'그 허한 마음을 사랑으로 채운 모양이지?'

꽤나 로맨틱한 영애가 아닐 수 없다. 그리고 이렇게 상처가 많은 사람은 보통 이용하기 쉬운 편이다. 힐라리아가 입맛을 다시며 브렌다 백작 영애에 관한 정보를 머리에 저장했다.

"수도는 정말 재미있는 것 같아요."

그 말이 왠지 이용할 게 많다는 말로 들려 첼로스테가 어색하게 웃었다. 세 사람이 나름 대화를 하고 있을 그 무렵, 바깥에서 소란이 일었다.

[실로레 황비 마마께서 만나고자 하신다니까?]

[그럼 직접 오셔야지요. 이게 무슨 무례이십니까?]

[무슨 무례! 당연히 힐라리아 마마께서 오셔야 하는 일을! 지금 카나리아 궁에 후궁 마마님들 모두 모여계시다 하지 않아!]

[미리 언질을 주지 않으셨으니 우리 마마님 잘못은 아니지요! 게다가 신분상으로 우리 마마님이 윗줄 아니십니까?]

나비를 통해 대화를 엿들은 힐라리아가 싱긋 웃으며 의자에 기대고 있던 몸을 일으켰다. 시녀들 사이의 알력 다툼이 깜찍했다. 앙탈을 부리는 고양이들 같달까. 케이티가 힐라리아의 갑작스러운 움직임에 그녀를 눈짓으로 살폈다. 힐라리아는 여유로운 태도로 그 소란이 가까워지길 기다렸다. 잡지를 탁 닫은 힐라리아가 케이티에게 고갯짓했다. 그에 힐라리아가 늘어놓은 것을 빠르게 정리한 케이티가 그녀의 곁에 섰다. 그 움직임을 첼로스테가 의아하게 보았으나 두 사람 중 아무도 그녀의 의문을 풀어주지 않았다. 하나, 그것도 잠시.

"내가 직접 보고 말씀드리겠다니까?"

"애쥬라 시녀장님!"

그제야 소란을 알아차린 첼로스테가 차가운 얼굴로 고개를 돌렸다.

"돌려보낼까요?"

"아니야. 들여보내도 좋아."

원한다면 그들이 모여 있다는 카나리아 궁에 납셔줄 생각도 있었다.

'귀엽게 텃세를 부리는 모양이지?'

힐라리아가 작게 키득거렸다. 그런 그녀를 케이티가 불안한 얼굴로 응시했다. 제발 저들이 얌전히 물러나줬으면 하는 마음이다. 최소한 힐라리아는 건드리지 않으면 물지 않는다. 하지만 결국 문이 열리고 머리카락을 단단히 틀어 올린 여자가 앞을 막아서는 시녀들을 밀고 들어왔다. 붉어진 얼굴로 씩씩거리며 버티고 선 여자가 앙칼지게 말했다.

"카나리아 궁의 시녀장 '애쥬라'라고 합니다, 마마님."

"이런, 이런."

힐라리아가 눈을 곱게 접으며 웃었고, 케이티는 속으로 탄식을 내뱉었다.

'망했다.'

케이티가 힐라리아로부터 몸을 물렸다. 첫날부터 힐라리아에게 협박을 당한 첼로스테는 불안한 얼굴로 힐라리아를 돌아보았다.

"새로 오신 마마님을 뵙고 싶어 이렇게 무례를 저질렀습니다."

애쥬라가 무릎을 살짝 굽혀 인사했다.

"이리 와."

"네?"

애쥬라가 그제야 힐라리아의 얼굴을 제대로 눈에 담았다. 흥분이 가시고 나니 방 안의 분위기도 눈에 들어왔다. 서늘하게 굳어서 뻣뻣한 얼굴로 그녀를 보고 있는 처음 보는 시녀와 입술을 꾹 다물고 있는 첼로스테까지.

'뭐지?'

하나 그녀가 그런 의문을 가졌을 땐 이미 늦었다. 힐라리아가 한숨을 푹 내쉬고 다시 입을 열었다.

"나는 다시 말하는 걸 좋아하지 않는데. 이리 와, 애쥬라."
힐라리아가 서늘하게 덧붙였다.
"언제까지 내가 올려다보게 둘 참이지?"
방 안이 살얼음판처럼 얼어붙었다.

***

블라디슬라프의 북관에는 황태후의 맨드라미 궁만이 고고하게 위치하고 있었다. 그녀는 죄를 저지르고 유배당한 친아들을 대신해 용서를 빈다는 의미로 검소하게 뒤로 물러나겠다며 북관을 선택했다. 그러나, 황태후가 뒤로 꿍꿍이가 따로 있을 거라는 건 제국의 어린 귀족 아이조차도 짐작할 수 있는 바였다. 늘 검은 드레스를 고집하는 황태후의 날카로운 얼굴이 비웃음을 머금었다.
"어린 후궁마저도 나를 무시하는구나."
"황태후 마마."
황태후에게 동조하며 맨드라미 궁의 시녀장이 비통한 표정으로 고개를 숙였다. 그녀와 마주 앉아 차를 마시고 있던 에라스모 백작이 불편한 얼굴을 했다.
"기네비어를 뒤에 두고 있으니 기고만장한 모양이지요. 이럴 때일수록 가만히 계시면 안 됩니다, 황태후 마마. 고작 22살밖에 되지 않은 어린 계집입니다. 그 계집을 손에 넣는 게 무에 어렵겠습니까?"
독한 향기가 올라오는 차를 마시는 황태후의 손톱이 날카롭게 번뜩였다.
"그런가요?"
"황태후 마마의 넓은 도량을 보여주신다면 기네비어 또한 손에 넣으실 수 있겠지요. 제가 그랬듯이요."
에라스모 백작의 말에 황태후가 후후후 웃었다. 짙은 붉은 립스틱을 바른 황태후의 입술이 흐드러지게 휘어졌다.

"하긴. 이렇게 무시를 당하고도 가만히 있으면 안 되겠지요?"

"그럼요, 마마."

"황제께서 명하셨다고 하나, 이 궁의 가장 높은 어른은 나인 것을요."

"그렇습니다."

에라스모 백작이 당연하다는 듯이 동조했다. 황태후가 에라스모 백작을 날카로운 눈으로 돌아보았다. 이 이른 아침부터 에라스모 백작을 불러들인 것은 이유가 있어서였다. 원하는 말을 실컷 들은 황태후가 입을 열었다.

"그렇다면 백작께서 따님을 만나보셔야겠습니다."

"올리비아를요?"

"네, 백작. 제가 직접 움직여서야 면이 서겠습니까? 올리비아가 말도 잘 알아듣고 강단 있으니 알아서 해주겠지요."

"이것 참. 제 딸을 그리도 믿어주시니 감사할 따름입니다."

에라스모 백작이 허허 웃었다. 이것으로 황태후에게 한 걸음 더 다가섰다고 생각하며.

'역시 대세는 황태후지.'

아무것도 못 하는 허수아비 황제 따위는 적수도 되지 못한다.

***

"베니체 황비가 죽기 전에 먹었던 생일 케이크를 누가 대접했는지 알고 있니?"

애쥬라의 얼굴이 하얗게 질렸다.

"어, 어, 어떻게……!"

애쥬라가 주변을 둘러보았다. 첼로스테와 케이티는 아무것도 안 들린다는 얼굴로 멀찍이 서 있었다. 애쥬라가 덜덜 떨며 힐라리아에게로 시선을 돌렸다. 그 일은 애쥬라와 실로테 말고는 아무도 모르는 일이었다. 베니체 황비가 죽기 일주일 전 먹었던 생일 케이크가 죽음의 원인이 되었다는 사실은.

"쉬이……. 내가 입을 다물면 아무도 모를 거야. 그러니 걱정하지 않아도 돼, 애쥬라."

힐라리아가 손을 뻗어 애쥬라의 턱을 살짝 들어 올렸다. 아직 서 있는 애쥬라의 몸이 더 높이 있었음에도 자연스러웠다.

"꿇어. 건방지게 굴지 말고."

애쥬라가 털썩 주저앉았다. 힐라리아가 제 앞에 꿇어앉은 애쥬라 시녀장을 만족스러운 얼굴로 보았다. 뻣뻣하게 목을 들고 있을 때와는 다르게 볼만하다 생각했다. 힐라리아는 마음이 너그러운 주인이었지만, 그녀에 대한 무례를 참아 넘길 정도는 아니었다. 힐라리아는 애쥬라가 찾아온 것만으로 이 황궁의 실세가 누구인지 알아차렸다. 실로테 윈프리드. 반에이크 공작의 이복여동생이 후궁들의 우두머리 격인 모양이다. 힐라리아가 입술을 손가락으로 훑었다. 그녀가 열 티파티를 도울 사람을 정했다.

"애쥬라."

"예, 마마님!"

힐라리아의 기세에 눌려 무릎을 꿇고만 애쥬라가 떨리는 목소리로 답했다. 고작 22살. 입궁한 후궁들 중에서도 가장 어린 나이라 하여 우습게 생각했는데 기백은 황태후 저리 가라였다. 애쥬라가 마른 입술로 침을 삼켰다. 게다가 그들의 비밀은 어떻게 알아낸 것인지! 하지만 힐라리아는 금세 다 잊은 듯이 생글생글 웃고 있었다.

"이제 한번 들어볼까? 애쥬라가 나를 다급히 찾았을 땐 이유가 있을 거 아냐."

힐라리아가 사르르 녹아내리는 샤베트처럼 달콤한 목소리로 물었다. 모든 걸 알면서도 시침 떼는 힐라리아를 보며 케이티가 고개를 저었다.

'정말 한편이라 다행이야. 정말로. 절대로 배신 안 할 거야.'

매일같이 케이티가 되새기는 다짐이었다.

"그, 저."

애쥬라가 목소리를 가다듬고서 말을 이었다.

"그, 실로테 황비 마마를 비롯한 네 마마님께오서 황비 마마를 뵙고자 하십니다."

"나를?"

"예, 마마님."

"그런데?"

힐라리아의 반문에 애쥬라가 고개를 치켜들었다. 무릎을 꼬고 앉아 턱을 괴고 있던 힐라리아가 고개를 기울였다.

"예……?"

그녀의 반문에 애쥬라 뒤에 서 있던 첼로스테가 한숨을 삼켰다. 그녀를 보고 있으니 어제 단번에 꼬랑지를 말았던 자신의 모습이 떠올랐던 까닭이었다. 힐라리아가 약간 짜증을 담아 말했다.

"왜 한 번에 못 알아듣지?"

한숨을 크게 내쉰 힐라리아가 말했다.

"나는 기네비어 공주야. 네 주인이 나보다 높은 신분을 가졌던가?"

애쥬라의 동공이 확장되었다. 힐라리아가 지적한 게 무엇인지 깨달았다. 애쥬라가 고개를 내저었다.

"아닙니다, 마마님! 그렇지 않습니다!"

"한데 말이야."

턱을 괴고 있던 힐라리아의 손가락이 제 볼을 피아노 치듯이 도도독 두들겼다.

"대체 누구더러 오라 가라 하는 것일까?"

힐라리아의 눈이 곱게 휘어졌다. 이미 승기는 힐라리아에게로 기울어져 있었다. 힐라리아는 실로테를 궁지에 몰아넣을 수 있는 비밀을 알고 있는 듯했고 신분도 높았다.

"그, 그. 마마님!"

애쥬라가 어찌할 바를 모르고 입술을 떨었다.

"자. 애쥬라는 똑똑한 사람이니까 내가 하는 말이 무슨 뜻인지 알아들었을 거야. 그렇지?"

애쥬라가 빠르게 고개를 끄덕였다. 힐라리아가 문을 고갯짓했다.

"그럼 가봐."

"예, 마마님."

애쥬라가 허리를 깊게 숙여 인사하고는 그녀의 방을 벗어났다. 그녀가 침을 꿀꺽 삼켰다. 힐라리아가 입을 연 이후로 그저 덜덜 떨며 '마마님'만 부르다 나왔다. 곱씹으니 이상한 일이었지만, 그 방 안에 들어선 이후로 무언가에 홀린 것처럼 그렇게밖에 할 수 없었다.

'어리신 분이 대체 어떻게 그런 기백을.'

돌아가면 실로테 황비에게 시달릴 테지만, 힐라리아 황비에게 목을 물어뜯기는 것보단 낫다 싶었다. 그녀가 서늘한 목덜미를 쓱 쓸었다.

'블라디슬라프에 새로운 바람이 불겠구나.'

강력하고 매혹적인 힐라리아라는 바람이.

***

힐라리아가 황성의 소식을 속속들이 전달받듯이 에벤에셀 또한 힐라리아에 관한 이야기를 모두 전달받고 있었다. 안 그래도 입궁하자마자 그와 아침 식사를 함께한 힐라리아에 대한 관심으로 황성 전체가 들끓고 있는데, 황성에서 18년간 근속해온 시녀장 하나를 단번에 박살내기까지 했다.

"큭."

"뭐가 그리 즐거우십니까?"

스베인이 날카로운 눈으로 물었다.

"자네도 들었지 않나. 새 황비가 첼로스테에 이어 애쥬라도 꿇렸다지?"

스베인이 한숨을 푹 내쉬고 대답했다.

"애쥬라는 정말로 무릎을 꿇었다는군요."

"입궁 하루 만에 짐을 이렇게 즐겁게 해주다니. 앞으로의 행보가 기대되는군."

스베인이 에벤에셀을 힐끔 보았다. 그는 속을 알 수 없는 얼굴로 즐겁다는 듯이 웃으며 서류를 만지작거리고 있었다. 황제를 보필하는 반에이크 공작 또한 나쁘지 않은 기색이었다.

"이렇게 눈길을 끌었으니 모두들 움직일 겁니다. 그 안에는 황태후도 포함되어 있을 거고요. 나름의 규칙을 가지고 균형을 유지하던 후궁들이……."

"스베인, 스베인."

그를 막아선 것은 반에이크 공작이었다.

"걱정도 많군그래. 폐하께서 어련히 생각하고 계시려고. 나는 그 황비가 마음에 들어."

"반에이크 공작! 황성에 사시는 분이 아니니 그리 여유로우신 거겠지요."

스베인이 날카롭게 지적했다.

"물론, 나는 강 건너 불구경이긴 해. 하나 고인 물처럼 썩어 들어가던 황성에 새로운 바람이 불지 않겠나?"

"그 정도로 기대하는가?"

황제의 물음에 반에이크가 고개를 끄덕였다.

"그렇습니다, 폐하. 무려 기네비어의 핏줄인 것을요."

에벤에셀이 붉은 입술을 휘어 올렸다.

"자네는 짐과 의견을 같이하는군."

한 번 만나본 기네비어 공주는 퍽 재밌는 사람이었다.

'동등한 협력 관계라.'

힐라리아가 요구한 것은 그것이었다. 게다가 황제에겐 무엇도 요구하지 않았다. 재물이나, 권력, 이 황성을 틀어쥐기 위해 필요한 것들. 오히려 그의 골머리를 앓게 하는 너구리를 잡아준다고 하지 않았던가. 그 정도면 에벤에셀의 흥미를 끌기 충분했다. 반짝이던 힐라리아의 얼굴이 불현듯 떠올랐다. 깨어난 지 얼마 되지 않은 듯 퉁퉁 부어 있었지만, 강렬한 인상이었다. 적발에 청안은 잘못하면 촌스러워 보일 수 있는 조합이었으나, 힐라리아는 세련되게 소화하고 있었다. 독특하고 화려한 미색이었다.

'기네비어 공왕. 대체 어떤 딸을 키워 보낸 거지?'

근엄하고 서늘한 얼굴의 기네비어 공왕에게서는 찾아볼 수 없는 장미 같은 생명력을 그녀는 가지고 있었다. 에벤에셀이 제 입매를 매만졌다.

"실로테 황비가 가만히 있지 않을 겁니다."

스베인이 옅은 한숨을 덧붙여 말하자 에벤에셀이 즐거운 얼굴로 대답했다.

"너무 걱정하지 말게. 힐라리아 황비도 가만히 있지 않을 테니."

그가 본 힐라리아는 그랬다. 지금 싸움을 기다리는 거냐며 머리를 부여잡은 스베인을 위로한 것은 반에이크 공작의 몫이었다.

'힐라리아 기네비어라.'

정말 재밌는 사람이다. 에벤에셀이 또다시 작게 웃음을 터뜨렸다. 역대 어떤 황비도 하지 못했던 짓들을 그녀는 척척 해내고 있었다.

***

애쥬라가 돌아가고 오후 2시 30분경, 황성 앞에 제너시스 후작가의 마차가 멈춰 섰다. 마차 문이 열리고 그 앞에 흰색 레이스가 달린 노란 양산을 든 시종이 섰다. 그의 에스코트를 받아 마차에서 내린 것은 최신 유행의 물빛 드레스를 곱게 차려입은 베아트리체였다. 미리 전보를 넣어둔 덕에 이미 스틸로즈 궁에서 마중을 나와 있었다.

"안녕하세요. 저는 스틸로즈의 시녀장 첼로스테입니다."

"어어. 첼로스테가 힐라리아 마마를 맡았군요!"

베아트리체가 손뼉을 치며 까르르 웃었다.

"그렇습니다. 영애님."

"앞으로 잘 부탁해요. 황성 생활은 처음이라 헤맬 때마다 많이 도와주시고요."

첼로스테가 약간 떨떠름한 얼굴을 했다. 지금 베아트리체가 부탁하고 있는 인물이 힐라리아가 맞는지 헷갈렸던 까닭이었다.

'헤매다니?'

입궁한 지 이틀 만에 시녀장 둘을 꿇렸다고 소문이 파다했다. 그 치욕스러운 소문에도 애쥬라와 첼로스테는 입도 뻥긋 못하고 있었다. 다들 우습게 볼 테니까. 한데, 첼로스테의 앞에 서 있는 베아트리체는 힐라리아를 진심으로 걱정하고 있는 듯했다.

'왜지?'

가장 걱정 안 해도 될 것 같은 사람인데.

"힐라리아가 기네비어 공국에서만 살아서 사람 대하는데 서툴러요. 그러니 첼로스테가 많이 도와줘요."

첼로스테가 어색하게 웃었다.

'사람 대하는 게 서툴러……?'

첫날, 웃는 얼굴로 첼로스테를 협박하던 힐라리아가 스쳐 지나갔다.

"아. 예."

첼로스테가 해줄 수 있는 대답은 그게 다였다.

"유리나. 가져온 건?"

여기서부터 베아트리체가 대동한 시녀는 출입이 불가능했다. 유리나가 베아트리체 손 위에 작은 보석상자를 올렸다.

“설마 이것도 검사하는 건 아니죠?”

베아트리체가 보석상자를 열었다. 눈이 멀 것처럼 화려한 목걸이였다. 딱 봐도 힐라리아를 위해 만든 것이 뻔한 새파란 사파이어가 햇빛을 받아 반짝였다.

“아닙니다, 베아트리체 영애님. 지금으로 충분합니다.”

“그렇군요.”

탁- 베아트리체가 가볍게 보석상자의 뚜껑을 닫고 생긋 웃었다. 첼로스테가 베아트리체를 힐라리아가 기다리고 있는 스틸로즈의 응접실로 안내했다.

“힐!”

베아트리체의 치마가 꽃잎처럼 흔들렸다. 힐라리아에게 나비처럼 안겨든 베아트리체의 머리를 그녀가 쓰다듬었다.

“베베. 살살해, 살살.”

베아트리체에게서 날아오른 금색 나비가 힐라리아에게로 스며들었다.

“어디 봐. 오는 동안 멀미하진 않았어? 데리러 간다니까!”

베아트리체가 볼을 부풀렸다. 자신보다 한 뼘은 작은 베아트리체의 뺨을 꼬집었다 놓아준 힐라리아가 첼로스테에게 명했다.

“우유와 시럽을 가득 넣은 홍차 준비해주세요.”

“네, 마마님.”

첼로스테가 물러가고 방 안에는 케이티를 비롯한 두 사람만이 남았다. 베아트리체가 힐라리아에게서 몸을 떼어냈다. 그녀를 위아래로 살피며 베아트리체가 불퉁한 목소리로 말했다.

“겨울에 봤을 때보다 살이 빠졌는걸.”

“그때는 쪘었던 거고.”

“아닌데!”

반박하며 입술을 오므리는 베아트리체를 살짝 밀어낸 힐라리아가 미리 준비해둔 초콜렛을 그녀의 입에 넣어주었다. 베아트리체가 초콜렛을 입 안에서 굴리며 힐라리아에게서 떨어졌다.

"그래서 겨울에 얘기했던 거 확인은 해봤어?"

베아트리체가 낮은 목소리로 물었다.

"아직."

베아트리체와 힐라리아가 테이블에 마주 보고 앉았다. 왜 아직도 미적거리고 있냐는 듯이 베아트리체가 힐라리아에게 시선을 던졌다.

"굳이 알아볼 필요가 없었어, 베베. 에르킨과 오스발트 왕국이 손을 잡을 거야. 네 말대로 요새 기승을 부리는 자카리족은 에르킨의 사주를 받은 것에 지나지 않아."

"거봐! 그런데 그걸 어떻게 알았어?"

"에르킨에서 기네비어와 거래하던 말의 양이 반절로 줄었어. 다른 데에 먼저 팔았다던데."

힐라리아의 눈이 작은 찻잔 위를 배회했다.

"가난한 자카리족이 그렇게 뛰어난 말을 가지고 있을 리가 없지. 에르킨에서 말들을 자카리족에게 준 게 분명해."

"……전쟁이 날 거라는 말이네."

힐라리아가 본 미래에서도 전쟁은 터졌다. 그건 막아선 안 되는 시대의 흐름이었다. 몇백 년간 묵힌 감정을 해소해야 앞으로 나갈 수 있을 테니까.

"전쟁은 일어나. 내가 황궁에서 해야 하는 일은 기네비어와 윈프리드 제국의 공생을 도모하는 거야. 전쟁을 막는 게 아니라."

황제가 기네비어를 전쟁의 희생양으로 삼는 일이 없도록.

"네가 알아서 할 거라고 믿어, 힐. 나는 이제 뭘 도우면 될까?"

힐라리아의 입궁이 화두에 올랐던 지난겨울부터 베아트리체는 힐라리아를 돕겠다고 말했었다. 지금도 힐라리아를 위해 만사 제치고 달려오지 않았던가.

"무기상을 삼키는 게 가장 뒤탈 없고 편한 방법이야. 알다시피 그들은 불법적으로 사업을 벌려온 거라 절대로 밖에서 떠들지 못하지."
"어떻게 삼키려고? 무기 밀매상은 위험해."
"알아, 베베. 그러니 잘 들어봐."
힐라리아가 손을 뻗어 베아트리체의 뺨을 톡톡 쳤다.
"티파티를 열 생각이야."
"티파티?"
"응. 황제에게는 미끼를 던져두었으니 내가 하는 일을 막지는 않을 거야. 그전에 네가 해줄 일이 있어."
"뭔데?"
"무기 밀매에 연관되어 있는 이들을 모두 조사해줘. 그 돈을 받아먹은 가문까지."
베아트리체가 고개를 끄덕였다.
"무려 타국에서 무기를 사들이는 일이야. 무기를 사들인 가문들이 다른 꿍꿍이속이 없을 리가 없어. 분명 반절은 다른 나라에 곱절로 되팔았다고 하더라도, 나머지는."
힐라리아가 파란 눈을 번뜩였다.
"국내에 있다, 이거지?"
"내 생각에는 그래."
힐라리아가 손가락을 까딱해 서랍 속 수첩을 날아오게 했다. 평소에 힐라리아의 나비가 꼭 잠그고 있던 서랍이 부드럽게 열렸다.
"여기하고 여기."
"클라리넷 공작가하고 나르탄 백작가?"
"특히 이 두 곳을 중점적으로 파봐."
힐라리아가 점찍은 두 곳은 합법적으로 유통되는 무기 외에도 추가적으로 무기를 사들였다 의심되는 가문들이었다. 지난겨울 베아트리체가 공국에 다녀간 이후로 힐라리아가 공국의 정보국을 이용해 끌어모은 정보들을 취합한 결과였다. 힐라리아는 두 가문을 추적해 무기 밀매를 직접 진행하는 가문을 알아내서 협박한 다음 사업체를 꿀꺽하고 합법적인 루트로 국가에 신고할 생각이었다. 물론 클라리넷 공작가와 나르탄 백작가도 그녀의 편을 들 수밖에 없을 것이다.

'특히 클라리넷은.'

힐라리아가 묘한 표정으로 수첩을 톡톡 두드렸다.

"알았어. 티파티는 언젠데?"

힐라리아가 사르르 웃었다.

"일주일 뒤."

"일주일이나 시간을 두게? 왜?"

베아트리체의 물음에 힐라리아가 자연스럽게 흘러내리는 머리카락을 쓸어 넘겼다. 이 버릇 때문에 힐라리아는 머리카락에 장신구를 다는 일을 별로 좋아하지 않았다.

"이 성에도 정리해야 할 일들이 좀 있어서."

"황태후 말고?"

힐라리아가 고개를 끄덕였다.

"말고."

잠시간 두 사람 사이의 대화에 공백이 생겼을 때 케이티가 끼어들었다. 베아트리체가 가져온 보석상자 밑단에 가득 들어 있는 붉은 마석을 확인한 뒤였다.

"이 정도면 두 달은 버티겠어요, 베아트리체 님!"

"다행이네. 아무래도 공국에서는 공급하기 힘드니까. 있는 건 전부 가져왔어."

힐라리아가 상자 쪽을 향해 손가락을 까딱하자, 마석 두 개가 날아와 그녀에게 흡수되었다. 힐라리아의 눈이 잠시간 금색으로 변했다가 평소대로 돌아왔다.

"좋은 걸 구했네."

"좀 고생했지. 곧 있으면 좀 더 수급할 수 있을 거야. 이번에 최남단에 있는 무인도를 사들였는데 마석이 파묻혀 있다는 것 같아. 네가 흡수할 만큼 상급인지는 모르겠지만 말이야."

힐라리아가 베아트리체의 입에 초콜렛을 쏙하고 넣어주었다.

"늘 고마워, 베베. 알지?"

베아트리체가 고개를 크게 끄덕였다. 힐라리아가 파닥거리며 날갯짓을 하는 나비를 발견하고는 케이티에게 눈짓했다. 첼로스테가 가까워지고 있다는 경고였다. 케이티가 보석상자를 갈무리해서 수첩과 함께 나비가 새겨진 서랍장에 넣고 닫았다. 그녀가 천연덕스럽게 힐라리아의 곁에 서고 나서 첼로스테가 돌아왔다. 힐라리아가 주문한 대로 달게 만든 차와 함께였다. 베아트리체가 그것을 마시며 행복해하는 걸 힐라리아가 턱을 괸 채로 지켜보았다.

"황제를 처음 본 느낌은 어땠어?"

"생각보다……."

미인이던데. 베아트리체의 놀림감이 될 것 같아서 그 말을 꿀꺽 삼켰다.

"생각보다 뭐?"

"위험해 보였다고."

"그래서 잠자리를 거부한 거야?"

힐라리아가 손을 뻗어 베아트리체의 입가에 묻은 뽀얀 홍차를 쓱 훑었다.

"그야."

안 그래도 그 연유가 궁금했던 첼로스테의 시선도 힐라리아를 향했다. 힐라리아가 사르르 웃으며 말했다.

"나는 내 침대에 아무나 눕히기 싫거든."

"아, 아무나……."

첼로스테가 저도 모르게 웅얼거렸다. 황제를 두고 아무나라고 말하는 이는 이 제국을 통틀어 힐라리아뿐일 것이다. 하나, 베아트리체는 그럴 줄 알았다는 듯이 까르르 웃었다.

"자주 와, 베베."

"당연하지. 아, 힐. 한 달 뒤에 황태후 생일 연회 하는 건 알지?"

"응. 제대로 된 선물을 준비해야지."

힐라리아의 눈이 곱게 접혔다.

"아주 좋은 걸로 말야."

***

애쥬라가 당한 모욕은 당연히 실로테의 귀에도 들어갔다. 당시에는 다른 황비들도 함께여서 겉으로 아무런 티도 내지 못했다. 그들이 돌아가고 나서 실로테는 모든 분노를 표출했다. 방 안을 나뒹굴고 있던 화병이 그녀의 구둣발에 짓밟혔다. 차랑- 거친 움직임에 그녀의 귀걸이가 거세게 흔들렸다.

"제기랄, 제기랄!"

힐라리아가 입궁하기 전까지만 해도 황비 중에 으뜸은 그녀였다. 황태후는 황성의 내성에는 손을 뗀 지 오래였고, 그것을 실로테가 움켜쥐었다. 실로테가 공작가의 딸로서 가장 지위가 높았던 까닭이었다. 한데 상황이 변했다. 황제가 기네비어의 공주를 불러들인 것이다. 실로테가 표독스럽게 제 궁을 둘러보았다. 2년 전 황제와 처음 만났던 그 밤. 실로테는 스틸로즈 궁을 바랐었다. 하나, 황제는 웃는 얼굴로 모든 걸 다 해줄 듯 굴면서 거절했다.

'그 궁엔 주인이 있어서요.'

실로테는 그 이후로 스틸로즈 궁에 대해서 함구했다. 대체 누가 주인이 될지 모르지만 그녀를 밀어내고 궁을 차지할 자신이 있었기 때문이었다. 한데, 그녀의 예상과는 달리 힐라리아는 처음부터 만만하지 않았다.

"시골뜨기 계집 주제에!"

실로테의 미간이 구겨졌다. 황제는 공평했다. 그 누구도 특별히 대하지 않았고, 그 어떤 황비와도 동침하지 않았다. 후계의 자리는 비어 있었으나, 그 덕에 황태후의 세력과 균형이 유지되었다. 한데 막 입궁한 힐라리아가 제 신분 덕에 황제와 아침 식사를 하는 특권을 누렸다. 그놈의 신분! 애쥬라가 당하고 온 모욕도 그 신분 덕분이었다. 분명 순진한 시골뜨기가 아무것도 모르고 끌려올 줄 알았더니 그 반대였다. 실로테가 울분을 삼키며 입술을 악물었다.

"애쥬라!"

새된 실로테의 목소리에 애쥬라가 고개를 조아리며 방 안으로 들어왔다. 실로테에게 호되게 얻어맞은 뺨이 부푼 채였다.

"정중하게 스틸로즈 궁에 연락을 보내. 시간이 되신다면 내일 찾아뵀으면 한다고."

"예, 마마님."

실로테가 잠시 뺨을 실룩였다.

'다른 황비들도 데려가?'

아니다. 어찌 될지 모르는 상황이다. 일단 힐라리아를 휘어잡은 뒤에 다른 이들에게도 보여주는 게 좋다. 잘못했다가는 오늘처럼 황비들 앞에서 창피를 당하게 될 테니까. 실로테가 황성 제일이라 손꼽혔던 미모를 야차처럼 구겼다. 애쥬라가 실로테를 보며 불안한 마음을 삼켰다. 실로테는 예민하고 섬세하며 신경질적인 사람이었다. 힐라리아가 그들의 비밀을 안다는 사실을 알게 되면 미쳐버릴지도 모른다.

'마마님…….'

그녀의 애타는 마음은 조금도 모를 실로테가 이를 빠드득 갈았다.

"그년을 내 앞에 무릎 꿇리고야 말겠어!"

***

베아트리체는 다음을 기약하고 돌아갔다. 티파티가 있기 전에 조사 결과를 가지고 돌아오겠다는 말을 남겼다. 어제저녁 카나리아 궁에서 보내온 정중한 사과와 방문해도 되겠냐는 요청을 받아들였기 때문에 힐라리아는 오랜만에 제대로 된 치장을 하는 중이었다. 붉은 머리카락을 땋아서 틀어 올리곤 봄에 어울리는 생화로 장식했다. 첼로스테의 야무진 솜씨에 케이티가 손뼉을 치며 기뻐했다.

"시녀장님 솜씨가 보통이 아니신데요?"

"그러게. 와. 첼로스테, 앞으로 내 모든 치장을 맡아줘."

힐라리아가 눈을 빛내며 말했다.

'이 정도면 일을 도모해도 되겠는걸?'

첼로스테의 감각을 빌려 유행을 주도하는 거다. 사교계의 중심에 서기 위해서는 유행에 끌려다녀서는 안 된다. 오히려 다른 이들이 그녀를 따라 하게 만들어야 한다. 아직은 처음 들어온 황비를 간 보기 위해 다들 주춤하는 낌새지만 곧 있으면 초대장이 쏟아져 들어올 것이다. 그중에 몇은 참석하면 도움이 될 곳들도 있었다.

"영광입니다, 마마."

첼로스테가 공손히 대답하고는 보석상자를 열었다. 어제 베아트리체가 가져온 목걸이였다.

"이 목걸이가 어떨까요?"

부드러운 쇄골 실루엣을 살리기 위해 첼로스테는 과감한 오프숄더의 드레스를 골랐다. 그 허전함을 채워주기 딱 좋은 화려함이었다.

"첼로스테의 감각을 믿어."

힐라리아의 허락에 첼로스테가 그녀의 목에 목걸이를 걸었다. 힐라리아가 사파이어를 매만졌다. 거울 속에 평소 모습을 덮고 세련되고 화사하게 치장한 여자가 앉아 있었다. 힐라리아가 생긋 웃었다. 거울을 통해 첼로스테와 케이티와 눈이 마주친 그녀가 말했다.

"자, 다들 응원해줘. 파이팅!"

"파이팅이에요, 마마님! 마마님이 최고예요!"

케이티가 콧김을 뿜어대며 우렁차게 말했다. 첼로스테가 덩달아 응원했다. 굳이……? 그녀의 응원이 없더라도 힐라리아는 실로테 영애를 바닥에 찍어 누르고도 남을 것이다. 한데 힐라리아는 그녀들의 응원이 기분 좋은지 깔깔 웃었다.

'허. 정말 알 수 없군.'

저렇게 웃는 모습은 아무것도 모르는 순진한 어린아이 같았다. 그녀는 여러모로 신비로운 주인을 모시게 된 것 같았다.

"자, 그럼 전쟁터로 나가볼까?"

힐라리아가 우아하게 말했다.

***

힐라리아가 말했듯이 실로테와 힐라리아가 마주 앉은 응접실에는 전에 없는 전운이 맴돌고 있었다. 힐라리아는 한여름의 장미를 연상시키는 미인이었고, 실로테는 차가운 파란 장미를 연상시키는 미인이었다. 상투적인 인사를 나눈 이후로 흐르던 정적을 깬 것은 실로테였다.

"이렇게 만나서 반갑습니다, 힐라리아."

힐라리아가 그제야 입을 열었다.

"나도 반가워요, 실로테."

"어제는 내가 무례했어요."

하나 말투는 조금도 사과하는 투가 아니었다. 힐라리아가 사르르 웃으며 고개를 저었다.

"아니에요. 충분히 그러실 수 있다고 생각해요."

그동안 호랑이 없는 굴에서 왕 노릇을 했으니 당연한 일이다. 실로테는 황태후를 제외하고 그녀보다 높은 여성을 겪어본 일이 없으니까. 힐라리아의 말에 실로테가 입술을 꾹 깨물었다.

'제가 뭔데 나를 이해해?'

실로테의 표독스러운 눈빛을 발견한 힐라리아가 미소를 머금었다.

'길들이려면 시간이 꽤 걸리겠는데?'

그러나 그것마저도 흥미로웠다. 밖에 출입하는 것도 쉽지 않은 이 황성 생활에 새로운 활력소가 되어줄 것 같았다.

"앞으로 잘 부탁해요, 실로테."

"저도 잘 부탁드려요, 힐라리아. 그러기 위해선 우리가 대화를 나눌 필요가 있다고 생각해요."

힐라리아가 고개를 끄덕여 동의했다.

"아무래도 힐라리아는 이제 막 입궁했으니 황성에 익숙하지 않겠죠. 하니, 앞으로 나를 도와 열심히 배우길 바라요."

그녀의 말을 들은 첼로스테와 케이티가 작은 한숨을 삼켰다. 어느새 케이티를 따라 몸을 뒤로 물린 첼로스테가 제 어깨를 움찔했다. 힐라리아가 눈을 곱게 접어 웃었다.

"네. 이제 막 입궁해서 적응하느라 바쁘긴 하네요."

힐라리아가 제 입술을 쓸었다.

"그러니."

힐라이아가 도발적으로 실로테를 응시했다. 그 치켜뜬 청안에 실로테의 심장이 저도 모르게 내려앉았다.

'뭐, 뭐지?'

순간적으로 제 눈앞의 작은 여자가 거대한 불꽃으로 보였다. 실로테가 눈을 깜빡였다. 힐라리아가 몸을 살짝 앞으로 숙이고는 말했다.

"실로테가 나를 도와."

힐라리아의 손이 찻잔을 둥글게 매만졌다. 하나 그녀의 눈은 실로테에게서 조금도 비껴나지 않은 상태였다.

"이 황성의 내정을 꾸려나가는걸."

그녀가 의도적으로 말을 끊고는 사르르 웃었다.

"잘 도와줄 거라 믿어요."

주체와 객체가 바뀌었다. 실로테가 바르르 떨며 눈을 깜빡였다.

"이 성에 나와 실로테를 빼고 황비가 둘 더 있죠. 실로테가 그들을 내게 소개시켜줘요. 아무래도 우리가 화목해야 황제께서도 기뻐하지 않으시겠어요?"

실로테가 치욕감에 입술을 악문 채로 대답을 보류했다. 하지만, 이미 기세는 힐라리아에게 넘어간 후였다.

'해보라지. 망신을 호되게 당하면 정신을 차릴 거 아냐. 하! 두고 봐.'

그래, 차라리 힐라리아가 주도하게 한 다음 골탕을 먹이는 게 나을지도 모른다. 그래야 힐라리아가 자신의 주제를 빨리 깨닫게 되겠지. 실로테가 억눌린 목소리로 대답했다.

"네, 힐라리아."

"앞으로 잘 해봐요, 우리."

힐라리아가 자비롭게 내민 손을 실로테가 맞잡았다. 힐라리아의 눈이 번뜩였다. 힐라리아가 실로테를 홱 하고 잡아당겼다.

"흡!"

저도 모르게 쏠리는 몸에 실로테가 숨을 들이켰다.

"앙탈은 적당히 부려야 예쁜 거예요, 실로테. 나는 건방 떠는 것들을 두고 볼 정도로 착하지 않아서요. 내가 없는 수도에서는 실로테가 으뜸이었을지 몰라도 내가 있는 지금은 아니지."

힐라리아가 우아하게 속삭였다.

"왠지 알아요?"

"무, 무슨……."

"실로테. 나는 멍청하게 놀러 황궁에 온 게 아니에요. 지금 당장이라도 실로테를 감옥으로 보낼 비밀을 한두 개쯤은 가지고 있다는 뜻이죠."

바들바들 떠는 실로테의 악에 바친 얼굴을 보곤 생긋 웃는 여유도 보였다.

"내게 숙일지, 아니면 꺾일지 빠르게 선택하는 게 좋을 거예요, 실로테."

이렇게 친히 경고를 해주는 건 실로테의 눈빛이 마음에 들었던 까닭이었다. 그녀와 비슷한 지위에 있는 영애들은 흔하지 않았다. 게다가 비슷한 지위에 똑똑하기까지 한 사람은 더 드물었다. 그럼에도 가만히 두면 힐라리아를 꺾으려 들 테니 먼저 선제공격을 한 것이다. 힐라리아가 입술을 달싹였다.

"나는 이왕이면 실로테와 좋은 친구가 되고 싶거든요."

다른 황비들도 실로테만큼은 흥미로웠으면 좋겠다고 생각하며 힐라리아가 속삭였다. 실로테의 얼굴이 희게 질렸다. 아무리 봐도 저건 인간의 눈빛이 아니다. 야생 들짐승의 눈이지! 목덜미가 서늘한 위협에 실로테가 제 손을 빠르게 빼냈다. 힐라리아가 순순히 손을 놓아주며 웃었다.

"실로테. 좋은 친구가 되어줄 거죠?"

새파란 위협이었다. 실로테가 주변을 둘러보았다. 아무도 그녀를 보고 있지 않았다. 지금 이 순간 실로테를 구해줄 사람은 없는 것이다.

'두고 봐.'

실로테가 속으로 이를 박박 갈았다. 하나, 그건 훗날을 기약했을 때의 이야기다. 지금 당장은 이 방을 멀쩡히 벗어나는 게 우선이었다.

"물론이지요. 힐라리아."

힐라리아가 선선히 웃었다.

"내가 다음 주에 티파티를 열려고 해요. 성 밖의 다른 귀부인들도 초대해서 말이지요. 실로테, 도와줄 거죠?"

"당연한 말씀을요."

실로테가 눈을 아래로 내리깐 채로 대답했다. 그녀가 속으로 무슨 생각을 하고 있는지 전부 짐작 가능했다. 힐라리아가 피식 웃었다.

'귀여워라.'

힐라리아가 턱을 괸 채로 말했다.

"그전에 다른 황비들도 소개시켜줘요. 부탁해요."

"네, 힐라리아. 언제가 좋을까요?"

"내일 낮도 좋아요. 같은 성에 사는 데 얼굴은 빨리빨리 익혀둬야죠."

실로테가 내일 황비들에게 힐라리아의 초대를 거절하라고 말해 힐라리아에게 망신을 줄 계획을 세웠다.

"물론, 다들 참석해줄 거예요. 이렇게 예쁘고 유능한 실로테의 부탁이니까. 실로테는 내 친구잖아요?"

힐라리아가 손끝으로 테이블을 장식한 화병에 꽂힌 튤립을 매만졌다. 그녀가 여상한 표정으로 꽃을 톡 소리가 나도록 꺾었다. 두꺼운 튤립 줄기가 쉽게 꺾이는 것을 본 실로테가 재빨리 제 계획을 수정했다.

'내일 말고. 그래, 다음에 본때를 보여주겠어.'

힐라리아가 테이블로 고개를 떨군 튤립에서 손을 뗐다.

"물론이지요, 힐라리아. 그들도 힐라리아를 좋아할 거예요."

그렇게 내일의 만남이 성사되었다. 빠르게 그러나 차근차근 황성을 장악해가는 힐라리아의 모습에 첼로스테가 혀를 내둘렀다. 백 번을 생각해도 힐라리아의 손을 잡길 잘했다. 그걸 실로테 황비가 빨리 깨닫길 바랄 뿐이었다. 힐라리아가 턱을 괸 채로 재밌다는 듯이 싱글벙글 웃었다.

'황성에 오길 잘했나 봐. 귀여운 사람들 꽤 많네.'

조금 어렵게 느껴지는 건 황제뿐이다. 웃긴 하는데 무슨 생각을 하는지 전혀 모르겠다. 그저 지금 당장은 황제가 그녀에게 약속한 것을 믿을 뿐이었고, 차차 황제 주변에도 덫을 놓아둘 생각이었다. 다만, 마음에 걸리는 건 황제의 주변에만 가면 녹아버리는 나비였다. 덕분에 황제의 방에는 나비를 심지도 못했다. 힐라리아가 제 볼을 톡톡 두드렸다.

'흥미로운 것도 많고.'

황제의 속셈이 궁금해졌다.

***

힐라리아가 실로테를 꺾은 이야기도 에벤에셀의 귀에 흘러 들어갔다. 실로테가 꼬랑지를 만 고양이처럼 카나리아 궁으로 쓸쓸히 돌아갔다는 이야기에 에벤에셀도 어처구니없는 웃음을 터뜨릴 수밖에 없었다. 힐라리아는 그의 예상보다 더 빠르고 정확했다. 그녀는 목표물과 제거해야 할 방해물을 잘도 골라냈다. 사실 힐라리아가 에벤에셀과의 약속을 지키는 데 가장 큰 걸림돌은 실로테였다. 실로테는 그간 황태후를 견제하는 역할을 잘해줬다. 하지만, 문제는 딱 그뿐이었다는 거다.

'황제 폐하. 제가 아들을 낳아드릴게요. 이 제국을 드릴게요.'

첫날밤 그렇게 말했던 실로테에게 있어서 최대의 난관이 나타난 것이다.

"누가 이길까요?"

스베인이 퍽 흥미롭다는 듯이 물었다.

"누가 이겼으면 좋겠나?"

에벤에셀의 물음에 스베인이 삐딱하게 웃었다.

"제가 감히 어떤 가늠을 하겠습니까? 황제 폐하의 뜻에 따를 뿐이지요."

"저는 힐라리아 공주 쪽에 한 표 걸겠습니다."

반에이크 공작이 킬킬대며 말했다.

"이렇게 하루가 다르게 재밌게 해주시는 분은 처음이거든요."

"실로테는 자네 이복누이인데도?"

"그 애는 멍청합니다."

반에이크 공작이 신랄하게 말했다. 에벤에셀이 생긋 웃었다. 그가 지금 보고 있던 건 기네비어 공국과 제너시스 후작가를 낱낱이 파헤친 보고서였다. 어제 베아트리체가 스틸로즈 궁에 다녀갔다는 말에 급하게 스베인이 올린 보고서였다. 보고서에 따르면 두 사람의 인연은 아카데미에서부터 시작되었다. 베아트리체와 힐라리아는 기네비어 공국에 있는 '리오나 아카데미'를 졸업했다. 그 문단을 여러 번 읽는 에벤에셀의 눈이 가늘어졌다.

'리오나 아카데미라.'

그가 서류철을 덮었다.

"짐 또한 힐라리아 공주에게 한 표 걸지."

에벤에셀의 청안에 햇빛이 스며들었다. 일견 성스러워 보이기까지 하는 그의 외모 앞에서 스베인과 반에이크 공작이 고개를 조아렸다. 에벤에셀은 힐라리아를 떠올리고 있었다. 그녀는 사람을 홀리는 푸른 눈을 가졌다. 단 한 번뿐인 만남이었지만 에벤에셀은 확신했다. 그가 평범한 남자였다면 힐라리아 앞에 심장이라도 바쳤을지 몰랐다. 힐라리아가 기네비어의 금지옥엽으로 태어난 게 다행이었다.

'평민으로 태어났으면 사람들 사이에 칼부림이 났을지도.'

그녀를 차지하기 위해 남녀노소를 불문하고 달려들었을 것이다. 지체 높은 그녀와 눈을 마주할 수 있는 이가 많지 않아서 사람들이 무사했던 것이다. 기가 약한 실로테는 금세 힐라리아에게 홀릴 것이다.

"왜 그렇게 생각하십니까?"

스베인의 물음에 에벤에셀이 속을 알 수 없는 얼굴로 읊조렸다.

"예쁘잖아."

그의 말에 반에이크는 웃음을 터뜨렸고 스베인은 탄식했다. 스베인은 에벤에셀의 말을 듣지 못한 얼굴로 말했다.

"실로테 황비도 쉬이 당해주진 않으실 텐데요."

"그렇겠지. 하나, 베아트리체 영애를 가진 힐라리아 공주에게는 조금의 위협도 되지 않을 거야."

"그 확언의 근원이 궁금하지만 여쭙지 않겠습니다."

"예뻐서라니까."

에벤에셀이 피식 웃었다. 기네비어를 선택한 건 어쩔 수 없는 차악이라고 여겼는데 생각보다 훨씬 좋은 수였던 듯싶다. 거대 세력을 끌어들이는 건 언제나 위험한 일이었으나, 위험 부담을 진 보람이 있었다. 너구리를 잡아주겠다고 당돌히 말하던 힐라리아의 얼굴이 스치고 지나갔다. 첫 만남부터 시간이 갈수록 점점 에벤에셀의 흥미를 끌어당기는 사람이다.

"곧 힐라리아 공주가 티파티를 연다지?"

"예. 그렇습니다."

"내 공주께서 티파티를 여신다니 마땅한 선물을 준비해야겠군."

"예?"

스베인이 저도 모르게 미간을 찌푸렸다. 단 한 번도 황비들의 일에 주의를 기울인 적 없었던 에벤에셀이라 위화감이 물씬 들었기 때문이었다.

"선물 말이네, 선물."

에벤에셀이 입매를 매만졌다.

"어떤 게 좋을까?"

스베인이 에벤에셀의 기색을 살폈다. 하나, 그의 기대가 무색하게 에벤에셀의 청안에는 흥미만 가득할 뿐 애정은 일말도 보이지 않았다. 기대감이 푸시식 꺼지는 것을 느끼며 스베인이 대답했다.

"어떤 것이든 황성에서 힐라리아 공주의 위상을 높여주겠지요."

"짐도 그렇게 생각하네. 이건 짐의 하루를 즐겁게 해준 보상이라 생각하면 돼."

스베인이 무슨 생각을 했는지 간파했다는 듯이 에벤에셀이 말했다. 스베인이 마른세수를 하며 제 당혹을 지워냈다.

"적절하게 티파티 당일에 착용하실 장신구를 선별해서 보내드리겠습니다."

"적절한 대답이군."

에벤에셀이 피식 웃었다. 분명 그 티파티를 기점으로 어떤 사건이 벌어질

게 분명했다. 실로테도 가만있지 않을 것이고, 수도의 귀부인과 영애들이 힐라리아 공주에게 오감을 곤두세우고 있을 테니까. 이번에도 힐라리아가 가뿐히 모든 장애물을 뛰어넘는다면……?

'아침 식사에 한 번 더 초대해볼까.'

그녀가 어떤 얼굴을 할지 궁금해졌다. 승리감에 도취되어 있을지, 아니면 당연하다는 듯 태연한 얼굴일지. 왠지 후자일 것만 같았다.

Chapter 2.

위험하고 위태로운

"앉아, 첼로스테."

힐라리아가 첼로스테를 테이블에 앉도록 지시했다. 오늘 만날 황비들에 대한 정보를 수집하기 위함이었다. 이미 황비들에 대한 사전 조사는 끝마쳤다. 반에이크 공작의 이복여동생으로서 황제의 편에 서 있는 실로테 황비, 에라모스 백작의 딸로 완벽히 황태후의 편에 서 있는 올리비아 황비, 마지막으로 로마노프 백작의 막내딸로 중립을 표방하는 제이나 황비까지. 세 사람의 얽히고설킨 이해관계까지 숙지하고 있는 상태였다. 하나, 지금 힐라리아가 궁금한 건 겉으로 드러난 그런 것들이 아니었다.

"궁금한 게 있어, 첼로스테."

"말씀하세요, 황비 마마."

첼로스테가 잔뜩 긴장한 얼굴로 말했다. 그녀의 어깨를 짚고 있는 케이티와 사르르 웃고 있는 힐라리아의 조합은 간담이 서늘할 정도로 무서웠다. 첼로스테가 땀이 잔뜩 고인 손으로 치맛자락을 움켜쥐었다. 예전에 힐라리아가 웃었을 땐 협박을 당했다. 그때의 일이 생생하게 떠올랐다.

"왜 그렇게 긴장하는지 모르겠네. 별거 아닌데 말이야."

힐라리아가 안심하라는 듯이 상냥하게 말했다. 손수 첼로스테의 찻잔을 채워주기까지 했다. 오히려 그게 첼로스테의 공포심을 끌어 올린다는 건 당연히 알지 못하고 있었다. 힐라리아가 침묵을 고수하는 첼로스테를 보며 허리를 펴고 반듯하게 앉았다.

"이미 실로테 황비는 만나봤으니 됐고. 올리비아와 제이나에 대해서 알고 싶은데."

첼로스테의 눈동자가 흔들렸다. 그다음에 이 자리에 앉을 사람은 올리비아 황비와 제이나 황비인가 보다. 첼로스테가 굳은 마음으로 입을 열었다.

"어떤 걸 알고 싶으신지요?"

"음."

힐라리아가 제 입술을 혀로 쓱 훑었다. 그 모습에 첼로스테의 팔에 오소소 소름이 돋았다. 힐라리아는 능력이 있는 자는 제 편으로 끌어들여 골수까지 뽑아먹을 생각이었지만, 그렇지 않은 자는 애초에 돌아보지도 않을 작정이었다. 사람을 선별하는 수고로움을 덜기 위해서 첼로스테를 앞에 앉힌 것이다.

"전부?"

첼로스테가 그들에 대해 막힘없이 술술 늘어놓았다.

"올리비아 황비는 탐욕이 강한 인물입니다. 가장 사치스럽고, 욕심을 이루기 위해서는 뭐든 합니다. 게다가 올리비아 황비는 황제 폐하에게 연심을 품고 있습니다. 황비 마마께서 황제 폐하와 아침 식사를 함께 했다는 소식을 들은 뒤로 시녀의 뺨을 수십 대 때렸다고 들었습니다."

"세상에. 그렇게 폭력적일 수가 있나. 첼로스테 내가 그런 사람이 아니어서 정말 다행이지 않아?"

힐라리아 입장에서는 지금 농담으로 던진 말이었지만, 첼로스테에게는 그녀도 그렇게 변할 수 있다는 경고처럼 날아들었다. 첼로스테는 절대로 힐라리아에게 반하지 않고, 그녀의 말에는 무조건 복종하겠다고 다짐하고 또 다짐했다.

"다, 다행입니다. 정말로요."

첼로스테의 끝말은 약간 간절했다. 힐라리아가 고개를 기울였다.

'듣던 대로 어리광쟁이에, 제 아버지 그늘을 벗어나지 못한 모양이지?'

에라모스 백작이 제 큰딸을 황비로 보낸 대가로, 수도로 옮겨왔다는 소리는 들었다. 그 대신에 에라모스 백작은 올리비아가 원하는 건 무엇이든 해주었다.

"제이나 황비는?"

"제이나 황비는 중립적인 인물입니다. 실로테 황비의 말을 거역하지 않는 듯 보이나, 제이나 황비는 황태후 마마와도 연줄이 닿아 있습니다. 하지만 웬만해서는 궁에서 벗어나지 않고 은둔 생활을 하십니다."

힐라리아의 푸른 눈이 반짝거렸다. 황성의 저녁을 돌아다니는 나비들이 들려준 이야기들 속에서도 제이나는 별다른 특별한 점 없이 일견 지루했다.

'역시 직접 만나봐야겠군.'

힐라리아가 이대로 결정을 내리기엔 아깝다는 생각이 들어 판단을 보류했다. 그녀가 첼로스테에게 턱짓했다.

"이만 가봐도 좋아."

첼로스테가 고개를 조아려 인사하고는 그 자리를 빠르게 벗어났다. 그 뒤로 첼로스테는 힐라리아가 하는 말들 중에서 '앉아'라는 단어를 가장 무서워하게 됐다. 정작 힐라리아는 전혀 몰랐지만.

***

카나리아 궁보다 규모는 크지 않지만, 내부는 스틸로즈 궁만큼 화려한 곳이 바로 베고니아 궁이었다. 겨울에 피는 강인한 생명력을 닮은 그 궁의 주인은 올리비아 황비였다.

그는 에라스모 백작의 장녀로 아비의 사랑을 독차지하며 컸다. 자랄수록 미모도 돋보여 올리비아는 그녀가 살던 북부의 영지에서 미녀로 손꼽혔었다. 말 그대로 부족함도, 두려울 것도 없이 자랐다. 그녀는 에라스모 백작과 성정마저 똑같아 욕심이 많았고, 에라스모 백작은 황비가 된 올리비아를 위해 뭐든지 했다. 에라스모 영지에서 나오는 다이아의 수익 대부분이 올리비아에게로 들어갔다.

"아버지! 그 건방진 여자가 아직도 인사를 오지 않았다니까요? 실로테도 꼴 보기 싫은데 그런 것까지."

"얘야. 쉬이, 괜찮단다. 기네비어 따위는 네게 위협이 되지 않아. 사람들 말에 의하면 생긴 것도 독하고 마녀처럼 생겼다는구나."

그건 전적으로 힐라리아의 성정을 뜻하는 말이었지만, 에라스모 백작은 딸의 입맛에 맞게 말을 각색했다.

"마녀처럼……? 한데 황제께서는 왜 그것과 아침 식사를 하셨을까요? 게다가 실로테 황비는 뭐에 홀렸는지 내일 그것과 오찬을 함께 할 거라고 하더군요. 새로 들어온 황비를 위해 선물을 준비하라나? 우리가 언제 그런 걸 했었다고! 새로운 여자가 들어올 때마다 내쫓을 생각만 하던 사람이."

"그러니까 마녀라는 게지. 얼마나 독하면 사람마저 홀리겠니. 올리비아, 괜찮단다. 황태후께서도 네게 황제를 보내준다고 하셨어."

"매번 그렇게 말씀하시면서. 황제께서는 한 번도 이곳에 오신 적이 없잖아요!"

에라스모 백작이 올리비아를 달래며 부드럽게 웃었다.

"이렇게 화를 내면 좋지 않아요. 얼마 전에는 임신이 잘 되는 영양제도 보냈잖니?"

"그깟 거! 먹어도 소용이나 있나요? 황제께서 저를 찾아주질 않는데!"

"올리비아…… 그럼, 이걸 봐보렴. 너를 위해서 이 아비가 오스발트에서 들여온 보석이란다. 이런 오팔은 윈프리드에서는 구할 수 없는 물건이지."

에라스모 백작이 꺼낸 아기 손바닥만 한 오팔 펜던트에 올리비아가 기분을 풀었다. 윈프리드 황궁에 살면서도 쉽게 보지 못하는 귀물이었다. 올리비아가 미간을 피며 생긋 웃었다.

"어머. 이런 걸 어디서……."

"너를 위해선 뭐든 하겠다고 하지 않니. 그러니 이 아비를 믿어보렴."

올리비아가 입술을 삐죽이곤 고개를 끄덕였다.

"올리비아, 황태후께서도 기네비어의 공주가 영 마음에 차지 않는 모양이더구나."

"그러시대요?"

"물론. 황태후께서는 우리 올리비아만 예뻐하시지 않니."

"흥. 얼마 전 제이나 황비가 황태후 마마의 부름을 받아 갔다 왔다던데요."

"그래봐야 그 애는 황제의 눈을 끌지 못해. 평범한 갈색 머리에 흔한 외모를 가졌잖니. 그러니 신경 쓰지 말렴. 황태후께서도 쓸모가 있어서 찾으신 걸 거야. 그래도 제이나가 황태후 마마의 조카니까."

"내가 그분의 조카였어야 했는데. 우리가 그분의 가문이었어야 해요."

"맞는 말이다."

무조건 올리비아의 편을 들어주는 에라스모 백작 덕에 올리비아도 기분이 좋아졌다. 힐라리아가 입궁한 이후로 숨소리 한번 못 내던 시녀들이 안도했다. 올리비아의 기분을 맞추지 못해 며칠 사이에 애꿎은 하녀만 셋이 잘렸다.

"그래서 말인데, 올리비아."

"말씀하세요. 황태후께서 제게 뭘 시키신 거죠?"

매번 에라스모 백작이 황태후 궁에 다녀올 때면 올리비아에겐 할 일이 생겼다. 이전 날 실로테의 시녀장에게 독약을 팔았던 것처럼.

'멍청한 실로테. 아직도 베니체를 죽인 독약을 누가 판 건지는 모르겠지?'

올리비아가 화사하게 웃었다.
"황태후께서 네가 기네비어 공주를 내쫓기를 바라시는구나."
"내쫓으라고요?"
"그렇지. 기네비어는 눈엣가시니까. 공주부터 내치시려는 거지. 하지만, 황태후께서 직접 나서시면 모양새가 살지 않으니까."
올리비아가 맞는 말이라는 듯이 고개를 끄덕였다.
'그걸 어떻게 내쫓지?'
황궁에 들어온 영애들은 보통 심중에 욕망 하나쯤은 감추고 입궁한다. 올리비아 이전에 입궁했던 실로테는 가장 높은 자리를, 제이나는 평온한 일상을 꿈꿨다. 모두의 적이 되었던 베니체 황비는 가문을 위해 무엇이든 할 수 있는 인물이었다. 베니체 황비는 세바스찬 백작가의 딸이었다.
세바스찬은 남부를 지키는 기사 가문의 후예였지만, 지금에 와서는 명예만 남고 뛰어난 기사를 배출하지 못한 지 오래되었다. 세바스찬은 딸로 하여금 그 영광을 되찾고자 했다. 그녀는 황비들 사이에 무언으로 맺어져 있었던 협정을 깼다. 황제가 먼저 찾기 전에는 절대로 그의 침실을 넘보지 않는다는 협정. 베니체는 황비의 신분으로 창피도 모르고 황제의 침실에 가운 차림으로 있다가 쫓겨났다.
'걔가 실로테보다 더 멍청했지.'
힐라리아도 똑같은 짓을 저질러주면 좋을 텐데. 바로 황제의 눈 밖으로 날 것이다.
'주제도 모르고 황제 폐하와 아침 식사를 해? 굴러들어 온 돌이 박힌 돌을 빼내는 것도 아니고.'
올리비아가 이를 악물었다. 베니체 황비는 여러 가지 이유로 황제의 눈 밖으로 났지만, 그녀가 축출된 결정적인 이유는 세바스찬 백작가의 비리 때문이었다.
"기네비어에 사람을 보내세요, 아버지. 걔네가 감추고 있는 게 뭔지 알아보자고요. 기네비어에 숟가락이 몇 갠지까지 알아오셔야 해요."

"알았다."

그를 닮아 영특한 올리비아가 예쁘기만 했다. 에라스모 백작이 눈을 빛내는 딸을 보며 뿌듯하게 웃었다.

"곧 그 여자는 어떤 형태로든 이 궁을 나가게 될 거예요. 약속드려요."

올리비아가 사르르 웃었다.

***

첼로스테의 손재주에 힘입어 힐라리아는 청초한 백합처럼 피어났다. 몸을 휘감는 실크 드레스의 부드러운 촉감에 힐라리아의 기분마저 느슨해질 지경이었다. 힐라리아가 실로테를 필두로 그녀를 찾아온 황비들을 차근차근히 살폈다. 실로테는 창백한 얼굴로 힐라리아를 보고 있었다. 아직까지 어제 일에서 벗어나지 못한 듯 눈동자에는 두려움이 담겨 있었다.

'여전히 겁먹은 건가?'

힐라리아가 입맛을 다셨다. 실로테를 진득하니 보다가 제이나에게로 시선을 돌렸다. 그녀는 대대로 윈프리드의 해상을 책임지고 있는 로마노프 출신으로, 사사롭게는 황태후의 조카딸이기도 했다. 단정한 외모로 지금 이 상황에 대해 아무런 의문도 없다는 듯 한 발자국 물러서서 찻잔에만 주의를 기울이고 있었다.

'흐음.'

힐라리아가 생긋 웃었다.

"제이나 황비. 만나서 반가워요."

"반가워요, 힐라리아 황비."

조용하고 다정한 목소리였다. 힐라리아가 눈을 가늘게 뜬 채로 제이나를 살폈다. 그녀의 눈에 들어온 건 딱딱하게 여문 제이나의 손이었다.

'아무리 봐도 검을 잡아본 손인데.'

무려 기네비어의 핏줄인 힐라리아다. 검을 잡다 생긴 굳은살을 못 알아볼 리가 없었다. 힐라리아의 눈이 먹잇감을 발견한 것처럼 반짝였다. 다음에 단둘이 만나봐야겠다고 생각하며 힐라리아가 올리비아에게로 고개를 돌렸다.

"참 무례하군요, 힐라리아 황비. 처음 황성에 들어왔으면 응당 다른 황비들에게 인사를 왔어야 마땅한 일인데, 이리 오게 만들다니요. 정말이지. 이래서 배운 것 없는 촌뜨기란."

실로테와 케이티, 첼로스테의 얼굴이 희게 질렸다. 그들이 올리비아와 힐라리아를 번갈아 쳐다보았다. 긴장된 분위기 속에서 힐라리아가 장미처럼 흐드러지게 웃으며 말했다.

"많이 가르쳐주세요, 올리비아 황비."

마치 독처럼 달콤한 한 마디였다. 그 뒤에 쏟아질 독설을 대비해 케이티가 마음을 다잡았다.

"정말. 이 황궁은 흥미로운 곳이군요. 이렇게 재밌는 분들이 많다니."

재밌다는 말에 실로테의 심장이 쿵 떨어졌다. 힐라리아가 묘한 빛을 내는 푸른 눈으로 제이나와 올리비아를 훑은 다음 실로테에게 눈도장을 찍었다. 마치 '네가 제일 재밌어.'라고 말하는 것 같았다. 실로테의 심장이 조마조마하게 졸아들었다. 이상하게 애쥬라는 힐라리아 황비와 맞서지 말라고 했고, 친정에도 연락을 취해봤지만 가만히 있으라는 말만 돌아왔다.

'감히. 사생아 주제에.'

실로테가 입술을 삐죽였다. 반에이크 클라리넷. 그녀의 하나뿐인 이복 오빠이자, 지금은 클라리넷을 이어받은 사람이었다. 반에이크는 황제의 절친한 친구이면서 실로테를 위해서 말 한 마디 잘 해주지 않았다.

"실로테 황비. 제가 서툰 게 많아요. 그래서 황비께서 많은 걸 도와주시기로 하셨죠?"

"맞아요. 힐라리아 황비는 처음이니 경험자의 도움이 필요할 테니까요."

불만이 가득해도 겉으로는 복종할 수밖에 없었다. 힐라리아가 아는 실로테의 비밀이 뭔지 모르기 때문에. 힐라리아가 자신의 앞에서 앙앙거리는 고양이들을 보듯이 눈가를 휘었다. 올리비아의 눈에 가득한 악의가 그저 우습기만 했다. 그래봐야 힐라리아가 쥐고 있는 비밀이면 올리비아는 당장 목을 내놓아야 할 것이다.

실로테가 베니체 황비에게 먹인 독약은 올리비아 황비가 황궁으로 들여온 거였다. 기네비어 공왕은 딸을 위해 황궁을 이 잡듯이 훑어주었다. 그걸 이용하는 건 이제 힐라리아의 몫이었지만, 다 아는 자의 입장에서 재롱을 떠는 두 사람이 귀엽기 그지없었다.

'베니체 황비가 가엾진 않으니까.'

그녀가 본 미래에서도 세바스찬 백작가는 베니체와 함께 명운을 달리했지만, 어린 아들이 하나 살아남았다. 미래에 세바스찬의 어린 아들은 기네비어에 잠입해 정보를 빼돌려 자카리족에 넘겼었다. 힐라리아는 이를 미연에 방지하기 위해 아들을 기네비어에 데려왔고 그는 기네비어에 지금 몸을 의탁하고 있었다.

만약 그녀가 입궁하기 전에 베니체가 죽어나가지 않았다면 힐라리아는 더 독한 방법으로 그녀와 세바스찬 백작가를 처리했을 것이다. 지금 세바스찬의 어린 핏줄은 예전에 극진한 대접을 받았던 것과는 달리 초원을 달리며 기사 훈련에 매진하고 있었다.

'어린 싹부터 잘 다듬어야 훌륭한 고목으로 자라는 거지.'

지금은 고작 17살이니 쓸만해졌다 싶으면 그를 황궁으로 불러 힐라리아가 요긴하게 쓸 예정이었다. 힐라리아의 시선이 올리비아에게 닿았다가 떨어졌다. 복수심으로 타오르고 있는 아이이니 아주 쓸 데가 많을 것 같다. 힐라리아가 차로 입술을 적셨다.

네 황비가 다과를 나누는 스틸로즈의 정원은 황궁 내에서도 손꼽힐 정도로 아름다운 데다가 날씨도 좋아 따뜻한 햇살과 함께 근사한 풍경을 만들어 내고 있었지만, 스산한 분위기가 가시질 않았다.

힐라리아의 선홍색 머리카락이 선명하게 타올랐다. 힐라리아와 케이티에게만 보이는 금빛 나비가 네 사람 주변을 빽빽하게 둘러싸고 있었다. 힐라리아가 명령하면 누구든 뜯어 삼킬 흉흉한 기세였다. 힐라리아의 감정에 공명하는 것이다.

"실로테 황비. 그러니 내게 보여줘야겠군요."

몽환적인 목소리에 실로테가 추위를 느끼곤 바르르 떨었다. 힐라리아의 시선이 올리비아에게로 돌아갔다.

"황제께서는 우리 네 사람이 화목하길 바라실 거예요. 그런데 이렇게 앞뒤 분간 못 하고 날뛰는 황비는 어떻게 다스려야 하죠?"

"앞뒤 분간 못 하는 건 내가 아니라 당신이야! 실로테 황비. 이렇게 가만히 있을 거예요?"

실로테가 이를 악물었다. 못된 힐라리아. 힐라리아는 여태껏 실로테가 황궁에서 쌓아 올린 명예를 두고 그녀를 자극하고 있었다. 실로테, 그녀도 지금 가만히 있는데 날뛰는 올리비아를 어떻게 할 것이냐고. 실로테가 올리비아를 파르스름하게 노려보았다.

"올리비아, 경거망동하지 말아요. 기네비어가 대귀족들보다 못하다는 건가요? 당장 힐라리아 황비에게 사과해요."

"실로테 황비!"

올리비아의 눈에 불이 튀었다. 힐라리아는 이 상황을 즐겁게 관람하고 있었다.

'가만히 있으려고 해도 날 가만두지 않네.'

힐라리아가 입술을 혀로 훑으며 어떤 말로 올리비아를 새파랗게 질리게 할지 말을 고르고 있을 때였다.

"힐라리아 황비 마마."

그녀를 부르는 나지막한 목소리에 황비들 사이에 기 싸움이 멎었다. 힐라리아를 부른 건 스베인이었다. 이전에 그녀에게 뻣뻣했던 목은 아래로 꺾여 있었다.

"무슨 일이지?"

"황제 폐하께서 오고 계십니다."

"폐하께서?"

"마마님께서 처음으로 주최하시는 티파티를 기념해주시고 싶다고 하셨습니다. 직접 선물을 전해드리고 금세 돌아가실 겁니다."

힐라리아가 헛웃음을 터뜨렸다. 속에 서늘한 검을 감추고 예쁘게 웃던 에벤에셀이 떠올랐다. 그에게선 분명 따뜻한 햇살 냄새가 났는데 역시 그건 위험을 감추는 위장이었던 거다. 기네비어 공왕이 무슨 짓을 해도 황제에 대한 건 하나도 알아낼 수 없었다.

게다가 에벤에셀이라는 그 남자는 미련 없이 누구라도 버릴 수 있는 인물이다. 그건 미래를 미리 엿봤던 힐라리아가 더 잘 알고 있었다. 지금 에벤에셀은 힐라리아를 황궁에 먹잇감으로 던져주려 하고 있었다. 에벤에셀의 속셈이 단번에 간파되었다. 지금 황궁엔 네 명의 황비와 황태후가 균형을 이루고 있었다. 그들은 호시탐탐 에벤에셀의 권력을 노렸다. 즉, 힐라리아에게 관심을 보이는 척하며 힐라리아를 그들에게 던져준 것이다.

'이것 봐라?'

힐라리아를 향하는 황비들의 각양각색의 시선이 느껴졌다. 만약 눈빛만으로 사람을 죽일 수 있다면 실로테와 올리비아는 이미 그녀를 살해했을 것이다. 즐겁게 황비들이 노는 꼴을 지켜보려 했더니.

'쯧.'

힐라리아가 손짓 한 번으로 스베인을 뒤로 물렸다. 그녀가 그림에서 막 튀어나온 우아한 자태로 찻잔을 손끝으로 쓸곤 입술을 열었다.

"황제께서 여기로 오신다고 하니 우리도 화목한 모습을 보여야겠지요?

이렇게 다투는 모습을 보였다가는 좋지 않은 인상을 드릴 테니까요. 음. 그러기 위해선 나와 올리비아 황비가 화해를 해야겠군요."

힐라리아가 선선히 웃었다. 그녀와 눈이 마주친 실로테 황비가 흠칫했다. 질투로 가려져 있던 눈앞이 밝아졌다. 힐라리아가 언제든 그녀를 물어 죽일 야생 짐승이란 게 다시 보였다. 하마터면 명줄을 재촉할뻔했다. 실로테가 씨근덕거리며 시선을 아래로 내리깔았고 힐라리아가 올리비아에게 고갯짓을 했다.

"우리 잠시 정원을 걸을까요?"

힐라리아의 말에 실로테와 케이티, 첼로스테가 올리비아를 짠한 눈으로 보았지만, 아무도 알아채지 못했다. 올리비아가 호승심이 가득한 얼굴로 벌떡 일어났다. 저런 마녀 같은 여자 따위!

"좋아요."

모두가 안타까운 한숨을 흘렸다.

***

한편, 힐라리아를 보낸 기네비어 공국은 슬픔에 잠겨 들었다. 기네비어 공국의 단 하나뿐인 공주 아니던가. 게다가 사막에 핀 장미처럼 화사하니 예뻐서 모두의 사랑을 받았다.

"우리 힐라리아, 마음이 여려서 걱정이에요."

"어머니, 저도 황궁에 보내주세요! 저라도 있어야 힐라리아를 지키지요."

"그렇습니다! 힐라리아가 맞기라도 하면…… 그 애는 몸도, 마음도 약해서 아무도 때리지 못할 거라구요!"

힐라리아가 황궁에서 사용하는 건 몸이 아니라 입이었다. 그녀는 말로도 사람을 때릴 수 있는 능력을 가지고 있었지만, 콩깍지가 씐 그녀의 오빠들은 조금도 알아차리지 못했다. 서로 황궁으로 가겠다고 자원하는 세 아들을 공왕과 공왕비가 비탄에 잠긴 눈으로 쳐다보았다.

"나도 우리 힐라리아 걱정에 잠이 오질 않는구나. 남에게 모진 말 한 마디 못 하는 아이를 내가 대체 어디로 보낸 것인지."

"그 애는 고집만 세서 탈이야. 왕비, 힐라리아를 당장이라도 다시 데려와야……."

"그건 전쟁이에요. 황제께서는 우리 기네비어의 기사들은 아무도 황성에 발을 들여선 안 된다고 했다고요!"

공왕비가 불만 가득한 얼굴로 말했다.

"그런 바람둥이 황제 따위!"

"어머니, 말씀을 조심하셔야 해요. 누가 들을 줄 알고…… 힐라리아에게 좋지 않을 거예요. 가뜩이나 마음고생 많을 텐데."

"그나마 베아트리체가 있어서 다행이지. 베아트리체가 수도 출신이라 똑 부러지게 말을 잘하잖아요. 분명 힐라리아를 지켜줄 거예요."

그들의 뇌리엔 태어나자마자 죽을 고비를 넘겼던 갓난쟁이 힐라리아가 각인되어 있었다. 그들에게 힐라리아는 유리처럼 약하고 솜털처럼 여린 동생이었다. 고집만 부리지 않았다면 그 험난한 황궁으로 보내진 않았을 것이다. 그렇게 착하고 약한 힐라리아에게 이 많은 사람들이 목숨을 의탁하고 있다니. 이건 굴욕이었다.

"게다가 힐라리아가 거둬 온 카르탈 세바스찬이 있지 않습니까? 그 남자애를 잘 키워서 황궁으로 보내면 될 일이지요. 황성을 기네비어는 넘지 못하지만, 카르탈은 넘을 수 있을 겁니다. 기네비어에 서약한 기사도 아니니까요."

"훈련은 얼마나 진척되었지?"

"이제 검을 휘두르는 수준입니다."

첫째 아들이 한숨을 푹 내쉬며 말했다.

"얼른 가서 훈련이나 시키거라. 그놈이 기사가 되기도 전에 우리 힐라리아가 먼저 다치겠어!"

"예, 아버지."

***

힐라리아가 손짓하자 금빛 나비들이 하늘로 일시에 날아올랐다. 황제가 가까워지는 곳마다 나비들이 녹아서 죽어버리니 미리 주변 나비들을 거둬두려는 거였다. 나비들이 힐라리아의 뒤를 쫓아 파드득 날았다. 힐라리아의 뒤를 쫓던 올리비아는 그 수많은 나비들을 조금도 알아채지 못했다.

'저 구두는 20만 골드, 저 머리 장식은 30만 골드. 기네비어가 부자라더니 그게 진짜가 본데?'

힐라리아의 차림새를 확인하니 배가 아파왔다. 마녀 같긴 하지만, 예쁘장한 외모도 눈에 거슬렸다. 게다가 들어온 지 얼마 안 된 황비가 티파티를 한다고 선물을 주러 오는 에벤에셀이라니!

'이게 말이 돼? 저 여자보다 내가 어디가 못나서?'

올리비아가 헛웃음을 지었다. 마녀라서 그래, 마녀라서! 아버지의 목소리가 귀를 맴돌았다.

'사내들이란!'

마녀를 조심해야 한다는 것도 모르나? 이래서 올리비아가 황궁에 있어야 하는 거다.

"정원이 참 예쁘네요. 기네비어의 정원과는 다른 매력이 있어요."

지금 이 시국에 한가롭고 멍청하게 정원 타령이나 하고 있다. 올리비아의 눈에 인공 호수가 들어왔다. 스틸로즈의 호화로움과 장엄함은 이루 말할 수 없을 정도라더니. 궁내에 인공 호수마저 있었다.

"……스틸로즈 궁이 그중에서도 아름다워요. 저도 이렇게 실제로 보는 건 처음이군요."

힐라리아가 등 뒤를 힐끗 보고는 옅게 웃었다. 힐라리아가 고작 화해나

하자고 올리비아를 청한 건 아니었다. 대체 무슨 생각에선지 이곳으로 오겠다는 황제를 피해 올리비아를 협박하기 위해서였다. 그런데 올리비아의 속내가 너무 투명하게 보인다.

'속아주고 싶어도 못 속아주게 말이지.'

힐라리아의 걸음이 점점 가벼워졌다. 그녀의 기분에 반응하듯 밖에 삐져나와 있던 나비가 너울너울 춤을 췄다. 만약 케이티가 있었으면 기겁을 하며 힐라리아를 말렸을 것이다.

"힐라리아가 황비로 와서 좋아요. 이렇게 스틸로즈 궁을 받았으니 부럽기도 하고요. 하지만, 사람은 그럴수록 겸손해져야 하지 않겠어요? 황제 폐하의 총애를 계속 이어가기 위해서라도 말이지요."

힐라리아가 올리비아가 눈치채지 못할 정도로 천천히 걸음을 늦췄다. 그러자 기다렸다는 듯이 올리비아가 힐라리아를 호수로 밀쳤다. 깊지 않아 위험하진 않겠지만, 망신당하긴 충분한 수심이었다. 힐라리아가 몸이 기우뚱하는 것을 느끼며 피식 웃었다.

"그러니 나를 원망하지 말아요. 이건 전부 힐라리아를 위한 일이니까."

올리비아가 신이 난 듯 활짝 웃었다. 하지만, 그녀가 모르는 사실이 있었으니. 힐라리아가 기네비어에 있을 적부터 몸을 단련하는 걸 소홀히 하지 않았다는 사실이었다. 그녀가 냉큼 반동을 이용해 올리비아를 잡아당겼다. 금세 힐라리아와 올리비아의 위치가 바뀌었다.

"어, 어, 어!"

힐라리아가 이럴 거라고는 짐작도 하지 못한 올리비아가 비명을 악악 내질렀다. 그녀는 호수에 떨어지기 직전에 힐라리아의 손에 멱살이 붙들려 멈췄다. 사실 엄밀히 말하자면 올리비아는 호수의 수면 위에 둥둥 떠 있었다. 힐라리아의 나비들이 그녀를 받치고 있기 때문이지만 올리비아는 영원히 모르리라.

"이, 이게 무슨 짓이야! 놔!"

"정말?"

힐라리아가 정말 놓아도 되겠느냐는 듯이 고개를 갸웃했다.

"알았어, 그럼."

힐라리아가 산뜻하게 말하곤 손에서 힘을 풀었다. 올리비아가 눈을 질끈 감고는 비명을 내질렀다.

"아아아악!"

그런데 이상하게 호수에 몸이 빠지지 않았다. 물이 튀기지도 드레스가 젖지도 않았다. 올리비아가 눈을 슬쩍 떴다. 대체 무슨 힘인지 올리비아는 허공에 둥둥 떠 있었다. 그 덕에 물에 젖지 않은 것이다.

"어, 어떻게."

힐라리아가 허공에 주저앉은 올리비아를 눈을 가늘게 뜨고 내려다보았다. 금빛 나비들이 파드닥거리며 올리비아의 엉덩이를 받치고 있었다. 불만이 가득한 듯 날갯짓이 거셌다. 힐라리아가 부채 끝을 올리비아의 턱에 댔다.

"올리비아. 웃기지도 않지. 이런 멍청한 수에 내가 낚일 것 같았나?"

"힐라리아!!"

"쉬이. 조용히. 머리가 아프잖아."

힐라리아가 입술을 달싹였다.

"적당히 까불어. 내가 봐줄 수 있는 한도 내에서 멈추란 말이야."

"그게 무슨 말이야? 까불고 있는 건 너야, 힐라리아! 네게 신분을 빼면 뭐가 남지?"

똑똑한 머리와 예쁜 외모, 재력. 신분 말고도 볼 건 많지. 힐라리아가 옅게 웃었다. 주제도 모르고 나대는 꼴을 보아하니 명줄이 길기는 글렀다. 힐라리아가 속삭였다.

"그러다 베니체 황비 꼴 나는 수가 있어, 올리비아."

"무, 무슨!"

올리비아가 하얗게 질렸다. 힐라리아가 하는 말이 이해가 가지 않았다. 경고처럼 눈앞에 새빨간 불이 점멸하는 것 같았다. 그건 이제 막 황궁에 입궁한 힐라리아 따위가 알 수 있는 일이 아니었다. 독의 유입부터 판매까지 세심하게 신경 썼다. 관련된 이들은 대부분 죽였다. 세바스찬 백작가를 쳐내는데 허술했을 리가 있나! 실로테마저도 그녀가 배후라는 사실은 알지 못하고 있었다.

“너 따위가 어떻게 알았지?”

올리비아가 억눌린 목소리로 물었다. 하지만, 이미 공포에 질려 있어 조금도 위압적이지 않았다. 그녀의 비밀을 들켰다는 생각에 심장이 콩닥콩닥 뛰었다. 베니체 황비가 아무리 황제의 눈 밖에 났다고 한들 그녀는 황궁 사람이었다. 분명 죽음을 면치 못하리라!

“겁먹지 마, 올리비아. 나는 아무 말도 하지 않을 테니. 네가 얌전히만 있는다면 말이야. 쥐 죽은 듯이 납작 엎드려 있어. 나는 할 일이 많은 사람이거든.”

힐리리아가 부채로 올리비아의 턱을 툭툭 쳤다. 실로테는 약점을 들먹이며 협박을 하자 수그러들었다. 아마도 실로테는 그녀의 거미줄에 묶여 힐라리아에게서 벗어나지 못할 것이다. 하지만, 올리비아는…….

‘나를 죽이겠군.’

약점을 아는 이를 죽이기 위해 달려들 사람이었다. 올리비아의 눈이 분노와 증오로 번득였다. 힐라리아가 입술을 길게 늘였다.

“너는 안 되겠다.”

힐라리아가 나긋하게 속삭였다. 힐라리아가 몸을 물렸다. 그와 동시에 나비들이 일제히 흩어졌다. 풍덩-! 올리비아가 호수에 빠지며 물이 사방으로 튀었다. 물에 젖은 생쥐 꼴이 되어 벌떡 일어난 올리비아가 그녀에게 달려들려는 것을 케이티와 첼로스테가 온몸으로 막았다. 황제가 도착했는데도 두 사람이 오지 않아 왔다가 올리비아가 힐라리아에게 달려드는 위험한 장면을 본 것이다. 대체 왜 목숨을 땅에다 내팽개치는 거지?

"아니 되십니다! 황제 폐하께서 찾으셔요! 이미 당도하셨단 말이에요!"

"싸우시는 모습을 보이시면 좋을 게 없어요! 올리비아 황비 마마!"

"저년이 나를 밀었어! 나를 호수로 빠뜨렸단 말이야!"

올리비아가 악을 썼다. 하지만, 힐라리아는 올리비아를 밀었다고 할 수 없을 정도로 멀찍이 떨어져 있었다. 힐라리아가 안타까운 얼굴을 하곤 한숨을 작게 내쉬었다.

"그렇게 남 탓하는 건 좋은 버릇이 아닙니다, 올리비아 황비. 황비가 발을 헛디뎌 벌어진 일을 내게 미루다니요."

"아아악! 힐라리아!!"

힐라리아의 뒤로 에벤에셀이 나타났다. 그들을 찾아 이곳까지 온 것이다. 에벤에셀을 스베인과 반에이크, 실로테, 제이나까지 쫓아오고 있었다. 그들 전부 힐라리아가 멀찍이 서 있었던 걸 목격했다. 나비들이 술렁이는 소리로 사람들이 가까워지고 있다는 것을 알고 뒤로 물러선 힐라리아다. 다른 뜻이 있어서가 아니라.

'속이 꽤 터지시겠어.'

올리비아가 약이 올라서 파르르 떠는 꼴이 보고 싶어서였다. 황제가 힐라리아와 올리비아를 불렀다.

"힐라리아 황비, 올리비아 황비."

"힐라리아, 황제 폐하를 뵙습니다."

"황제 폐하, 제 억울함을 풀어주소서! 힐라리아 황비가 저를 밀어서……."

"그만."

에벤에셀이 오른손을 들었다. 그가 눈살을 찌푸린 채로 말했다.

"혼자 넘어지는 걸 여기 있는 모두가 보았습니다. 이제 그만하세요, 올리비아 황비. 베고니아 궁의 시녀들은 뭘 하고 있습니까. 얼른 상관을 모셔가지 않고. 이러다가 올리비아 황비께서 감기라도 걸리시면 어쩌려고요."

"예, 황제 폐하!"

에벤에셀의 명령에 베고니아의 시녀들이 올리비아를 부축하고 빠르게 물러갔다. 올리비아의 멍한 시선이 에벤에셀에게 못 박혀 움직이지 않았다. 힐라리아가 아무것도 모르는 얼굴로 배시시 웃었다.

"정말 곤란한 일이에요. 이런 오해를 받는 건 익숙하지 않아서."

"힐라리아 황비."

에벤에셀이 재밌다는 듯이 피식 웃었다. 하지만, 이내 그 웃음은 증발해 버렸다. 힐라리아의 기운이 짙게 호수 위를 맴도는 걸 그는 진즉 눈치채고 있었다. 에벤에셀이 모른 척하며 힐라리아에게 상자를 내밀었다. 상자에는 금빛 토파즈가 박힌 목걸이가 들어 있었다. 에벤에셀이 낮은 목소리로 속삭였다.

"힐라리아의 눈을 닮은 목걸이지요."

힐라리아의 심장이 두근 하고 뛰었다.

'내 눈이…… 금색이라고?'

힐라리아의 눈은 푸른색이었다. 그녀의 눈이 금색으로 변하는 건 나비들을 부릴 때뿐이다. 그런데 에벤에셀은 이 토파즈를 두고 힐라리아의 눈과 닮았다고 말했다. 힐라리아가 초조함에 입술을 깨물었다.

'뭔가를 알아차린 걸까?'

하지만, 내색할 수는 없어 힐라리아가 고개를 갸웃하며 물었다.

"제 눈은 푸른색인걸요, 폐하."

"물론 그렇지요. 하지만, 목걸이 펜던트 모양이 황비의 눈을 닮았지 않습니까?"

에벤에셀이 화사하게 웃었다. 이미 힐라리아의 멈칫거림을 눈치챈 까닭이었다.

'역시.'

황궁에 파닥이는 나비들의 날갯짓 소리가 어지러웠다. 힐라리아의 감정

동요를 따라 나비들도 동요하고 있었다. 하지만, 에벤에셀은 힐라리아의 나비들을 모른 척해줄 생각이었다. 나비들이 힐라리아를 닮아 앙칼지긴 했지만. 에벤에셀이 아무것도 들리지 않는다는 듯이 태연한 얼굴로 속삭였다.

"힐라리아 황비. 짐이 직접 목걸이를 걸어드려도 되겠습니까?"

"……그럼요."

에벤에셀이 힐라리아의 뒤로 가서 그녀의 목에 걸린 목걸이를 끌러냈다. 그리고 그 위에 새로운 목걸이를 직접 걸어줬다.

'흡!'

미세한 바람마저 멈춘 것 같았다. 섬세한 에벤에셀의 손가락이 힐라리아의 목덜미를 스쳤다. 그의 손은 차가웠다. 힐라리아는 불의 정령을 다뤄서인지 체온이 다른 이들보다 약간 높은 편이었다. 에벤에셀은 다른 이들보다 체온이 낮은 것 같았다. 손가락의 움직임이 피부 위에서 전부 느껴졌다.

머리카락을 뒤로 넘겨 시원하게 드러난 황제의 긴 눈매가 아래를 향했다. 힐라리아의 목덜미를 보고 있는 에벤에셀의 모습이 왠지 외설적이라 지켜보던 이들이 숨을 죽였다. 스륵하고 차가운 금속이 힐라리아의 목을 감싸고 뱀처럼 쓸려 올라갔다.

힐라리아가 저도 모르게 눈을 질끈 감았다. 그녀의 목에 닿은 것이 목걸이가 아니라 에벤에셀의 손처럼 느껴졌다. 귀가 붉어지는 게 느껴졌다. 이런 식으로 남자와 닿아본 건 처음이었다. 에벤에셀의 섬세한 눈에 솜털이 오소소 돋은 흰 뺨이 들어왔다. 당황을 감추듯 살짝 굳어진 입매도.

"귀엽긴."

그녀에게만 들릴 작은 목소리였다. 놀란 힐라리아가 뒤로 고개를 돌리는 순간 황제가 뒤로 물러섰다.

"역시 잘 어울리는군요. 짐의 안목이 틀리지 않아 기쁩니다."

"감사합니다, 황제 폐하."

힐라리아가 억눌린 목소리로 대답했다.

"마음에 드시는 겁니까?"

"예. 제 마음에도 쏙 듭니다."

힐라리아의 대답에 에벤에셀이 부드럽게 웃었다.

"그렇다니 짐도 흡족스럽군요. 이 훼방꾼은 이제 물러갈 테니 세 분께서는 즐거운 시간 보내시지요."

모두가 황제에게 예를 취했다. 반에이크가 힐라리아를 힐끗 보았다. 에벤에셀을 뚫어져라 노려보고 있는 힐라리아에게서 특이한 점은 찾을 수 없었다. 그저 푸른 눈이 묘하게 눈길을 끈다는 것? 에벤에셀의 것과는 다른 독특한 맛이 있었다. 전체적으로 봤을 때도 사람들이 술렁일 미인이기도 했다. 하지만, 그것보다 힐라리아의 눈동자가…….

"반에이크."

"예, 폐하."

반에이크가 빠르게 대답했다.

"눈을 조심하는 게 좋을 거야. 그녀는 마녀라지 않나. 그러다 홀리면 짐도 책임 못 져."

장난스러운 말이었지만 뼈가 느껴졌다. 반에이크가 고개를 조아렸다.

"마음에 두신 분이라 그러시는 건 아니시고요?"

에벤에셀이 대답 없이 생긋 웃었다.

"정말이십니까?"

스베인이 뒤따라 물었다. 황궁에서 스베인만큼 에벤에셀의 애정사에 관심 많은 사람은 없을 것이다.

한편, 뒤에 남은 힐라리아가 속으로 한숨을 삼켰다.

'내가 귀엽다고? 귀엽다고?'

황제의 심미안이 특이해도 정말 특이한 거다. 힐라리아를 두고 귀엽다니! 그녀는 예쁜 거였다! 힐라리아가 고개를 작게 저었다. 함께 있었던 건 몇 분 되지도 않았는데 에벤에셀이 그녀를 휘저은 것 같았다.

'정신 차려!'

힐라리아가 부채로 얼굴을 가리곤 실로테와 제이나가 있는 쪽으로 고개를 돌렸다. 그들은 힐라리아를 뚫어져라 보고 있었다. 에벤에셀이 여자에게 이렇게 친근하게 구는 모습을 본 건 처음이었다. 게다가 직접 목걸이를 걸어주기까지 하지 않았던가. 올리비아 황비가 이 모습을 봤다면 거품을 물고 소리를 질러댔을지도 모른다.

실로테가 마른 입 안을 혀로 훑었다. 황실의 판도가 움직이는 소리가 들리는 것 같았다. 황제와 힐라리아 사이에 오가는 게 지금은 뭔진 모르겠다. 중요한 건 어떤 황비도 황제와 아무것도 약속하지 못했다는 것이다.

"차를 마시러 돌아가요. 산책이 너무 길었던 것 같으니."

실로테와 제이나가 홀린 듯이 고개를 끄덕였다.

***

저녁 식사까지 끝나고 잘 준비를 마친 힐라리아가 손을 휘휘 저었다.

"둘 다 나가봐."

"마마님, 하지만."

케이티가 불안한 얼굴로 그녀를 불렀다. 힐라리아는 혼자 두면 불안하다. 오늘 올리비아가 힐라리아에게 달려들기까지 했으니 당장 올리비아의 목숨도 위태로웠다. 그래도 말릴 사람이 하나쯤은 남아 있어야…….

"됐어. 알아서 챙길게."

힐라리아의 단언에 케이티는 불안한 얼굴로 돌아서야 했다. 첼로스테와 케이티는 방문이 닫히는 순간까지도 안의 동태를 살폈다. 첼로스테가 케이티에게 조심스럽게 물었다.

"괜찮은 거지?"

케이티가 첼로스테를 힐끗 보고는 대답했다.

"뭐 문제 있겠어. 뭘 하시더라도 최소한 힐라리아 마마님이 다치시진 않으니까. 그럼 됐지, 뭐."

저도 모르게 첼로스테가 몸을 부르르 떨었다. 콩 심은 데 콩 나고 팥 심은 데 팥 난다고. 케이티는 모르겠지만, 그녀는 힐라리아를 꼭 닮아 있었다.

"한데 마마님께서 마음을 바꾸신 걸까?"

"무슨 말이야."

"아니. 황제 폐하와 마마님의 사이가 유독 좋아 보이셔서. 황제 폐하께서 직접 선물을 주신 것도 그렇고."

아까 그 모습은 왠지 모르게 야해서. 첼로스테의 얼굴이 붉어졌다.

"아, 덥다."

"그런 말, 마마님 앞에서는 하지도 마. 괜히 혼나지 말고."

"왜? 황제 폐하와 사이가 좋아지면 좋은 거 아니야?"

케이티가 불안한 얼굴로 복도를 살폈다. 어디에 있든 힐라리아의 나비가 그들의 대화를 엿듣고 있을 것 같았다. 힐라리아에게 황제라니! 그런 망언이 어디 있나. 힐라리아가 알게 되면 케이티와 첼로스테 모두 불경죄로 불태울지도 모른다. 케이티가 부르르 떨고는 첼로스테에게 쏘아붙였다.

"그런 소리 하지도 마! 힐라리아 마마님께서는 황제 폐하께 조금도 관심이 없으시다고!"

***

케이티와 첼로스테의 대화를 엿들은 건 힐라리아가 아니라 다른 사람이었다.

"관심이 없다라."

남자가 삐뚤게 웃었다. 왠지 마음에 들지 않는다. 긴 손가락 위를 금빛 나비가 노닐며 바르르 떨었다. 금방이라도 녹일 것처럼 일렁이는 서슬 퍼런 냉기가 나비를 위협했다. 그 날카로운 기운에도 나비가 살아남을 수 있는 건 전부 남자의 의지 덕분이었다. 남자가 나비가 죽길 원하지 않으니까!

"불의 정령이군."

물이 흐르는 것처럼 부드럽고 나지막한 목소리였다. 푸른 냉기가 나비를 희롱했다. 손가락의 주인은 에벤에셀이었다. 황궁을 날아다니던 나비 한 마리를 생포했다. 나비는 힐라리아를 닮아 뜨거웠다.

"네 주인은 내가 싫은 모양이야."

나비가 절대 그렇지 않다는 듯이 미약하게 날개를 파닥였다. 에벤에셀의 비위를 맞추기 위해 열심인 모습이었다. 에벤에셀의 근처에 가기만 해도 소멸해버리던 정령들을 보았다. 그런 신세가 되긴 싫었다.

에벤에셀이 작게 웃었다. 그가 손가락을 맞부딪히자 테이블 위에 얼음으로 만들어진 새장이 나타났다. 공기 중의 수분을 얼려 순식간에 주조해낸 것이다. 에벤에셀이 새장에 나비를 집어넣었다. 새장 사이의 틈은 넓었지만, 냉기에 질려 나비는 이도 저도 못하고 있었다.

분명 힐라리아와의 연결도 끊겼을 것이다. 에벤에셀이 나비가 앉아 있던 손가락으로 새장을 짚었다. 나비의 열기가 흩어졌다.

"이제 너를 뭐라고 부를까?"

에벤에셀이 입술을 늘여 웃었다.

"힐. 너를 힐이라 불러야겠어."

나비가 날개를 빠르게 파닥였다. 뭐든 좋다는 듯이.

***

한편, 힐라리아는 에벤에셀이 준 목걸이를 불태울 것처럼 노려보고 있었다. 힐라리아의 눈이 금빛으로 일렁였다. 미리 챙겨 먹은 마석이 그녀의 내부에서 녹아내리고 있었다.

'모양이 닮았다고?'

허술한 거짓말인지 아니면 진심인지 분간이 가질 않았다. 이 궁에서 가장 속내를 알 수 없는 사람이었다. 게다가 나비를 붙일 수도 없으니…….

"대체 무슨 속셈인 거지, 에벤에셀."

에벤에셀은 베일에 싸여 있었다. 그는 선황의 자제이긴 했지만, 귀족들 사이에서 유력한 황위 후보가 아니었다. 에벤에셀은 지금 황태후가 아닌 죽은 선황후의 아들이었다. 귀족들은 든든한 외가가 받치고 있는 네이선 황자를 추종했다.

반면에 제국민들은 네이선보다는 에벤에셀을 좋아했다. 아주 어릴 때 모친을 여의었음에도 에벤에셀은 매사 귀족적이었고 흐트러짐이 없었다. 에벤에셀의 어여쁜 외모도 한몫했을 것이다. 국민들은 에벤에셀이 차기 황제가 되는 것을 당연하게 여겼다. 문제는 국민들의 지지만으로는 황제가 될 수 없다는 것이다. 네이선 황자도 최선은 아니어도 차선의 선택지로 받아들일 정도는 되었으니.

하지만, 대체 무슨 수를 쓴 것인지 에벤에셀은 네이선을 반역도로 유배시키고 황제가 되었다. 그 과정은 비밀에 부쳐져 있어 아무리 기네비어라도 알아낼 수가 없었다. 그저 에벤에셀이 생각보다 많은 것을 숨기고 있었다고 추측할 뿐이었다.

'……생각보다 위험한 곳에 온 것 같은데.'

황궁에 들어온 이후로 처음으로 옅은 두려움이 들었다. 힐라리아가 숨을 죽였다. 게다가 나비들의 에벤에셀 근처에 가기만 하면 맥을 못 춘다. 그에게도 어떤 능력이 있는 게 분명한데.

'황족은 대대로 아무 이능이 없었어. 그렇다면 모친 쪽인가?'

아무것도 확신할 순 없었다. 다행인 건 에벤에셀이 아직까지는 힐라리아를 좋게 생각하고 있다는 것이다. 그는 힐라리아와의 거래에 응했다. 게다가 힐라리아가 너구리를 잡을 때까지는 그녀의 편이 되어줄 거란 것도 확인했다. 그런데 이상하게 섬뜩했다.

"앤 대체 정체가 뭐야."

힐라리아가 작게 투덜거렸다. 손가락으로 목걸이를 매만지던 힐라리아가 입술을 삐죽였다. 아무래도 내일 베아트리체를 만나야 할 것 같았다. 베아트리체라면 에벤에셀의 과거에 대해서 캐낼 수 있을 것이다. 힐라리아가 손가락을 맞부딪쳤다. 그녀의 의지대로 눈앞에 구현된 나비가 날아올랐다.

"베아트리체에게로 가."

나비에게 해야 할 일을 일러주자, 나비는 닫혀 있던 발코니 창을 뚫고 밤하늘에 녹아들었다. 금빛으로 빛나는 나비는 마치 소원을 들어주는 별처럼 보였다.

***

깊은 밤에 잠을 못 이루고 있던 사람은 에벤에셀과 힐라리아뿐만이 아니었다. 올리비아가 이를 빠드득 갈았다.

"이게 무슨 망신이야! 대체 왜 황제께서는 그 여자 편을 들어주신 거지? 누가 봐도 그 여자가 밀었잖아!"

올리비아가 신경질을 내며 방 안의 비싼 장식품들을 집어 던졌다. 그것을 가만히 지켜보던 플뢰레트 시녀장이 말했다.

"화를 가라앉히셔요, 마마님."

"지금 내가 화가 안 나게 생겼어?"

"하지만, 다른 이들이 보기에는 마마님이 홀로 넘어진 걸로 보였답니다. 물론, 저는 마마님의 말씀을 믿지만요. 분명 그 마녀가 무슨 짓을 한 게 분명해요."

"하. 하는 짓도 마녀 같군!"

올리비아가 이를 빠드득 갈았다. 에벤에셀이 그녀를 보던 차가운 눈빛이

잊히지가 않는다. 대체 왜 에벤에셀은 그녀를 홀대하는 걸까? 올리비아만큼 그를 아껴주고 사랑해줄 사람은 없는데. 황태후도 그 점을 높이 사 에라모스 백작을 등용하지 않았던가. 황태후는 친아들이 아님에도 에벤에셀 황제를 마음 깊이 아꼈다.

'사실 아끼든 말든 상관없지. 그 늙은 너구리가 나를 황후로 만들어주겠다는 약속만 지킨다면!'

올리비아가 방 안을 오갔다.

"마녀라, 마녀!"

마녀라는 단어는 지금에야 가벼운 의미로 쓰이고 있지만, 300년 전만 해도 아니었다. 마녀라는 낙인은 사형 선고와 다름없었다. 사람들은 남들보다 뛰어난 능력을 가진 이들을 두려워했다. 마녀들은 남들은 보지 못하는 정령들과 소통했고 그들을 부렸다. 보이지 않는 것은 사람들에게 공포를 불러일으켰다. 300년 전의 황제가 국가적인 마녀사냥을 단행했던 것도 공포에서 기인한 일이었다. 많은 피가 흘렀고 마녀들은 형장의 이슬로 사라졌다.

"마녀……."

올리비아가 섬뜩하게 웃었다.

"플뢰레트."

"예, 마마님."

"기네비어로 아버님 몰래 사람을 보내거라."

"예?"

"힐라리아 황비가 마녀라는 증거를 찾아. 기네비어와 힐라리아 황비를 동시에 무너뜨릴 수 있을 거야."

플뢰레트의 얼굴이 창백해졌다. 마녀라는 증거를 찾으라니! 입에 담기에도 두려운 말이었다. 기네비어 공국의 근간을 뒤흔들 수 있는 일이었다. 그건 힐라리아뿐만 아니라 붉은 여왕의 명예마저 더럽힐 수 있었다. 그런 걸 황제가 허락할 리가 없었다.

붉은 여왕은 300년 전, 남쪽의 소국들을 통일시키는 데 큰 공헌을 세우고 마녀사냥을 종결지은 인물이었다. 한 제국의 공녀이자 기사였던 그녀가 붉은 여왕이라는 칭호를 받고 기네비어 공국을 세울 수 있었던 이유였다.

"마마님, 그건 너무 위험해요. 역사를…… 뒤흔들 수 있는 일이라고요."

플뢰레트가 목 졸린 목소리로 속삭였다. 힐라리아가 마녀라면 대대로 이어진 기네비어의 왕가가 마녀라는 이야기가 된다.

"그게 무슨 상관이야? 내가 황후가 되는 데에 그 여자가 방해가 되는데! 어떻게든 치워버려야 하지 않겠어?"

올리비아가 차가운 목소리로 쏘아붙였다. 욕망에 절어 앞뒤 분간을 못 하는 올리비아의 모습에 플뢰레트의 손이 떨렸다.

"황제께선 절대로 마마님의 손을 들어주시지 않을 거예요."

"그럼 어때. 황태후께서 손을 들어주실 텐데. 혹여 힐라리아가 마녀가 아니더라도, 그녀는 마녀여야만 해. 그럴듯한 거짓 증거라도 만들어야지."

올리비아가 입술을 늘어뜨려 웃었다.

"나는 에벤에셀을 가지기 위해서라면 무엇이든 해."

***

그날 밤, 맨드라미 궁에서 고고한 척 자리를 지키고 있었던 황태후가 에벤에셀을 찾아왔다. 그녀가 오고 있다는 소식에 가장 유감을 표한 건 스베인이었다.

"누가 반긴다고 오는 걸까요."

"황태후께서 황제 폐하와 화해를 하러 오는 걸 수도 있지."

"진심으로 그렇게 생각하는 겁니까, 반에이크 공?"

"우리 시종장께서는 순진하셔서."

반에이크가 낄낄대며 웃었다.

"덕분에 이른 퇴근들 하시겠군. 다들 오랜만에 귀가해서 저녁 식사라도 하지. 아, 자네는 여동생 좀 살피고."

에벤에셀이 반에이크를 턱짓했다. 그의 말에 반에이크가 대번에 정색을 하곤 에벤에셀을 노려보았다.

"실로테요? 필요한 게 있으십니까? 거듭 말하지만, 그 애는 멍청해서 써먹기에 알맞지 않습니다."

"동생한테 냉정하군. 그래도 실로테 황비가 있어서 여태껏 황궁이 균형을 유지했던 거야."

"저는 그 애 덕분에 올리비아가 그렇게 나대는 거라고 생각합니다. 멍청하게 이용이나 당하지 않습니까?"

"반에이크."

에벤에셀의 나지막한 부름에 그가 한숨을 푹 내쉬었다.

"말씀하세요."

"실로테 황비가 지금 많이 위축되어 있을 거야. 짐이 위로를 표했다고 전하게."

"그리고요?"

"실로테 황비에게 이번 복지 사업을 맡길 생각이야."

"허어?"

스베인이 탄식했다.

"황제 폐하, 외람된 말씀이지만 여러 여성분과 동시에 정을 통하는 것은 좋지 않은 생각이라고 사료됩니다."

에벤에셀이 머리를 쓸어 넘겼다. 스베인의 말은 물 흐르는 것처럼 무시되었다. 에벤에셀이 손가락을 입술 위에 대고 속삭이듯 말했다.

"스베인, 쉿."

대체 왜 저렇게 남자인 저에게 색기를 흘리는지 모르겠다. 스베인이 투덜거리며 고개를 내저을 때 반에이크와 에벤에셀의 대화가 계속되었다.

"힐라리아 황비께는 내일 아침 식사를 청하게. 그녀가 황비들을 휘어잡았으니 그만한 포상을 해야지."

"황비들에게는 그깟 복지 사업보다는 황제와의 만남이 간절할 텐데요. 실로테가 힐라리아 황비의 사람이 될 거라고 보시는 겁니까?"

"장기적으로는 그렇지."

"완전히 힘을 실어주시는군요."

스베인이 박수를 치며 탄성을 흘렸다.

"역시! 힐라리아 황비께서 황후가 되시는 겁니까? 제가 사람을 잘못 보지 않았던 모양입니다."

"자네 아직 있었나? 그 경애하는 힐라리아 황비께 내일 아침 식사를 청하러 다녀와야지."

에벤에셀이 스베인의 말에 대답 없이 말을 돌렸다. 그것을 마음대로 해석한 스베인이 희희낙락한 얼굴로 방을 빠져나갔다. 반에이크가 대뜸 말했다.

"스베인도 멍청합니다."

"멍청한 만큼 충직하지. 자네도 이만 나가봐. 곧 있으면 황태후께서 도착하실 테니."

에벤에셀의 말에 그 얼굴은 정말 보고 싶지 않다며 반에이크가 방을 빠져나갔고, 그가 나간 지 얼마 되지 않아 황태후가 방으로 들어왔다.

"오랜만에 뵙습니다, 어마마마."

에벤에셀이 가볍게 말했다. 간소한 드레스를 입고 깔끔하게 백금발을 뒤로 넘긴 황태후는 자애로운 미소를 짓고 있었다.

"오랜만이에요, 황제. 그동안 잘 지냈나요? 새로이 황비를 들였다는 소식은 들었답니다."

황태후가 부드럽게 대꾸했다. 그녀는 에라모스 백작과 대화를 나누고 나서 문득 그런 생각이 들었다. 힐라리아 기네비어를 그녀의 편으로 끌어들이면 어떨까 하는. 궁에 도는 소문으로 보아 힐라리아는 충분히 똑똑하고 능력도 있어 보였다.

들리는 이야기에 따르면 황제가 그녀에게 호감을 가지고 있다 하니 더 이용하기 좋은 먹잇감으로 보였다. 힐라리아의 궁에 한번 인사를 다녀가라는 전갈을 보냈지만, 황제를 핑계로 거절당했다. 포섭도 얼굴을 봐야 할 수 있는 거 아니겠는가. 그래서 이렇게 찾아왔다.

"그랬습니다. 그 사람이 몸이 좋지 않다고 해서 아직 첫날밤도 보내지 못했습니다. 그래서 짐도 종종 아침 식사나 청하는 처지라……."

"그래서 힐라리아 황비의 걸음을 제한하신 거군요. 그런 이야기라면 저도 충분히 이해해야지요. 저는 이 궁의 가장 큰 어른이니까요."

그것도 에벤에셀이 대우를 해줄 때나 가능한 이야기였다. 황태후가 그렇지 않냐는 듯이 에벤에셀을 지그시 응시했다.

"그렇습니다. 어마마마께서는 큰 어른이시지요."

"그래서 새 사람이 들어왔으니 작은 파티를 하나 열어볼까 합니다."

에벤에셀이 은은한 미소를 머금었다. 그의 미소가 황태후의 속을 파먹는다는 걸 알아 그녀의 앞에 서면 더 웃게 된다. 황태후는 네이선에 대한 그리움과 애틋함을 전부 에벤에셀에 대한 복수심으로 승화시켰다. 그녀에겐 에벤에셀이라는 존재 자체가 독이었다. 아니나 다를까, 황제의 미소를 본 황태후의 입술이 바르르 떨렸다.

에벤에셀은 그것을 못 본 척, 바르게 앉아 있던 몸을 의자에 기댔다. 편하고 느른해 보이는 눈으로 황태후를 올려다보는 그에게서 서늘한 냉기가 흘러 나왔다.

"곧 있으면 힐라리아 황비가 귀부인들과 인사를 나누기 위해 티파티를 연다고 하더군요. 실로테 황비가 돕기로 했으니 볼만할 겁니다. 그 자리에 참석하시는 건 어떠실지요?"

주도권을 힐라리아에게 넘기라는 말이었다. 황태후의 미소에 천천히 금이 가는 걸 에벤에셀이 즐겁게 응시했다. 자존심이 강한 사람이니 막 궁에 들어온 사람에게 주도권을 빼앗기는 것 자체가 모욕일 것이다.

'쓸데없는 자존심 부리기는.'

맨드라미 궁에 칩거하며 에벤에셀의 도덕적인 측면에 흠집을 내고자 했다면 저런 자존심도 버렸어야 했다.

'하는 짓이 허술하니 아들도 빼앗기지.'

에벤에셀의 푸른 눈이 심연처럼 깊어졌다. 그는 지금 황태후가 그의 뜻에 굴복하도록 강요하고 있었다. 힐라리아에게 귀찮은 일을 만들어주고 싶진 않았다. 황태후가 준비한 자리에 가게 되면 먹는 것부터 입는 것까지 신경 쓸 게 많을 것이다. 뭐가 들었을 줄 알고 마음 편히 먹겠는가.

"그, 렇습니까? 아직 초대를 받지 못해 몰랐군요."

"티파티는 다음 주 금요일경이라고 들었습니다. 황비들과 인사를 나누느라 늦춰졌다더군요. 월요일이면 초대장이 갈 겁니다."

황비들과 인사는 나눴지만, 황태후는 찾아오지 않았다라. 위신이 바닥으로 떨어져 나뒹굴었다. 힐라리아는 황태후를 아주 우습게 보고 있었다.

"기쁘게 응하도록 하겠습니다. 이제 한 가족 아닙니까?"

"예쁘게 봐주세요, 어마마마. 물론 보시면 푹 빠지시게 될 겁니다. 그만큼 사랑할만한 사람이거든요."

에벤에셀의 말이 마치 뱀처럼 황태후를 졸라맸다. 사랑에 빠진 척 연기하는 저 얼굴이 가증스럽다. 그를 볼 때마다 가슴 밑바닥부터 분노가 끓어올라 미칠 것 같았다.

'하지만, 네이선에게 다시 저 자릴 돌려줄 수만 있다면……!'

무엇이든 할 것이다. 그녀의 영혼을 파는 짓이라도.

***

"아침 식사?"

눈을 뜨자마자 찾아든 벼락같은 소식에 힐라리아가 눈을 크게 떴다. 황제가 또 힐라리아를 아침 식사에 초대한 것이다. 웬만하면 황제를 피해 다니려고 했는데 결심하자마자 망했다.

'나비도 못 견디는데, 나처럼 연약한 애가 견딜 수 있겠어?'

그녀의 속마음에 항변하듯 그녀 주변 나비들의 날갯짓이 거세졌다. 콧방귀를 뀐 힐라리아가 신경질적으로 머리를 쓸어 넘겼다.

"저…… 혹시 황제께서 힐라리아 마마님을 마음에 두신 것은 아닐까요?"

첼로스테가 조심스럽게 말을 꺼냈다. 힐라리아가 다시 한번 코웃음을 쳤다.

"절대 말도 안 돼. 그럴 수 있는 사람이 아니야. 아프다고 그래. 속이 뒤집히고 토를 하도 해서 아침을 먹지 못한다고."

첼로스테가 하고 싶은 말이 많은 얼굴로 고개를 조아렸다. 첼로스테의 기대와는 다르게 힐라리아는 황제를 전혀 마음에 둔 것 같지가 않았다. 여기에 애써 힐라리아의 명령을 거역하는 위험을 무릅쓰고 싶진 않았다. 첼로스테가 그녀의 말을 전하기 위해 침실을 나서려 할 때였다.

"아니야! 아침 식사에 참석하겠다고 전해."

무슨 생각을 하는 것인지 힐라리아의 푸른 눈이 새파랗게 빛났다. 첼로스테가 소름 돋은 팔을 문질렀다.

"나도 알아볼 게 있거든."

케이티가 이마를 짚었다.

"그건 별로 좋은 생각 같지는 않습니다만……."

그렇다고 들어먹을 힐라리아는 아니었지만.

***

나비가 가여운 척 날개를 곱게 접었다. 나비가 강제로 부여받은 이름은 '힐'

이었다. 냉기로 가득 찬 에벤에셀의 시선이 힐을 희롱하듯 스쳤다. 힐을 사로잡은 뒤, 그는 시간이 날 때마다 그것을 들여다보게 되었다. 나비의 쓸만한 능력 덕분에 온 황궁을 엿보게 된 것이다.

그리고 그가 엿보고 있는 대상에는 힐라리아도 자연스레 포함되었다. 처음엔 힐도 힐라리아에 대한 건 전해주지 않으려고 노력했다. 하지만, 세상은 그렇게 만만한 곳이 아니었다. 힐은 에벤에셀의 힘에 굴복했고 지금도 힐라리아와 첼로스테, 케이티의 대화 내용을 고스란히 토해냈다.

[저…… 혹시 황제께서 힐라리아 마마님을 마음에 두신 것은 아닐까요?]

[절대 말도 안 돼. 그럴 수 있는 사람이 아니야. 아프다고 그래. 속이 뒤집히고 토를 하도 해서 아침을 먹지 못한다고.]

에벤에셀이 한쪽 입꼬리를 끌어 올려 웃었다. 절대 말도 안 된다니.

"네 주인 같은 사람만 있다면 이 궁도 살만할 거야. 현실 파악을 잘 하거든."

에벤에셀이 입술을 손가락으로 훑었다. 그 손가락은 이전 날 힐라리아에게 목걸이를 걸어줄 때, 그녀의 목을 스쳤던 손가락이었다. 그녀의 체온은 분명 따뜻했는데 힐라리아는 속내부터 차갑게 얼어붙어 있는 듯했다. 어쨌든 에벤에셀의 의도대로 황궁의 시선은 힐라리아에게로 쏠렸다. 사람들은 힐라리아가 목에 건 목걸이의 가치에 대해서 논했고 황제의 속내를 짐작하기 위해 황궁 사람들에게 돈을 찔러줬다.

'쓸모없는 짓을.'

그리고 사람들의 시선이 힐라리아에게 쏠린 틈을 타서 에벤에셀은 베니체의 일가를 처리했다. 몰락한 세바스찬의 직계들을 감옥에서 빼돌린 것이다. 사형수들과 세바스찬의 식솔들을 바꿔치기 하는 건 쉬웠다. 그들은 에벤에셀의 꼭두각시가 되어 사리프 왕국으로 파견되었다. 조금 아쉬운 점이 있다면.

'카르탈 세바스찬.'

아직 젊은 만큼 쓸모가 많았을 것을.

'이제 막 17살이 되었던가.'

아까운 일이다. 이 모든 건 애초에 스베인에게 그녀의 선물을 준비하라 일렀을 때부터 준비했던 일이었다. 그리고 힐라리아의 나비를 붙들어 가뒀을 때부터 생각했던 일이기도 했다. 그가 세바스찬 직계들의 몸에 심은 건 얼어붙은 나비였다. 처음으로 반에이크는 뭔가 꿍꿍이가 있을 거라고 예상했던 모양이지만, 스베인은 혀를 내둘렀다.

[배고프다. 이왕이면 빨리 가자. 황제께서 언제 오신다든?]

[옷이라도 차려입으시는 게 어떨까요? 아니면 세수라도…….]

[뭘 차려입기까지. 황제는 내가 옷을 뭘 입어도 관심 없을걸? 황제는 나한테 신경 쓰지 않아. 게다가 오늘은 주말이야. 주말엔 공직자들도 일하지 않아. 그러니 나도 자유를 누릴 권리가 있다고.]

[게으름을 그렇게 포장하지 마세요!]

[이런, 이런. 케이티.]

[……죄송합니다.]

에벤에셀이 너털웃음을 터뜨렸다. 힐라리아의 저런 모습이 흥미를 당긴다는 걸 그녀는 모를 것이다. 황제라는 자리에 앉은 이후로 누군가의 무관심을 받아본 건 처음이었다. 특히 황비들로부터는 더.

"흠. 힐. 짐이……. 네 주인에게 신경 쓰지 않는다고 말했었나?"

에벤에셀의 웃음이 깊어졌다.

***

힐라리아와 에벤에셀의 두 번째 아침 식사가 시작되었다. 그들의 아침 식사는 매번 황궁 사람들의 시선을 끌어당겼다.

'이래서 밥이 넘어가겠나.'

그들을 둘러싸고 있는 사용인들의 시선이 고스란히 느껴졌다. 저번과는 달리 황제는 식사 장소를 노출시켰다. 환한 햇살이 내리쬐는 정원이었다.

'시커먼 속내하고는.'

힐라리아가 한숨을 푹 내쉬며 포크를 내려놓았다. 그녀를 찌르듯이 보는 시선이 너무 따가워서 식사를 이어갈 수가 없었다.

"굳이 이렇게까지 하셔야 했습니까?"

"무슨 말씀이신지."

에벤에셀도 포크를 내려놓고 입가를 닦았다.

"날씨가 좋으니 이런 것도 운치 있고 좋지 않습니까? 서관보다 동관에 햇살이 더 잘 듭니다."

"허어. 햇살 쐬기도 전에 눈빛에 쏘여 죽겠는데요. 지금 몇 명의 사람들이 우리를 보고 있는 지 아십니까?"

"물론. 그러라고 이러고 있는 것인데요."

에벤에셀이 산뜻하게 말했다. 게다가 이건 황비들 사이에서 힐라리아의 위신을 세워주는 일이기도 했다. 힐라리아가 우위를 선점한 데에 대한 상이었다.

"다른 황비들께서 힐라리아 황비를 부러워할 겁니다."

"저는 언제나 다른 이들의 부러움을 사는 사람입니다. 굳이 황제께서 안 보태주셔도요."

힐라리아가 고개를 치켜들고 말했다. 아침이라 약간 부은 얼굴이 햇살 덕에 도드라졌다. 그 모습이 퍽 귀여워 보인 탓에 에벤에셀이 피식 웃으며 말했다.

"항상 아침엔 부으시는 편 같군요. 아, 혹 짐에게 귀엽게 보이려 그러시는 겁니까?"

"예? 제가요? 세상에! 전 귀엽지 않습니다! 항상 예쁘다고요!"

힐라리아가 발끈하는 모습에 에벤에셀이 청량한 웃음을 터뜨렸다. 그의 웃음에 멀찍이 서 있던 스베인이 깜짝 놀라 고개를 치켜들 정도로 컸다. 그녀의 반응이 재밌어 놀려먹으면서도 에벤에셀이 무의식중 앞머리를 쓸어 넘겼다. 그것을 힐긋거리던 힐라리아가 가슴에 손을 얹고 숨을 깊게 들이쉬고 내쉬며 마음을 진정시켰다.

"후우. 어쨌든 이목을 끌기 위해서라면 목걸이만으로도 충분했습니다."

"하지만, 눈치 보느라 아무도 힐라리아 황비에게 접근하지 않고 있지요. 이 황궁을 손에 넣어보시겠다 하지 않으셨습니까? 짐은 지금 황비를 돕고 있는 겁니다."

포장만 번지르르해서는. 힐라리아가 입술을 삐죽였다. 물론, 지속적인 황제의 관심은 힐라리아에게 나름 도움은 될 것이다. 내일부터는 힐라리아의 응접실에 줄을 서는 이들이 생겨나지 않을까? 황제의 황비에게 아무나 접근할 순 없으니 아마 가문의 귀부인들이 무거운 엉덩이를 움직일 것이다.

"너무 감사해서 말이 안 나올 지경이네요."

"짐이 이렇게 로맨틱한 사람입니다. 힐라리아 황비를 위해 할 수 있는 일이 많지요."

"어디까지 해주시려고요?"

"짐에게서 얼마나 끌어내는지는 황비에게 달린 일 아니겠습니까?"

"제게서는 무엇을 얻어 가시렵니까?"

힐라리아가 의문을 던졌다. 자꾸 이건 모두 힐라리아를 위한 일이었다고 포석을 까는 것으로 보아 저 속 시꺼먼 남자가 뭔가를 상상하고 있는 게 분명했다. 하지만, 에벤에셀은 꽤 한참을 이상한 말재간을 늘어놓으며 뜸을 들였다.

"이제 황실에 있는 누구든 우리 사이에 뭔가가 있다는 걸 알 거예요! 충분히 보인 것 같으니 말씀하세요. 제가 뭘 해드릴까요? 저도 일정이 있습니다!"

"황태후를 만나보세요."

"황태후라니. 분명 만나지 않아도 된다고 하셨잖습니까."

힐라리아가 날카롭게 벽을 세웠다.

"황태후가 싫습니까?"

"네. 저는 그녀와 상성이 맞지 않습니다. 저는 그녀가 싫어요."

힐라리아가 이 점은 분명히 해야 한다며 강조를 거듭했다.

"어째서죠?"

"그녀는 목적을 위해서라면 영혼도 팔 테니까요!"

힐라리아가 차갑게 말했다. 황태후는 그녀의 목적을 위해서라면 못할 게 없는 사람이었다. 그게 나쁘다는 건 아니다. 힐라리아도 자신의 목표를 이루기 위해 황궁에 들어왔으니까. 하지만, 힐라리아는 황태후처럼 저열하진 않았다. 힐라리아가 다녀온 미래에서 황태후는 해서는 안 될 짓을 저질렀다. 그녀는 힐라리아의 모국을 오스발트에 팔아넘겼다. 에벤에셀의 제국군이 큰 피해를 입은 것도 황태후의 정보 때문이었다.

힐라리아는 제국을 사랑한다. 붉은 여왕의 뿌리는 윈프리드 제국에 있으니 기네비어 공국은 항상 윈프리드와 명운을 같이 한다고 배웠다. 미래에서 힐라리아는 기네비어가 희생된 대가로 윈프리드 제국이 명운을 보전했으니 그것만큼은 다행이라고 생각했었다.

'나쁜 건 에벤에셀이었지 윈프리드 제국은 아니었어.'

그리고 에벤에셀을 나쁘게 만든 건 바로, 황태후였다.

"영혼까지 판다라. 황비는 그러지 않을 거라고 자신합니까?"

"무슨 말씀이신가요? 제가 그럴 사람으로 보이시는 겁니까?"

힐라리아가 잔뜩 모욕당한 표정으로 물었다. 미간 사이에 잡힌 주름이 눈에 띄었다. 에벤에셀이 그것을 보고는 작게 웃었다.

'고양이 같군.'

힐라리아을 보고 있으면 예전에 어머니가 키우셨던 얼굴이 찌그러진 고양이가 떠올랐다. 그녀는 곧잘 에벤에셀에게 고양이가 귀엽다는 사실을 주지시키기 위해 노력했다.

'이게 매력입니다. 화난 것 같은 이 얼굴이 참 귀엽지 않습니까?'

'예. 그런가 봅니다.'

'……에벤에셀은 멋이 없어요, 멋이.'

그런데 힐라리아를 보고 있자니 그 고양이가 정말로 귀여웠다는 걸 통감하게 된다. 에벤에셀이 고개를 기울이고는 물었다.

"고양이 키워보시는 건 어때요?"

난데없는 말에 힐라리아가 이를 악물었다.

"지금 저를 놀리시는 겁니까!!"

"그럴 리가요. 그저……."

에벤에셀이 입술을 달싹였다.

"귀여워서."

힐라리아가 으아아악, 비명과 함께 짜증을 부리며 자기 머리카락을 쭉쭉 잡아당겼다. 느긋한 에벤에셀 앞에 있으면 이상하게 그녀의 속마음을 드러내게 된다. 같은 편이 되어주겠다던 그 말 때문인가? 어쨌든 힐라리아는 아침부터 짜증 나게 하는 에벤에셀을 힘껏 노려봐주었다.

"알겠습니다. 황비의 뜻은 충분히 알겠어요. 사실 짐도 그다지 황태후를 좋아하진 않습니다."

에벤에셀이 여전히 웃음기 어린 목소리로 말했다. 힐라리아가 뚱한 목소리로 대답했다.

"그런데 왜 만나보라고 말씀하십니까?"

굳이 만나지 않아도 황태후의 대부분 행적은 그녀에게 보고되고 있었다. 사실 마법이 걸려 있는 몇몇 곳을 제외하고는 나비가 안 닿는 곳이 없었다. 그녀의 감시망에서 벗어난 삼각지대는 거의 없다는 말이다. 그중에는 힐라리아가 자발적으로 제외한 장소들과 에벤에셀의 주변이 포함되어 있었다.

“황태후가 황비를 만나보고 싶다고 하더군요.”

“……어쩔 수 없이 부딪히긴 해야 한다고 생각했습니다. 같은 황궁 안에 살고 있는 데다가 황궁에서 여는 연회도 한두 가지가 아니니.”

“황태후에게 티파티 초대장을 한 장 보내주는 건 어떨까요?”

“말씀하시니 해보겠습니다.”

“분명 황태후는 황비를 포섭하려고 할 겁니다.”

“제이나 황비나 올리비아 황비로는 모자라서요?”

“그녀도 분명 황비의 가치를 알아봤을 테니까요. 하지만, 이야기를 나눠 보니 걱정할 필요가 없겠군요.”

“네. 걱정하지 않으셔도 됩니다. 저는 황태후가 다이아를 준다고 해도 넘어가지 않을 겁니다.”

에벤에셀이 머리를 쓸어 넘기며 웃음을 터뜨렸다. 두 주먹을 불끈 쥐고 걱정할 필요 없다고 말하는 힐라리아가 귀엽기만 했다.

‘못생긴 고양이.’

그 고양이 이름이 뭐였더라. 그다지 관심이 없어서 기억해두지 않았는데 지금은 알고 싶어졌다. 에벤에셀이 풀어두었던 분위기를 갈무리했다. 어느새 돌아가야 할 시간이었다. 에벤에셀이 서늘한 시선으로 한마디했다.

“그래도 조심하십시오. 황태후는 만만한 인물이 아니니. 걱정하지 말라셨지만, 걱정되는군요.”

달콤한 시간은 끝났다는 듯이 그의 목소리는 냉랭했지만, 그에 반해 하는 말들은 따뜻하기 짝이 없었다. 입매를 매만지고 소매도 정돈한 에벤에셀이 먼저 자리에서 일어났다. 멀리, 그를 찾아 여기까지 온 반에이크가 보였다. 힐라리아가 그를 힐긋 보고는 작게 물었다.

“반에이크 클라리넷 공작을 믿으십니까?”

“짐은 그의 충성심을 믿지 않습니다. 애국심을 믿지. 그런 면에선 힐라리아 황비와 잘 통할 것 같군요. 먼저 가보겠습니다. 반에이크가 애가 닳는 모양이니.”

“폐하.”

힐라리아가 에벤에셀을 불러 세웠다. 에벤에셀이 잠시 걸음을 멈췄다. 힐라리아가 가볍게 말했다.

“머리카락을 자르시는 게 좋으실 듯합니다.”

“음?”

“불편해 보이셔서.”

무슨 뜻인지 이해가 되지 않는 듯 에벤에셀의 동공이 확장되었다.

“아.”

에벤에셀이 자꾸 흘러내리던 앞머리를 매만졌다. 한동안 자르지 않아 어느새 길어버린 머리카락이 눈을 찌르고 있었다. 하지만, 에벤에셀은 이런 쪽에는 무관심한 편이라 그가 불편한 원인도 알아채지 못하고 있었다.

“아니었다면 괜한 말을…….”

“아니.”

에벤에셀이 힐라리아의 말을 잘라냈다. 식사하고 대화하는 내내 힐라리아가 그에게 ‘관심’을 가지고 ‘신경’을 쓰고 있었다는 말이 아닌가. 저어할 이유가 없었다.

“자를 겁니다.”

에벤에셀이 힐라리아를 힐긋 보고는 등을 돌려 걸어갔다. 단정하게 입은 흰 셔츠와 그 위에 가볍게 걸쳐 입은 듯한 남색 조끼가 세련됐다. 힐라리아와 비슷한 나이에도 국정을 잘 운영하고 있는 걸 보면 능력도 있다. 게다가 그녀가 지켜본 바로는 여자도 가까이하지 않으니 요새 보기 드문 건실한 청년이긴 했다.

‘그렇다고 먹어선 안 되는 빵을 탐내선 안 되지.’

힐라리아가 홀로 남아, 마저 차를 마셨다. 그녀의 푸른 눈이 침착하게 가라앉았다. 고요한 그녀의 모습을 첼로스테와 케이티가 불안하게 응시했다. 조용하니 더 무섭다는 게 이런 거구나 싶달까. 게다가 무슨 대화를 나누는 건지 힐라리아의 기분이 좋았다 나빴다 하는 게 전부 보였다. 평소에는 하고 싶은 대로 하고 살던 힐라리아가 황제를 상대로는 그러지 못하니 얼마나 견디기 힘들 것인가. 첼로스테와 케이티의 오해가 그렇게 깊어졌다.

한편, 힐라리아는 여전히 에벤에셀에 대해 생각하고 있었다. 미래에서 그녀는 에벤에셀도 보았다. 그에겐…… 사랑하는 사람이 있었다. 프로이턴 제국에서 사절단으로 왔던 메일린 프로이턴. 그녀는 그간 아무도 사로잡지 못했던 에벤에셀을 고작 말 몇 마디로 사로잡았다. 그러니 에벤에셀은 절대로 힐라리에에게 관심을 가질 리 없다. 어차피 상처받을 관계를 맺고 싶진 않았다.

'과하게 굴지 마, 힐라리아.'

관심도 갖지 말고. 스스로를 다시 한번 단속하곤 힐라리아가 가볍게 웃었다. 그래도 오늘 아침 식사에서 건진 건 하나 있었다. 그녀의 나비는 에벤에셀의 반경 3미터까지는 다가갈 수 있었다. 그 원 안에 발을 들이면 그대로 녹아내린다. 특이하긴 하나, 그에게서 별다른 이능이 느껴지지 않는다는 사실도 알았다. 혹시 황실에 기네비어의 핏줄이 섞였나 했더니 그건 아닌 듯했다.

'그런데도 정령을 저렇게 녹인다니.'

본디 냉기 속성이 강한 인간이거나, 정령의 피가 섞였거나. 어느 쪽이든 힐라리아에겐 위험할 뿐. 힐라리아가 찻잔을 내려놓고 첼로스테를 손짓해서 불렀다.

"이제 베아트리체 맞을 준비를 하러 가야지. 오늘은 붉은 드레스가 입고 싶어."

"예, 황비 마마."

그렇게 모두의 열렬한 관심 속에서 두 번째 아침 식사가 마무리되었다.

***

해가 매일같이 지고, 다시 떠오를 때마다 기네비어 가족들의 불안은 깊어져만 갔다. 식사 자리는 늘 침울했고 가족 간의 대화는 힐라리아로 시작해 힐라리아로 끝맺기 일쑤였다. 그건 오늘도 마찬가지였다.

"카르탈을 지금이라도 보낼까요?"

"검술은 기본이라도 익혀야지! 17살이 그렇게 허약해서야."

"기네비어 말고 제국 기준으로 보면 그 정도면 쓸만한 정도입니다."

"쓸만해서 어떡해. 우리 연약한 힐라리아를 지켜야 하는데."

"아버지 기준이 높으신 걸 수도 있어요. 힐라리아가 혼자 있는 것보다는 그래도……."

"그런가?"

보통 이런 대화들이 주를 이었다. 기네비어 공국의 후계자, 위베르가 오늘은 결판을 내겠다는 듯이 계속해서 카르탈에 대해서 언급했다.

"그래도 힐라리아가 보내준 나비가 하는 이야기에 따르면 황제가 잘해주나 봐요."

"암. 우리 기네비어의 공준데 당연하지!"

"그러니 지금입니다. 황제도 기네비어의 핏줄만 아니면 얼마든지 황도에 들어와도 된다고 했어요."

위베르가 다시 한번 뜻을 피력했다.

"세바스찬의 핏줄을 들이는 건 괜찮을까?"

"굳이 성을 밝힐 필요는 없지요. 세바스찬의 직계 가족들이 기네비어 사람들처럼 특출 난 특징을 가지고 있는 것도 아니고."

이상하게 사람들은 기네비어인들을 기똥차게 구별해냈다. 특유의 야생

미가 살아 있다나.

"그럼…… 당신은 어떻게 생각하오?"

"우리 힐라리아를 혼자 두는 것보다는 보내는 게 좋을 것 같아요."

공왕비가 위베르의 의견에 힘을 보탰다.

"배신할 수도 있으니 제가 정령을 심도록 하지요."

기네비어는 붉은 여왕의 유지에 따라 여자들이 공국을 이어받았다. 그리고 그들의 남편이 공국을 다스리는 체계를 갖추고 있었다. 붉은 여왕, 티타니아 기네비어는 여자들이 직접 왕좌를 이어받는 건 허락하지 않았다. 그것은 기네비어의 능력과 피를 이어받은 여자들이 밖에 대두되지 않도록 한 조치였다. 그렇게 기네비어는 스스로를 지켜왔다.

그리고 현 공왕비, 헬레나미아 기네비어는 역대로 가장 강한 능력을 물려받았다고 평가되고 있는 인물이었다. 그녀가 있었기에 힐라리아도 강한 능력을 이어받을 수 있었다. 딱- 공왕비가 손가락을 맞부딪히자 새파란 나비가 피어올랐다. 금빛으로 빛나는 힐라리아의 나비와는 달리 새파란 날개에 금색으로 찬란한 문양이 새겨져 있었다. 그만큼 정교하고 강력한 정령이었다. 게다가 공왕비가 만들어낸 나비는 직접 의사를 전달할 수 있었다.

"너를 일리라고 부르겠다. 대답해, 일리."

[네, 헬레나미아.]

"힐라리아를 찾아. 카르탈이 그녀를 지키게 해. 할 수 있겠지?"

[네.]

요사스럽게 빛나던 나비의 날개가 멈췄다. 나비는 공중에 녹아 사라졌다. 스스로 카르탈을 찾아간 것이다. 미래에 다녀온 힐라리아가 말하길 카르탈 세바스찬은 기네비어의 원수라고 말했다. 그 어린 소년이 기네비어의 군사 기밀을 자카리족에게 팔아넘기는 대가로 생명을 연명했다고.

힐라리아는 카르탈 세바스찬에게 그럴 기회를 줘선 안 된다고 했다. 그래서 자카리족에게 붙들리기 전에 기네비어로 데려왔고 그가 기네비어에 잠입하기 전에 기네비어의 스파이로 만들었다. 헬레나미아 공왕비가 서늘한 목소리로 명령을 내렸다.

"이제 카르탈을 준비시키세요. 공국 밖으로 내보내면 알아서 힐라리아를 찾아갈 겁니다."

나비의 의지가 스스로의 의지라고 믿고.

***

햇살을 막기 위해 양산을 쓰고 나타난 베아트리체를 보곤 힐라리아가 헛웃음을 지었다. 베아트리체는 레이스가 잔뜩 달린 드레스와 치렁치렁한 리본을 늘어뜨리고 그와 잘 어울리는 양산을 쓰고 있었다. 세련된 붉은 드레스를 입은 힐라리아와는 정반대의 모습이었다.

"베베."

"주말에도 부르고 말이야. 대체 왜?"

힐라리아가 베아트리체에게서 양산을 건네받았다.

"얼굴 타. 이럴 줄 알고 네 것도 가져왔지."

힐라리아는 귀찮다는 듯 혀를 찼지만 못 이기는 척 양산을 썼다. 베아트리체의 화사한 분홍색 양산도 힐라리아에게 오묘하게 어울렸다. 두 사람이 천천히 걸음을 옮겼다. 황제는 즐기지 못하는 휴일 속에서 두 사람은 따뜻한 햇살과 함께 오후를 맞이했다.

"음! 역시 잘 어울리네. 그런데 우리 어디 가는 거야?"

"동관. 황제의 정원으로 가는 길이야."

"엑? 대체 왜 그 멀리까지?"

"지금 내가 갈 수 있는 곳 중에서 가장 최근에 황제가 머물렀던 곳이야. 가서 황제의 기운을 한번 살펴봐."

리오나 아카데미는 기네비어 공국에 있는데 그곳에서는 마녀들을 상대로 정령을 다루는 방법과 정령을 감별하는 방법, 숨은 정령을 찾아내는 방법, 마녀를 돌보는 방법 같은 걸 배웠다. 베아트리체는 다른 건 다 수석이었지만, 정령을 다루는 데 취약했다.

"여태껏 사교 모임에서 수도 없이 마주쳤지만 한 번도 이상을 느낀 적이 없어."

"드러낼 필요가 없었던 거라면?"

힐라리아가 허점을 짚었다.

"기네비어에서나 마녀가 흔하지 다른 곳에서는 그렇지 않아. 에벤에셀이 힘을 감출 수 있고 여태까지 감춰왔다면? 마녀사냥의 잔재가 아직도 남아 있어. 그러니 마녀의 힘을 쓸 줄 아는 황제를 반길 리가 없잖아."

"……그래서 황제를 감시하자고?"

"감시하지 못해. 말했잖아. 황제의 곁에 가면 나비가 녹아버린다고."

"그럼 어떻게 하지? 힐라리아, 어떤 기록을 뒤져도 에벤에셀에 대한 기록은 없어. 게다가 스베인이랑 반에이크 공작은 에벤에셀에 대한 충성심이 대단하지."

"아니야."

힐라리아가 부드럽게 웃었다. 뭔가 계략을 꾸밀 때만 나오는 미소였다. 그걸 본 베아트리체가 걸음을 멈췄다. 이미 동관의 정원에 가까워진 시점이었다. 힐라리아가 몸을 돌렸다. 정원에서 클라리넷의 은발을 가진 남자가 홀로 걸어 나오고 있었다. 힐라리아가 악동 같은 얼굴로 코를 찡긋하곤 말했다.

"반에이크 공작은 생각이 다를 거야."

"배신이라도 한다는 뜻이야?"

"아니. 내가 황제에 대해서 아는 게 윈프리드를 위한 일이라면, 그는 내 편이 되어줄 수도 있다는 뜻이야."

"뭐?"

"그는 제국을 수호하거든."

힐라리아가 반에이크를 향해 천천히 걸음을 옮겼다. 그는 힐라리아와 동류였다. 반에이크는 목적을 위해서는 어느 정도의 손해를 감수해야 한다고 생각한다. 힐라리아가 가족들의 반대를 무릅쓰고 입궁한 것처럼. 그녀가 여름의 정열을 품은, 짙푸른 바다와 닮은 청량한 눈빛으로 반에이크에게 말을 건넸다.

"안녕하세요, 반에이크 공."

"이렇게 인사를 나누는 것은 처음이군요. 황비 마마, 처음 뵙겠습니다. 클라리넷의 반에이크입니다. 요새 황궁에서 이슈의 중심에 서 계시는 분을 이렇게 만나는군요."

"나도 반가워요, 반에이크 공."

힐라리아가 가볍게 맞받아쳤다.

"그럼 이만. 일을 하러 가던 중이라서요."

반에이크가 시가가 든 케이스를 들어서 보여주곤 다시 주머니에 넣었다. 잠시 시가를 피우러 나온 것뿐이라는 뜻이었다.

"네. 앞으로 친하게 지내요. 우리는 꽤 여러 번 마주칠 것 같으니."

"친하게라면……?"

힐라리아가 에벤에셀이 못된 고양이 같다고 말했던 표정을 지어 보였다. 그것을 보며 뒤에 멀찍이 떨어져 있었던 베아트리체가 혀를 내둘렀다.

"이렇게 인사도 하고, 가끔 차도 마시고, 대화도 나누면서……."

힐라리아의 양산 안으로 햇살이 쏟아져 들어왔다. 마치 그녀의 뒤에 후광이라도 비치는 것처럼.

"그렇게 친해지는 거죠. 다음에 스틸로즈 궁에 놀러와요, 반에이크 공."

그건 위험한 초대였다. 반에이크가 부드럽게 미소 지었다.

"예, 언젠가 한 번은."

그 대답에 힐라리아가 반에이크를 향해 한 걸음 더 다가섰다. 그녀의 미소가 왠지 모르게 두렵게 느껴지는 이유는 뭘까? 반에이크가 입술을 달싹이며 시선을 내리깔았다.

"나는 불확실한 것을 그다지 좋아하지 않아요, 반에이크 공. 언제가 적당하다고 생각하나요? 날이 좋은 날? 비가 오는 날? 혹은……. 내일?"

힐라리아의 재촉에 반에이크가 침을 꿀꺽 삼켰다. 나른하게 내리뜬 힐라리아의 푸른 눈이 왜 이렇게 위협적인 건지. 상황과 맞지 않게 에벤에셀과 잘 어울릴 거라는 생각이 들었다. 힐라리아가 입술을 달싹였다.

"폐하께서도 반에이크 공과 제가 뜻이 잘 맞을 거라고 하시더군요."

반에이크가 고개를 들어 그녀의 뒤편에서 이 상황을 모른 척하고 있는 베아트리체를 힐끗 보았다. 그를 구해줄 사람은 이 자리에 아무도 없는 듯했다. 반에이크가 힐라리아에게 속삭였다.

"좋습니다. 원하시는 대로 하겠습니다. 내일이면 될까요? 아, 내일은 일요일이라 제가 출근하지 않습니다. 유일한 휴일이라."

힐라리아가 작게 웃음을 흘렸다. 아닌 척해도 귀는 쫑긋 세우고 있던 베아트리체가 주변에 남아 있던 힐라리아의 나비에게 다급하게 속삭이는 게 들렸다.

[내일이래, 내일! 그 무기밀매 말이야. 그리고 클라리넷도 연관되어 있을 확률이 50퍼센트는 넘어!]

귀엽기는. 힐라리아가 눈을 가늘게 떴다. 반에이크에게 접근하는 건 그렇게 걱정해놓고 막상 일이 이렇게 되니 도와주려 안간힘을 쓰고 있었다. 뒤쪽을 힐끗 확인하니 최대한 양산으로 가리고 등을 돌리고 있는 베아트리체가 보였다. 힐라리아가 목소리를 가다듬고는 다시 시선을 반에이크에게로 돌렸다.

어디 한번, 미끼를 던져볼까?

"물론이지요, 반에이크 공. 이번에도 좋은 화약이 들어왔다던데 가장 좋은 것을 선점하시려면 반드시 가셔야겠지요."

반에이크의 얼굴에 금이 갔다. 그가 날카로운 눈빛으로 주변을 살폈다. 여태까지 힐라리아로부터 몸을 떼어내려고 노력하던 반에이크가 힐라리아에게로 한 걸음 다가섰다.

"대체 무슨 말씀을 하시는 건지."

"사냥 대회라도 여시려는 줄 알았지요. 아닙니까? 저는……."

힐라리아는 자신의 운을 믿는 편이었다. 공국에서 나오기 전에 조사한 바에 따르면 클라리넷 공작가는 무기 밀매와 밀접한 연관이 있었다. 반에이크의 목적이 무엇인지 황제도 아는 건지는 모르겠지만, 그는 사적으로 무기를 사 모으고 있었다.

하지만, 힐라리아가 다녀온 미래에서 반에이크는 여전히 황제의 편에 서 있었다. 그는 목적을 위해서라면 나라와 근본까지 팔아치우는 황태후와는 엄연히 다른 인물이었다. 힐라리아가 사르르 녹아내릴 것 같은 목소리로 속삭였다.

"너구리 사냥이라도 함께 하시려는 줄 알았지요. 새끼 너구리의 유배가 풀리는 날이 그다지 멀지 않았다지요?"

그녀를 가만히 지켜보던 반에이크가 차가운 목소리로 반문했다.

"……힐라리아 황비 마마. 위험한 말씀을 하시는군요. 모든 걸 알고 계신다고 자신하시는 겁니까?"

"저는 운이 좋습니다, 반에이크 공. 그리고 사랑받는 편이지요."

"그게 무슨……?"

"제 짐작이 틀렸다고 하더라도 공께서는 저를 싫어하시지 않을 겁니다. 그렇죠?"

반에이크가 헛웃음을 터뜨렸다. 이래서 에벤에셀이 그녀를 눈여겨보는구나 싶었다. 답지 않게 힐라리아에 대해서 이야기할 때면 왠지 모르게 즐거워 보였으니까.

'그럴만한 이유가 있었어.'

반에이크가 대답했다.

"보통 이런 말을 할 때는 뭔가 오가는 게 있지 않습니까?"

"뭘 바라시는지. 교태? 돈? 아니면, 다른 무언가? 이런, 반에이크 공. 나는 지금 협상을 제안하는 게 아니에요."

뒤에서 베아트리체가 탄식을 흘리는 소리가 들렸다. 하지만, 힐라리아는 조금도 꿈쩍하지 않았다. 그녀는 동요 없는 목소리로 속삭였다.

"지금 이 제안은 당신을 밟고 가야 할지, 아니면 끌고 가야 할지 결정하기 위함이에요. 그러니, 내가 내일 만나자고 하면 당신은 내일 와야 하는 거야. 잘 보여야 하는 쪽은 내가 아니라 당신이지. 반에이크 공, 당신보다는 내가 쥐고 있는 패가 더 많을 테니까."

잠시 정적이 흘렀다. 힐라리아는 반에이크에게 일요일 날 있을 무기 밀매에 대해서 언급하면서 그의 비밀을 알고 있다는 사실을 알렸다.

'이게 끝이 아니라고?'

조금은 두려워질 지경이다. 황궁에 들어온 지 얼마 되지도 않은 힐라리아가 대체 무슨 수로 이 많은 정보들을 손에 쥐게 된 것인지도 궁금했다.

'당신이 궁금해지는군, 힐라리아. 좀 더 압박해볼까?'

그랬다간 목이 물릴지도 모른다는 사실을 그는 아직까진 모르고 있었다. 만약 이 자리에 실로테가 있었다면 반에이크의 뒤통수를 때려서라도 말렸을 테지만, 그 사실을 알 리 없는 반에이크가 재밌다는 듯이 말했다.

"제가 황비 마마의 손을 잡지 않는다면 어떻게 하실 겁니까?"

힐라리아가 작게 웃었다.

"나에 대해 알면 두려워지실 텐데."

힐라리아가 손가락으로 반에이크의 가슴을 쿡 하고 찔렀다.

"심장에 검이 관통하는 수가 있어요, 반에이크 공. 실로테는 멍청하고 올리비아는 영악했죠. 그리고 그걸 알게 된 나는……. 클라리넷을 끌어내리기 위해 무엇을 할 수 있을까요?"

힐라리아의 목소리는 살얼음이 낀 것처럼 차가웠다. 위로 치켜뜬 힐라리아의 푸른 눈이 반에이크를 옭아맸다.

'……잘못 건드렸군.'

반에이크가 최대한 빠르게 몸을 뒤로 빼냈다. 그의 목을 언제든지 물어뜯을 수 있는 짐승이 눈앞에서 이를 드러내고 있으니 어쩔 수 없는 반응이었다.

"이제 결정해요, 반에이크 공. 내가 한 가지 팁을 주자면……. 내일 그 자리에 그대가 나를 초대할 수도 있겠죠."

"황비 마마의 외출은……."

"지금 이 만남을 주선하신 게 황제 폐하이시니 물론 허락하실 겁니다. 저는 잠시 베아트리체 영애와 외출을 하는 것뿐이니."

완전한 반에이크의 패배였다.

"……내일 오전 11시까지 클라리넷 공작가로 오시면 직접 모시겠습니다."

"내일 봐요, 반에이크 공."

힐라리아가 고개를 까딱하고는 아무 일도 없었던 것처럼 그를 스쳐 지나갔다. 그녀의 뒤를 따라 베아트리체가 천천히 걸음을 옮겼다. 스치듯 반에이크를 지나친 베아트리체가 그에게 눈인사를 건네고 멀어질 무렵, 반에이크가 힐라리아를 붙들었다.

"황비 마마!"

"음?"

힐라리아가 물 흐르듯 자연스럽게 돌아섰다. 그가 거기 있다는 걸 처음 알았다는 듯이 새침한 표정이었다.

"왜 불렀나요, 반에이크 공?"

"……그쪽엔 왜 가시는지."

"아."

힐라리아가 눈을 동그랗게 뜨며 탄성을 내뱉었다.

"베아트리체가 가보고 싶다고 해서요. 제가 아침 식사를 하면서 봤는데 정말 경관이 아름답더군요."

'내가?'

베아트리체가 입술을 벙긋거렸다. 힐라리아가 생긋 웃었다.

"……그러시군요. 황제 폐하께 고해도 되겠지요?"

"물론. 시간이 되신다면 폐하께서도 함께 산책을 해도 좋겠군요."

"아……. 아마, 그 초대엔 응하지 못하실 겁니다. 업무가 바쁘셔서."

"그렇군요."

힐라리아의 객기에 베아트리체가 고개를 내저었다. 힐라리아에게서 어떤 수상한 점도 발견하지 못한 반에이크가 몸을 돌렸다. 힐라리아도 베아트리체와 함께 마저 걸음을 옮겼다. 그들은 묵묵히 걸어가던 반에이크가 몸을 돌려 그들 뒷모습을 시선으로 좇았다는 건 알아차리지 못했다. 그 깊은 시선은, 한참을 힐라리아에게 머물렀다.

***

"힐라리아 공주가 동관에 왔다고?"

"예, 폐하."

반에이크는 업무에 복귀하자마자 그가 정원에서 본 사실을 고했다.

"무슨 대화를 나눴지?"

에벤에셀은 아무런 동요 없이 웃었다.

"……폐하께서 그 대화를 주선하셨다고 하시더군요."

"그랬었지. 두 사람, 잘 맞을 것 같았거든. 이제 어떤 대화를 나누었는지 물어도 되나?"

에벤에셀이 머리카락을 쓸어 넘기고 서류를 뒤적였다. 대화에 무심해 보이는 표정이지만, 사실 에벤에셀의 신경은 반에이크의 대답에 곤두서 있었다. 힐라리아가 무슨 말을 했을지 궁금했다. 늘 예상을 빗나가는 사람이니……. 반에이크가 대답을 고르고 골라 가장 적당한 것을 찾아냈다.

"스틸로즈 궁으로 초대하셨습니다."

딱 3초. 에벤에셀의 움직임이 멈춘 시간이었다. 하지만, 이 방에 있는 누구도 그것을 알아차리지 못했다. 에벤에셀의 펜이 다시 유려하게 움직이기 시작했다. 고개를 숙이고 있었던 에벤에셀이 서늘한 미소를 머금었다.

"짐도 못 가본 곳을 자네가 먼저 가겠군."

아주 유한 어투여서 반에이크는 에벤에셀의 기분이 가라앉았다는 것을 눈치채지 못했다. 오히려 반에이크가 과장되게 한숨을 푹 내쉬곤 말했다.

"아닙니다. 저는 일요일이라 오지 못한다고 말씀드렸고 밖에서 베아트리체 후작 영애와 함께 만나 뵙기로 했습니다."

"내일?"

에벤에셀이 눈을 가늘게 떴다. 주말에 출궁을 한다라.

'그것도 외간 남자랑 말이지.'

이상하게 그게 못마땅했다. 여태껏 어느 황비가 누구랑 외출을 하든 신경을 써본 일이 없었는데 말이다. 그 덕에 황비들은 자유로운 삶을 영위하며 에벤에셀에게 약점을 고삐처럼 쥐여 주고 있었다.

에벤에셀이 입술을 틀어 올리며 고개를 천천히 들자, 반에이크는 일순 소름이 돋은 목덜미를 매만져야 했다.

"힐라리아 공주는 이번이 처음 외출일 겁니다. 황도로 올라와 바로 입궁한 뒤로 나가본 적이 없으니. 그녀를 잘 부탁합니다, 반에이크 공."

분명 예의를 갖춘 말인데 뭔가……. 반에이크가 하하, 웃음을 흘리며 볼을 긁적였다.

"당연한 말씀을요. 저는 황비 마마를 보필하여 무사히 환궁하시도록 하겠습니다. 한데 행선지는 묻지 않으십니까?"

에벤에셀이 다시금 서늘한 미소를 베어 물었다.

"주말이니……. 희극이나, 공연이라도 보려는 모양이지요. 황비와 후작 영애라니. 분명 좋은 구경이 될 겁니다."

"네. 그 누구의 눈에도 보이지 않도록 조심하겠습니다. 폐하와 황비 마마께 누가 되지 않도록요."

"그래주면 좋겠군요. 물론 짐이 허락한 외출이지만, 짐은 황비가 구설수에 오르는 게 싫으니."

반에이크는 한참의 시간이 흐른 후에야 알아차렸다. 에벤에셀이 자신에게 소름 돋는 존댓말을 사용했다는 것을. 반에이크가 문을 닫고 나갈 때쯤 에벤에셀이 싸늘하게 덧붙였다.

"가는 길에 실로테 황비를 꼭 보고 가도록. 전해야 할 말이 있지 않나?"

반에이크는 그제야 힐라리아를 만난 충격에 잊고 있었던 사실을 떠올렸다.

그가 끊었던 담배를 다시 피운 이유는 실로테를 만나야 하는 일 때문이었다. 갑자기 속이 답답해졌다. 반에이크가 한숨을 푹 내쉬곤 말했다.

"심술궂으시네요."

에벤에셀이 그제야 만족스럽게 웃었다.

Chapter 3.

비밀의 공유

힐라리아와 베아트리체가 마치 야유회라도 나온 것처럼 거니는 모습을 정원사들이 힐끗힐끗 살폈다. 오늘 오후에 귀빈들이 올 거라는 이야기는 못 들은 덕에 정원사들의 손놀림이 바빠졌다.

[저분이 그 유명한…….]

[맞아. 힐라리아 황비 마마라지? 저 붉은 머리를 보니 맞네그려.]

[들은 대로 아름답구먼. 듣기론 기네비어 여왕의 핏줄이시라지?]

[맞아. 기네비어 공국의 공주시잖아.]

사람들이 삼삼오오 떠드는 소리는 전부 힐라리아에게로 전해지고 있었다. 나비들이 파닥거리며 힐라리아의 주변을 맴돌고 있었기 때문이다. 힐라리아가 피식 웃고는 말했다.

"내게 관심들이 많은가 봐."

"너는 황궁에 들어온 이후로 내내 눈에 띄는 일만 했으니까. 그래서 저기라는 거지?"

힐라리아가 고개를 끄덕였다.

"뭐가 보여?"

"흐음. 아니, 아무것도 남지 않았어."

베아트리체가 힐라리아와 에벤에셀이 아침 식사를 했던 자리를 유심히 살폈다. 힐라리아의 나비를 녹일 정도면 분명 강한 힘을 가지고 있을법한데, 육안으로는 확인할 수 없었다. 푸른 잎사귀를 만지작거리던 베아트리체가 작게 중얼거렸다.

"차갑네. 얼어붙은 것처럼."

"차갑다고?"

"응. 아직도 차가워. 힐라리아. 이리 손 좀 줘볼래?"

베아트리체의 눈짓에 무슨 뜻인지 알아차린 힐라리아가 손을 뻗었다. 양산으로 뒤쪽을 완벽하게 가린 힐라리아가 잎사귀에 불을 붙였다. 하지만, 불은 잎사귀 주변을 비켜 작게 피어올랐다가 삽시간에 사그라들었다. 그 광경을 유심히 본 베아트리체가 옅은 탄식을 흘렸다.

"……역시. 붙지 않는군."

베아트리체가 허리를 펴고 주변을 둘러보았다. 아무것도 남지 않았다고 생각했는데 촉감으로 느껴지는 냉기는 남아 이곳을 맴돌고 있었다. 정원의 생명들에게 피해를 줄 정도는 아니지만, 그렇다고 영 영향이 없지는 않았다. 에벤에셀이 머물렀다는 곳을 중심으로 식물들이 좀 더 생생했다. 뭐랄까.

"생명력을 불어넣은 것 같아."

"내가 느낀 게 맞았던 거네. 베베, 네가 보기엔 황제에게 어떤 힘이 있는 것 같아?"

"힐. 너는 뭘 예상했는데?"

힐라리아의 붉은 입술이 호선을 그렸다.

"……정령."

"나도 비슷한 생각을 했어. 황제는 정령의 핏줄을 타고났을 거야. 그렇지 않고서는 이렇게 섬세하게 정령의 힘을 다룰 순 없어."

"인간의 모습을 한 정령이라고?"

"최상위종은 인간에 속해. 인간이지만, 정령의 힘을 쓰는 거지."

"그래서 나비들이 견뎌내질 못했군. 최상위종이라니."

힐라리아가 눈가를 찌푸리고는 고개를 들어 올렸다. 그들을 향한 찌르는 듯한 시선이 느껴졌기 때문이었다. 시선의 주인은 금방 찾을 수 있었다.

'에벤에셀…….'

에벤에셀이 발코니에 기대 그녀를 바라보고 있었다. 그가 그 멀리에서도 피식 웃는 게 보였다. 에벤에셀이 손가락을 튕기자……. 허공에서 주조된 얼음 장미가 아름답게 피어났다가 순식간에 져버렸다. 얼음에 반사된 햇빛이 힐라리아의 눈동자를 찔렀다. 아무래도 에벤에셀은 힐라리아에 대해 이미 알고 있었던 것 같았다.

'곤란한데.'

그녀에 대해 안다는 건 리오나 아카데미나 기네비어 공국의 비밀에 대해서 안다는 것과 일맥상통했다. 마녀사냥에 종지부를 찍었다고 알려진 붉은 여왕, 티타니아 기네비어는…… 사실, 궁지에 몰린 정령사들의 수호자였다. 마녀라고 낙인찍힌 이들을 데리고 폐쇄적인 지형에 터를 잡고 기네비어 공국을 세웠다.

티타니아 기네비어가 세운 공적을 인정한 당시의 황제는 그녀에게 공왕의 지위를 내렸고 덕분에 기네비어 공국은 마녀들의 마지막 요람이 된 것이다. 기네비어의 사람들은 검을 들고 말을 탄다. 거친 야생을 누비며 남자들은 자카리족으로부터 정령사들을 지켜냈고 여자들은 제국으로부터 기네비어를 지켜냈다.

그러나 지금, 300년의 역사를 대변하는 비밀이 힐라리아로 인해 들통난 것이다. 인간의 모습을 한 정령들이 기네비어의 편인지, 혹은 그들을 마녀로 몬 이들의 편인지는 알지 못한다. 역사상 그들이 모습을 드러낸 적은 거의 없었으니까.

'죽일까.'

힐라리아의 낯빛이 서늘하게 가라앉았다. 힐라리아의 주변으로 뜨거운 열기가 일렁였다. 자신을 향해 쏘아지는 살기에도 에벤에셀은 꿈쩍도 하지 않았다. 그저 눈을 접으며 차가운 미소를 지었을 뿐이다. 힐라리아의 힘은 그에게 조금도 영향을 미치지 못하는 듯했다.

"힐라리아, 왜 그래?"

베아트리체가 황제의 모습을 확인하고는 불안한 듯 힐라리아의 소매를 흔들었다. 우선 그녀를 달래기 위해 힐라리아가 입을 열려는 찰나.

[짐의 비밀과 황비의 비밀을 맞교환하죠.]

갑작스럽게 들린 목소리에 힐라리아가 이마를 매만졌다. 에벤에셀이 머릿속으로 말을 걸어오고 있었다. 이제 보니 힐라리아의 나비가 에벤에셀 주위를 맴돌고 있지 않은가. 그가 허락한 것인지 나비가 그의 주변에 내려앉았다. 힐라리아가 콧김을 내뿜었다. 에벤에셀은 애초에 그녀에게 정체를 감출 생각이 없었던 것 같다. 알아채지 못했던 건 힐라리아였던 거다.

[무슨 비밀을? 나는 폐하께 비밀이 없는 것 같은데요.]

들킨 거지만. 힐라리아의 생각대로 에벤에셀은 나비가 속삭이는 말을 전부 들을 줄 아는 듯했다. 에벤에셀이 차갑게 웃으며 속삭였다.

[그럼 짐의 비밀도 말해주면 되는 건가요? 짐은 인간의 태에서 태어난 정령이에요.]

에벤에셀이 정확히 힐라리아의 나비를 향해서 손을 뻗었다.

[황비의 나비는 짐을 이기지 못해. 그러니 어떤 결정을 해야 할까요?]

그로부터 정확한 위협이 느껴졌다. 힐라리아의 목덜미에 소름이 오소소 돋았다. 그녀의 입이 느릿하게 열렸다.

"……아무것도 아니야. 그저 시험해보고 싶었을 뿐이야."

"아아."

힐라리아의 변명에 안심한 베아트리체가 황제에게 무릎을 숙여 인사를 하고는 뒤돌아섰다. 힐라리아와 에벤에셀 사이에 끼어들고 싶지 않았다. 그녀가 정원을 구경하는 척 멀어지자 에벤에셀이 다시 말을 걸어왔다.

[짐에 관해 궁금했다면 말해줬을 텐데요.]

[전부?]

힐라리아의 물음에 에벤에셀의 눈이 가늘어졌다.

'말해줄 생각도 없으면서!'

어떻게 정령으로 태어난 건지에 대해서 묻고 싶었는데 대답할 것 같지 않았다. 힐라리아가 입술을 깨물었다.

[……자꾸 귀엽게 굴지 말아요, 황비. 짐이 그대에게 관심이 생기기 시작하잖아.]

두 사람의 푸른 눈이 허공에서 맞부딪쳤다. 힐라리아의 눈이 화려한 금빛으로 물들며 요동쳤다. 마치 에벤에셀에게 반발하는 것처럼.

[역시 귀엽다니까.]

그 모습에도 에벤에셀은 가볍게 웃어 보일 뿐이었다.

"귀엽긴 개뿔……."

힐라리아가 이를 뿌드득 소리가 나도록 갈았다.

***

힐라리아가 방으로 돌아와서는 마석을 사탕처럼 한 번에 털어 넣었다.

"저거 사탕이야. 마마께서 가장 좋아하시는 거지."

케이티의 말에 첼로스테가 그저 모른 척 고개를 돌렸다. 어차피 그녀는 이제 힐라리아에게 충성을 다하는 몸이다. 그녀가 무엇을 하든 첼로스테는 모른 척할 준비가 되어 있었다.

"쯧쯧. 괜한 데 힘쓰더니."

베아트리체의 말대로 쓸데없는 힘자랑이나 하다가 마력이 고갈되기 직전이었다. 헉헉대며 마석을 먹고 나니 그나마 이성이 돌아왔다.

"귀엽다고?"

"응?"

"황제가 나보고 귀엽대! 악!"

힐라리아가 짜증스럽게 머리를 움켜쥐었다. 그 모습을 첼로스테와 케이티가 걱정스럽게 쳐다보았다. 물론 걱정하는 이유는 살짝 달랐다.

'왜 저렇게 싫어하시는 걸까? 이러다 황제 폐하의 짝사랑이 되는 건 아니겠지?'

'……이러다 황제를 죽이겠다고 하시는 건 아니겠지?'

아직 기대감을 놓지 못한 첼로스테와 진심으로 에벤에셀의 목숨이 걱정되기 시작한 케이티. 그러나 정작 베아트리체는 두 사람의 걱정을 한 몸에 받고 있는 힐라리아를 비웃고 있었다.

"귀여울 수도 있지! 네가 그렇게 용을 써도 황제는 아무렇지도 않았잖아? 얼마나 가소롭겠어."

"베베!"

"힐, 인정해야지. 황제는 네가 이기지 못해."

베아트리체가 태연하게 말하며 새로 구해온 불의 마석을 테이블에 올려두었다. 첼로스테는 주머니에 든 게 무엇인지 궁금해하지 않았고 케이티는 잽싸게 주머니를 챙겼다. 힐라리아가 방 안을 오가며 생각에 잠겼다. 머리가 복잡했다. 황제는 힐라리아에게 덤덤하게 정체를 밝혔다. 그리고 그녀에겐 비밀을 말해줄지도 모른다는 여지를 남겼다.

'대체 왜?'

황제가 그녀에게 바라는 게 무엇이길래. 황제가 원하면 힐라리아는 지금 무엇이든 해야 하는 상황이었다. 기네비어와 힐라리아의 비밀을 낱낱이 알고 있을 테니.

'오지 말았어야 했던 건가?'

그녀가 떠나기 직전까지 말렸던 어머니의 말을 들었어야 했는지도 모른다. 힐라리아가 이를 아득 갈며 의자에 풀썩 주저앉았다.

"네게도 방법은 있어, 힐."

베아트리체가 여유롭게 말했다.

"뭔데?"

그러고 보니 정령학에 능통한 사람이 여기 있었다. 힐라리아가 푸른 눈을 빛내며 베아트리체에게 가까이 얼굴을 들이밀었다. 베아트리체가 힐라리아의 머리를 토닥이며 눈짓하자, 힐라리아가 케이티와 첼로스테를 내보냈다. 그들이 멀어지는 소리를 듣고 나서야 베아트리체가 속삭였다.

"정령의 핏줄을 이었다면 분명 이름이 하나 더 있을 거야. 그걸 찾아서 계약을 맺어."

"최상위종도 계약을 맺을 수 있어?"

"당연하지. 인간이지만, 정령의 힘을 쓸 수 있는 존재들이니까."

힐라리아의 입술이 천천히 호선을 그렸다. 정령의 진명을 알아내는 건 어려운 일이지만, 어떻게든 알아낼 수만 있다면!

"최상위종 정령들의 계보를 전부 뒤져볼 수 있겠어?"

"물론이지, 힐. 너를 위해서라면."

베아트리체가 배시시 웃었다. 힐라리아가 어쩔 수 없다는 듯이 마주 웃었다.

"그러지 않아도 된다니까."

베아트리체는 그 말을 들은 척도 하지 않았다. 어린 날의 베아트리체가 힐라리아에게 진 빚은 아직도 그녀에게 짙게 남아 있었으므로.

***

황제의 당부대로 반에이크는 귀가하기 전에 실로테의 궁을 찾았다.

"뭐 하시길래 그리 열중하시고 계십니까?"

물론 아는 척할 만큼 친분 있는 사이는 아니었지만, 반에이크가 왔는데도 무언가에 열중하고 있는 실로테에게 그가 말했다.

"바쁩니다, 반에이크 공."

실로테가 신경질적으로 대답했다. 그녀를 제대로 된 이복동생 취급도 해주지 않는 반에이크를 반겨줄 정이 그녀에겐 없었다. 게다가 지금 실로테는 힐라리아가 내준 숙제를 하느라 머리가 아플 지경이었다.

그녀는 미리 짜두었던 티파티 배치도에 황태후를 넣기 위해 골몰하는 중이었다. 힐라리아는 황제와 아침 식사를 했다더니 갑자기 황태후를 티파티에 초대하겠다는 의사를 밝혀왔다. 실로테는 힐라리아를 도와 티파티를 총괄하는 입장에서 이 일을 처리해야만 했다.

'나는 그저 돕는 거야. 그럼!'

실로테가 짜증스럽게 양피지를 구겼다. 그녀가 하는 것을 넘겨보던 반에이크가 피식 웃으며 그녀의 건너편에 앉았다. 우아한 모습으로 다리를 꼰 반에이크가 무릎 위에 손을 얹었다. 콧대 높던 실로테가 힐라리아가 시킨 걸 하고 있었다.

'남매가 쌍으로 놀아나고 있군.'

알면 알수록 혀를 내두르게 된다. 그럼에도 불구하고 힐라리아에겐, 망막에 맺힐 정도로 화려했던 붉은색을 미워할 수 없게 만드는 무언가가 있었다. 반에이크가 그녀의 뒷모습을 시선으로나마 좇았을 만큼. 실로테가 아예 처음부터 다시 짤 생각으로 새로운 양피지를 꺼내곤 반에이크에게 말했다.

"하실 말씀 있으시면 얼른 하시고 돌아가세요, 반에이크 공."

"황제 폐하의 전언입니다."

그의 말에 실로테가 반색을 하며 고개를 치켜들었다.

"무엇이죠? 제게도 아침 식사를 청하셨나요? 아니면, 저녁 식사?"

보통 저녁 식사가 더 의미 있기 마련이니까.

반에이크가 허황된 꿈을 꾸는 실로테를 보며 실소를 흘렸다.

"그럴 리가 있겠습니까? 이번에 대대적인 빈민굴 개혁이 있을 예정입니다. 그 자리에는 새로운 형태의 저택이 지어질 겁니다. 한 저택에 여러 세대가 같이 살 수 있는 형태로요. 빈민굴에 거주하는 이들에게 정상적인 주거지를 제공하고 그들에게 직업을 알선해주는 게 이번 개혁의 핵심입니다."

실로테가 실망을 감추지 못하고 고개를 끄덕였다.

"그래서요?"

"그 일을 실로테 황비께서 맡아주셨으면 하십니다. 저택이 지어지는 동안 그들은 강변 막사에서 지내게 될 텐데 그것부터가 실로테 황비께서 도와주실 일입니다."

"……제가 맡아 해야 하는 이유는 무엇이죠? 힐라리아 황비도 있는데."

뾰로통한 실로테에게 반에이크가 웃는 얼굴로 대못을 박았다.

"폐하께서는 실로테 황비께서 힐라리아 황비 마마를 도와 내궁을 다스리는 것을 매우 흡족하게 생각하고 계십니다. 물론, 이번 복지 사업도 힐라리아 황비 마마의 지원을 받아 진행하길 바라시지요."

"제가 한 일을 힐라리아에게 떠넘겨주라고요?"

실로테가 이를 갈며 뇌까리자 반에이크가 한숨을 푹 쉬었다. 못 먹을 사과는 탐내는 게 아니라고 그렇게 말했는데. 실로테는 종종 그녀가 여기에 입궁한 이유를 잊는 것 같았다. 실로테는 클라리넷의 선대 공작이 황태후의 편을 드느라 저질렀던 실책을 만회하기 위해 궁 안에 있는 거였다.

'멍청한 게 맞다니까.'

반에이크가 실로테에게 차가운 목소리로 말했다.

"고귀한 황비처럼 살고 싶으시다면 괜한 욕심 버리시지요, 마마. 황제 폐하를 욕심내느니 차라리 다른 줄을 잡는 게 나을 겁니다. 나는 힐라리아 황비 마마의 줄이 가장 튼튼하다고 생각하고요."

"반에이크 공."

실로테가 분을 못 참고 입술을 달싹였지만, 반에이크는 실로테에게 현실을 일깨워주는 걸 멈추지 않았다.

"마마께서는 하시지 못하는 일을 힐라리아 황비 마마께서는 하시지요."

그가 몸을 일으켜 실로테를 향해 허리를 수그렸다. 반에이크의 반짝이는 은발이 실로테의 은발과 섞여들었다. 이것만이 유일하게 그들이 남매라는 걸 증명해주는 증거였다. 반에이크가 그녀의 귀에 입술을 가져다 댄 채로 뇌까렸다.

"황제 폐하의 눈길을 끌 힘이 마마껜 없다는 말입니다. 그러니 살길이나 도모하세요."

힐라리아의 잔상은 여전히 그에게도 매혹적으로 남아 있었다. 실로테가 이를 악물고 부들부들 떨었지만, 반에이크는 아랑곳하지 않았다.

'그래도 핏줄이라고…….'

반에이크가 한숨과 함께 덧붙였다.

"이제 그만 인정하세요, 실로테 황비. 그대와 황제 폐하는 그저 비즈니스 관계입니다. 정략결혼이 대부분 그렇듯이. 게다가 황제께서는 그대를 궁으로 들이는 대신에 클라리넷을 비호해주셨지요. 그러니 그만 멍청하게 굴어, 실로테. 네 목숨을 붙여놓은 게 에벤에셀이라는 사실을 똑똑히 기억하라는 말이야."

마지막 말은 사나울 정도로 매서웠다.

"이, 이, 익!"

실로테가 이를 악물고 바들바들 떨었다. 그녀의 금안에 눈물이 가득 차올랐다. 분한 건 반에이크의 말이 옳아서 뭐라고 반박할 수가 없었다는 거다. 옷매무새를 가다듬고 실로테의 응접실을 나서는 반에이크의 뒤통수를 쿠

션이 때리고 떨어졌다. 하지만, 반에이크는 돌아보지 않았다.

***

황제는 아침이 밝기 무섭게 힐라리아에게 선물을 보내왔다.

<첫 외출을 축하하며. 좋은 구두는 좋은 장소로 데려다준다고 해요.>

에벤에셀의 유려한 필체로 적힌 문장을 힐라리아가 손가락으로 매만졌다. 좋은 장소. 문득 그런 예감이 들었다. 에벤에셀이 클라리넷 공작가가 하는 일을 알고 있을지도 모른다는.

'에벤에셀과 클라리넷 공작가의 합작인가?'

지금 에벤에셀은 간접적으로 그가 하려는 일을 힐라리아에게 귀띔해주려는 걸지도 모른다. 힐라리아가 지끈거리는 미간을 손가락으로 쿡쿡 찔렀다. 이렇게 심계가 깊은 사람은 처음이라 어떻게 대해야 할지를 모르겠다. 정령이라면 가장 자연에 가까운 순수한 존재일진데 이렇게 속이 어두컴컴해서야. 힐라리아가 입술을 삐죽거리며 케이티와 첼로스테에게 손짓했다.

"이 구두에 어울리는 드레스와 보석을 준비해."

"예, 황비 마마."

첼로스테가 환하게 웃으며 대답했다.

'역시!'

두 사람 사이가 심상치 않다고 다시 한번 생각했다. 하지만 힐라리아의 입장에서는 전혀 달랐다. 그녀가 선물 받은 구두는 짜증 나는 금색이었다.

'아무리 봐도 협박 같은데. 이를테면, 내 정체를 알고 있다는 협박?'

에벤에셀이 하는 선물은 항상 금색이었다. 힐라리아를 압박하고자 하는 게 아니라면 절대 이럴 리가 없다. 힐라리아가 이를 아득 갈고는 구두에게서 고개를 홱 돌렸다. 그러다가 다시 구두를 흘겨보았다.

'예쁘긴 한데……. 보는 눈은 있나 보군.'

혹시나 하는 마음에 힐라리아가 손가락을 튕겼다. 그러자 힐라리아의 열기에 감응한 에벤에셀의 냉기가 힐라리아를 바람처럼 스치고 지나갔다.

[마음에 들어?]

힐라리아가 고개를 내저었다. 이런 능구렁이 같으니.

왜 이렇게 사람 홀릴 것처럼 구는 건지 모르겠다.

***

"베베!"

힐라리아의 부름에 그녀를 데리러 온 베아트리체가 고개를 돌렸다. 그녀가 오늘도 빈손으로 나온 힐라리아에게 양산을 건넸다.

"얼굴 탄다니까. 이럴 줄 알았지. 너는 타는 게 아니라 익어버리잖아. 또 고생하려고 이러고 다니니?"

베아트리체의 타박에 힐라리아가 느긋하게 입술을 열었다.

"귀찮아."

"에휴. 이래서, 이래서! 꼭 챙겨줄 사람이 있어야 한다니까. 내가 분명 첼로스테 시녀장에게 부탁했는데 말이야. 케이티는?"

"두 사람도 오늘은 바빠. 내일 초대장을 보내야 하거든. 미리 주문해둔 초대장을 가지러 갔어."

"티파티 초대장? 그건 누가 만들었는데?"

힐라리아가 그런 자잘한 일을 직접 처리했을 리 없다는 데에 베아트리체는 그녀가 가진 양산 전부를 걸 수 있었다. 힐라리아가 푸른 바다를 머금은 눈을 휘며 화사하게 웃었다. 마치 파도가 넘실거리는 것 같았다.

"실로테가."

그 말을 들은 베아트리체가 고개를 내저었다.

"그럼 그렇지."

힐라리아가 먼저 마부의 에스코트를 받아 마차에 타고 그 뒤를 베아트리체가 이었다. 황실 사람들은 힐라리아가 베아트리체와 외출한 것으로 알게 될 것이다. 두 사람을 태운 마차가 곧이어 출발했다.

힐라리아가 무심하게 창밖을 훑어보았다. 그녀의 시선에 걸린 건 검을 찬 채로 황궁의 문을 지키는 기사였다. 힐라리아가 혀로 입술을 훑었다.

'그러고 보니…….'

그녀가 가늘게 뜬 눈으로 베아트리체에게 물었다.

"베베. 혹시 제이나 황비에 대해서 아는 거 있어?"

"내가 알아야 할 게 있어?"

"첼로스테에게 물었을 때도 모르는 것 같았는데. 제이나 황비가 검을 다룰 줄 아는 것 같아서 말이야."

"에, 검을?"

베아트리체가 고개를 갸웃했다.

"제이나 황비는 황태후랑 먼 친척 관계야. 아마……. 8촌쯤 되나?"

"그 정도면 남이네."

"어쨌든 제이나 황비가 막내딸이거든? 그 집안에 아들만 다섯이야. 다섯 전부 기사고. 그런데 제이나 황비가 검을 잡도록 허락했을 것 같아?"

"허락이 필요해?"

힐라리아가 고개를 갸웃했다. 손가락으로 입매를 훑는 힐라리아는 뭔가 재밌는 일을 꾸미는 것 같았다. 베아트리체가 한숨과 함께 대답했다.

"무슨 생각하는지는 모르겠지만, 제이나 황비의 부모님이 허락하지 않았을 거야. 힐처럼 막무가내로 구는 딸하고 다르게 제이나는 착했거든."

"착하다라. 그래도 지금은 성인이잖아?"

힐라리아가 입술을 길게 늘어뜨렸다. 첼로스테나 케이티, 베아트리체가 가장 두려워하는 미소였다.

"또 무슨 못된 생각을 하는 건데……."

힐라리아가 눈을 가늘게 떴다. 악동 같은 표정이었다.

"그냥. 좋은 생각."

제이나 황비의 가문은 중립을 표방하고 있었다. 그녀의 가문인 로마노프 백작가는 고틀리프 제국과 허미즈 제국을 상대로 윈프리드를 지키는 해상 군대를 보유하고 있었다. 중립을 표방하는 가문들 중 기네비어 다음으로 세력이 큰 가문이라 할 수 있었다. 맛있는 먹잇감을 발견한 표정으로 힐라리아가 입맛을 다셨다.

'제이나 윈프리드라.'

제이나는 이미 부모의 손을 벗어났다. 로마노프의 성이 아닌 윈프리드의 성을 사용하고 있으니. 힐라리아가 환하게 웃으며 베아트리체에게 말했다.

"베베, 선물을 준비해."

"뭐? 무슨 선물."

"친구를 만들려고. 누가 봐도 감탄할만한 명검을 구해줘."

힐라리아의 말에 베아트리체가 이마를 짚은 채로 한숨을 푹 쉬었다. 목표물이 아무래도 제이나 황비인 것 같은데……. 어쩌다가 힐라리아 눈에 띄어서는. 베아트리체가 속으로 그녀를 위한 명복을 빌었다.

'길게, 길게 행운이 가득하길.'

***

힐라리아와 베아트리체가 클라리넷 공작가를 향하고 있을 때, 카르탈은 황궁으로 향하는 길이었다. 짐마차를 빌려 탄 소년의 눈 밑이 푸르스름했다.

"어디 아픈 것이오?"

"아닙니다. 그저 피곤한 듯합니다."

카르탈이 고개를 저었다.

"어디 사람이시오?"

"저는 기네비어 공국에서 왔습니다. 그곳에서 태어나고 자랐지요."

카르탈의 말에 짐마차에 같이 타고 있던 농부가 눈을 가늘게 떴다.

"기네비어 사람이라기엔 너무 유약한데. 기네비어 남자들은 밀빛 피부가 특징이지."

"종종 저 같은 이들도 있긴 합니다."

"그렇기야 하겠지. 하긴. 기네비어의 기사들은 공국 밖으로 나오려면 황제 폐하의 허가가 필요하다지? 검을 잡아는 봤소?"

"예. 조금 쓸 줄 압니다만, 기네비어의 기사라기엔 한참 모자라지요."

"그래서 나올 수 있었군. 어딜 가는 길이오?"

카르탈이 망설이지 않고 대답했다.

"제너시스 후작 영애를 뵈러 가는 길입니다. 형님께서 심부름을 시키셔서요."

"아하."

그 매끄러운 대답에 농부가 의심 없이 고개를 끄덕였다. 카르탈의 푸르스름한 눈 밑이 움찔거렸다. 그의 낯이 창백하게 질렸다가 이내 돌아왔다.

'제너시스. 베아트리체. 힐라리아.'

카르탈이 검을 끌어안은 채로 짐마차에 이마를 붙였다.

'내가 지켜야 할 사람.'

새파란 불길이 그의 눈 속에서 일렁이는 걸 아무도 보지 못했다.

***

힐라리아와 베아트리체를 태운 마차가 클라리넷 공작가에 도착했다.

"힐라리아 황비 마마, 베아트리체 후작 영애."

마차 문을 연 것은 반에이크였다. 그가 한숨 섞인 목소리로 말했다.

"정말로 오셨군요."

"반에이크 공, 나는 당신 사업에 끼어들기로 한 걸 철회한 적이 없는데. 당연히 와야지요."

힐라리아가 담백하게 말하고는 마차에서 내렸다. 그녀의 뒤를 베아트리체가 따랐다. 금빛 구두를 신은 힐라리아의 발이 클라리넷 공작가의 땅을 디디기 무섭게 익숙한 목소리가 들려왔다.

"히, 힐라리아 황비?"

못 볼 걸 본 것 같은 목소리에 힐라리아가 고개를 느릿하게 돌렸다.

"실로테 황비. 그대도 오늘 외출을 했나 보군요."

실로테가 입술을 꾹 깨물었다. 그녀에게 황명이 떨어진 건 오늘 이른 아침이었다. 반에이크 공작과 동행하라는 게 주 내용이었다. 처음엔 에벤에셀이 그녀에게 관심을 가진 것 같아 신난 마음으로 채비하고 나왔는데, 와서 보니 힐라리아도 있었다. 한편, 반에이크는 실소를 감출 수 없었다. 황제는 힐라리아를 위해 한 가지 패를 더 꺼냈다.

'그만큼 신경 쓰고 계시다고.'

실로테를 동행시켜 추문을 피하도록 한 것이다. 반에이크가 실소하며 실로테에게만 들리도록 속삭였다.

"어제 해드린 조언을 기억하고 계셨으면 좋겠습니다, 실로테 황비."

실로테가 천천히 입술에서 힘을 풀었다. 그건 체념이었다. 실로테는 인정했다. 에벤에셀은 단 한 번도 그녀에게 애정을 약속한 적이 없었다. 에벤에셀이 반에이크와의 우정을 빌미로 실로테와 클라리넷을 구원하며 약속했던 건…… 그들의 생존이었다.

'게다가 여지도 준 적이 없지.'

그런 실로테의 마음 상태를 알아차린 것인지 힐라리아가 그녀를 보며 생긋 웃었다. 힐라리아가 천천히 실로테를 향해 다가왔다.

"우리 이렇게 만나니 정말 좋은 친구가 된 것 같군요, 실로테 황비."

힐라리아가 한여름의 녹음처럼 싱그럽게 웃었다. 그녀의 푸른 눈이 바다처럼 출렁이며 부름을 받은 나비들이 하늘로 날아올랐다. 실로테는 그 순간 환영을 봤다고 생각했다. 힐라리아를 감싸고 있는 수십 마리의 금빛 나비가 모여 빛을 뿌리고 있었다. 그 빛이 왠지 모르게 따뜻했다. 마치 그녀의 구원해줄 것처럼.

"……그런 것 같군요. 힐라리아 황비."

실로테가 억눌린 목소리로 대답했다. 힐라리아는 별 감흥 없이 몸을 돌리다가 실로테 몰래 입술을 삐죽였다.

'흥. 과한 친절을 베푸는군.'

실로테가 여기에 있는 이유를 알아차린 까닭이었다.

'협력자가 구설수에 오르는 건 보기 싫은 모양이지?'

하긴. 정략결혼을 통해 손을 잡은 상황에서 서로의 깨끗한 사생활은 사업적으로나 정치적으로나 도움이 되기 마련이다. 힐라리아가 구두 앞코로 땅을 톡톡 쳤다. 구두에 달린 장식이 흔들렸다.

"왜 그래, 예쁜 구두 가지고."

"……심술 날 정도로 예뻐서."

왜 자꾸 그녀의 일상에 에벤에셀이 끼어들려고 하는지 모르겠다. 힐라리아가 귓불을 문지르곤 자세를 바로 했다.

"이제 자리를 옮기지요. 다른 마차를 준비해두었습니다."

"좋아요, 반에이크 공. 흠. 저택이 멋지군요. 다음에는 반드시 스틸로즈 궁에도 와주세요."

힐라리아의 초대에 반에이크가 어색하게 고개를 끄덕였다. 수도의 여성들이 결혼하고 싶은 남자 1위로 뽑는 남자의 입술이 바르르 떨렸다. 힐라리아가 그것을 발견하고는 만족스럽게 웃었다.

'당황했군.'

반에이크에게 좀 더 가까이 다가간 힐라리아가 속삭였다.

"아무래도 이 비밀스러운 사업을 폐하께서도 잘 알고 계신 듯한데. 이 범법에 그분도 함께하고 계시는 걸까요?"

마치 꿀이 잔뜩 녹여진 것처럼 달콤한 목소리였다. 반에이크가 침을 꿀꺽 삼켰다. 그걸 보고 즐거워하는 힐라리아의 모습에 베아트리체가 고개를 절레절레 저었다. 그리곤 실로테의 옆에 가서 섰다.

"잘 하셨어요, 황비 마마."

"네……?"

"힐은 정말 좋은 사람인데 이따금씩 무서워지기도 하거든요."

지킬 것이 있을 땐 더더욱.

***

그가 준비해둔 마차 두 대는 다행히 사람들의 눈에 띄지 않기 위함인지 크기는 그렇게 크지 않았다. 힐라리아와 반에이크는 앞 마차에 올라탔다.

'흠.'

반에이크는 더 이상 숨길 생각이 없는지 창문에 커튼도 쳐놓지 않았다. 사실 본다고 해서 수도가 처음인 힐라리아가 그곳이 어딘지 알 길은 없었지만. 힐라리아가 주변을 훑어보았다. 기네비어의 뿌리가 윈프리드여서 그런지 별다를 게 없어 보였다. 다만, 기네비어와 다른 것은 기사들의 수보다 일반 평민들의 수가 현저히 많다는 점이었다. 또…….

'약초 상점이 별로 없군.'

아무래도 기네비어는 마녀들이 밀집해 있어서 그런지 시가지에는 약초 상점들이 즐비했다. 사실 윈프리드 제국의 의원에서 쓰는 대부분의 약재들은 기네비어에서 제조된 것들이 많았다.

힐라리아가 버릇처럼 구두코를 톡톡 두드렸다. 구두가 신경 쓰여서 클라리넷으로 오는 길에 계속 하다 보니 버릇으로 굳어져버린 듯했다. 그녀의 행동에 반에이크의 눈이 힐라리아의 구두로 향했다.

"……황제께서 주신 거군요."

힐라리아가 어깨를 으쓱했다.

"폐하께서 황비 마마를 마음 깊이 생각하시고 계시나 봅니다."

"무슨 벼락 맞을 말씀을."

반에이크가 짧게 웃음을 터뜨렸다. 그의 마음이 조금 가벼워졌다. 그가 하는 일과 에벤에셀이 하려는 일에 대해 힐라리아에게 어느 정도는 귀띔해도 되겠다는 확신이 섰다.

"황제께서는 지금 전쟁을 준비하고 계십니다."

밖을 보고 있던 힐라리아의 시선이 반에이크를 향했다. 그녀의 푸르른 눈이 반에이크를 응시하자 마치 파도가 밀려드는 듯한 착각이 들었다. 아무것도 없는데도 힐라리아의 주변에 바람이 몰아치는 것 같다. 힐라리아의 잔머리카락들이 하늘하늘 흔들렸다. 홀린 듯이 힐라리아를 보고만 있던 반에이크가 입술을 달싹였다.

"저는 황제 폐하를 위한 왼손이 되기로 자처했죠."

에벤에셀이 무기 밀매에 대한 일을 알고 있으면서 모르는 척하고 있다는 것 같았다. 힐라리아가 느릿하게 말했다.

"……그렇군요. 전쟁이라."

힐라리아의 눈동자 색이 짙어졌다.

아마 그 전쟁에 대해서 힐라리아보다 잘 아는 사람은 현재 없을 것이다.

"대륙 전쟁이 발발할 겁니다, 황비 마마. 예전부터 예견되어 온 일이었지요. 에벤에셀 황제께서는 즉위와 동시에 전쟁을 준비하기 시작하셨습니다. 하지만, 대놓고 군사들을 모집하고 무기를 사들이는 건 민심을 자극하는 위험한 일이지요."

"혼란을 야기할 테니까요. 늘 전시 상황으로 살아가는 기네비어 공국과는 다르네요."

"그렇습니다, 황비 마마. 기네비어 공국은 자카리족과의 소규모 국지전을 늘 치루고 있지만, 윈프리드는 200년 전의 전쟁 이후로는 처음 겪는 일이니……."

"전쟁을 위해선 무기만 필요한 게 아니에요."

힐라리아가 고개를 살짝 기울였다. 그녀의 머리 위로 햇빛이 고였다. 그녀가 골똘히 생각에 잠긴 얼굴로 나지막이 말했다.

"무기뿐만 아니라 물자, 사람, 전략. 많은 것이 필요하죠. 지금 윈프리드는 거의 고립되어 있죠. 아무도 우리의 편을 들려고 하지 않을 거예요. 200년 전의 전쟁으로 우리는 사리프와 오스발트를 독립시켜야 했으니……. 그건 윈프리드의 치욕으로 아직까지 역사에 남아 있어요. 위정자들은 패배자의 손을 들려 하지 않을 테니, 이 분위기를 반전시킬 무언가가 필요할 거예요."

힐라리아가 다녀온 미래에서는 그 제물로 기네비어가 사용되었었다.

'이번에는 그렇게 되지 않을 거야.'

힐라리아가 이를 악물었다. 전쟁이 반드시 일어나야만 한다면 에벤에셀은 다른 제물을 찾아야만 할 거다. 그리고 힐라리아가 그렇게 만들 것이다. 어떻게 에벤에셀의 계획에 끼어들어야 하나 했는데 우연찮게 이런 기회를 만나게 되었다.

그저 무기 밀매에 대한 정보를 얻어내려고 했었는데……. 만약, 클라리넷 공작가가 황제의 인가 없이 일을 저지르고 있는 거라면 반에이크를 겁박해 이 사업을 집어삼킬 예정이었고 나르탄 백작가에도 비슷한 수를 쓰려고 했었다.

'역시 나는 운이 좋다니까.'

힐라리아가 느긋한 미소를 지으며 덧붙였다.

"폐하께서는 이 커다란 판도에 저를 끼워주려고 하시나 보네요. 제게 반에이크 공작을 소개시켜주시는 걸 보면."

반에이크가 탄식을 흘렸다.

"저는 그분의 속을 조금도 짐작하기 어렵습니다. 저는 고작 왼손일 뿐이라. 황비 마마께서는 무엇을 바라십니까? 저는 클라리넷의 영달과 윈프리드 제국의 천년 영광을 바랍니다."

"비슷한 꿈을 꾸고 있군요. 저는 기네비어 공국의 안전과 미래, 마지막으로 윈프리드의 안정을 바랍니다. 나는 그걸 위해서 입궁했어요."

"……다른 황비 마마님들과는 다르시군요."

"나는 평범한 꿈은 꾸지 않아요."

반에이크가 힐라리아를 멍하니 쳐다보았다. 이런 사람은 처음이었다. 스베인은 속이 꽉 막힌 융통성이 없는 친구였고 에벤에셀은 속내를 드러낼 줄을 모른다. 한데 힐라리아는 속 시원하게 마음을 터놓고 이야기하고 있었다. 물론 그녀가 말한 게 전부라고 생각하지는 않지만…… 그가 자신도 모르게 침을 삼켰다.

'계속 이야기를 나누고 싶어.'

절대 해서는 안 되는 생각이 들고야 말았다. 힐라리아의 매력적인 저 웃음이 자꾸만 기억날 것 같다. 반에이크가 어색하게 웃으며 물었다.

"……여전히 초대는 유효한 건가요?"

"언제든지."

힐라리아가 고개를 끄덕였다.

"많은 이야기를 나누고 싶군요."

"원하신다면. 하지만, 내가 그대의 편일 거라곤 생각하지 말아요. 나는 내 편이지 누구의 편도 아니니."

이래서, 에벤에셀이……. 반에이크가 입술을 꾹 깨물었다. 힐라리아가 더 이상 말이 없는 반에이크로부터 시선을 돌렸다. 창밖을 보는 힐라리아의 눈은 새파랗게 빛나고 있었다.

'이때부터 준비를 하고 있었구나……. 그렇다면, 나르탄 백작가는 어떻게 되는 거지?'

그는 미래에서도 지금도 대두되지 않는 인물이었다. 힐라리아가 입술을 깨물었다. 만약 나르탄 백작가도 황제의 명을 따르고 있는 거라면 일이 수월하겠지만……. 그게 아니라면.

'내 걸로 만들겠어.'

누구나 뒷구멍 하나쯤은 파두고 있는 거잖아? 힐라리아가 마른 입 안을 혀로 훑었다. 나르탄 백작가가 진행하고 있었던 무기 밀매를 전부 차지하고 나면 그녀의 수중에 여분의 무기가 쌓이게 된다. 그건 전쟁 중에 언제든 힐라리아와 기네비어를 위한 패가 되어줄 것이다. 에벤에셀도, 반에이크도 믿을 수 없으니 그녀는 그녀를 위한 방패를 세울 생각이었다.

'이번 티파티에 나르탄 백작 부인이 참석하던가.'

그녀도 황도에서 이름 날리는 귀족 중에 하나이니 아마 티파티 참석 명단에 있을 것이다.

'어떻게 몰래 접근해야 하나.'

실로테에게 귀띔하면 에벤에셀이나 반에이크의 귀에 들어갈 확률이 높으니 다르게 접근할 방법을 찾아야 한다. 힐라리아가 어떤 속셈을 가지고 있는지 두 사람이 모르도록. 힐라리아의 주변에 포진한 나비들이 날개를 파닥파닥 움직였다.

'티파티가 기대되는걸.'

금빛 나비를 보는 힐라리아의 웃음이 화사하게 붉었다.

***

힐라리아와 반에이크를 태운 마차가 도착한 곳은 황도의 가장 후미진 곳이었다. 일명 빈민굴. 창으로 바깥을 확인한 힐라리아가 반에이크에게 의심의 눈초리를 던졌다.

"나를 이곳에 버리고 가려고 하는 건가요? 그러면 기네비어가 가만히 있지 않을 거예요."

힐라리아의 목소리는 스산했다. 과거, 먹고 살기 힘든 이들이 노부모나 어린아이를 빈민굴에 버리고 가는 일이 허다했었다고 들었다. 그런 일이 잦았던 만큼 다른 범죄도 많이 일어나는 곳이었다.

'그렇다고 나를 버릴 리는 없겠지만.'

반쯤 장난으로 던진 말이었다. 반에이크가 고개를 내저으며 대답했다.

"그런 무서운 말씀을. 황제께서 저를 가만히 두시겠습니까?"

반에이크가 한숨과 섞인 목소리로 대답했다.

"여기에 황비 마마를 모시고 온 것은 실로테 황비 마마께서 함께 나오셨기 때문입니다."

"실로테?"

"황제 폐하께서 실로테 황비 마마께 빈민굴 개혁 사업을 일임하셨기에 외출 장소로 여기만큼 적합한 곳이 없었지요. 그래서 제가 약속 장소를 이곳으로 변경했습니다. 바로 오늘 새벽의 일이었지요."

"……실로테가 복지 사업에 손을 대는 건가요?"

힐라리아가 눈을 가늘게 뜨고 물었다.

'예전엔 실로테가 아니라 제이나가 맡아서 했었던 것으로 기억하는데?'

윈프리드에서 대대적으로 진행했었던 장기 사업으로, 당시 이 사업을 주도했었던 건 제이나와 로마노프 가문이었다. 이 사업을 놓고서 후궁들 사이에 알력 싸움이 상당했는데 그때 실로테와 클라리넷 가문은 오히려 한 발자국 물러선 상태였다.

'무엇이 변한 거지?'

힐라리아가 입 안에서 혀를 굴렸다. 그녀가 입궁해 바꾼 일들이 새로운 결과를 도출해냈다. 힐라리아가 다녀온 미래에선 고고하게 위치를 지키고 있었던 실로테와 클라리넷이 직접 정치 싸움에 끼어든 것이다.

"예, 그렇습니다. 실로테는 황비 마마의 사람이니 마마께서 많이 도와주시리라 믿습니다."

반에이크가 부드럽게 웃으며 대답했다.

'내 사람이라.'

힐라리아가 작게 웃었다. 금방의 대화로 실로테가 이 복지사업을 왜 떠안았는지 알았기 때문이었다. 바로, 힐라리아의 기반을 다지기 위해서였다. 실무는 실로테가 처리할 테지만 이 사업에 이름을 내걸게 되는 건 힐라리아도 포함될 것이다. 에벤에셀이 힐라리아에게 힘을 실어주기로 완전히 결심한 거다. 실로테를 밀어주는 대신에.

"……그냥 먹어치우진 않을 거예요."

"그게 무슨 말씀이신가요?"

힐라리아가 부드럽고 상냥한 척 눈가를 휘며 대답했다.

"가난한 자들이 많은 건 나라가 잘못하고 있기 때문이다. 그들이 여전히 굶주리고 있다면 그 또한 나라의 잘못이야. 힐, 너는 그들을 품어줄 수 있는…… 황비가 되렴. 가장 높은 곳에서 가장 낮은 곳을 볼 줄 아는 사람이 되는 거야."

그녀의 어머니가 하신 말씀이었다. 입궁을 반대하는 가족들을 피해 도망치는 힐라리아를 배웅 나온 건 그녀의 어머니뿐이었다. 이쯤 도망칠 것 같았다며 미소 짓던 어머니의 얼굴이 눈앞에 생생했다.

'황비가 되지 말라고 했으면서. 이건 모순이야.'

힐라리아가 부채 너머로 입술을 삐죽이곤 덧붙였다.

"어머니께서 해주신 말씀이었죠. 그분께선 제가 가장 낮은 곳까지 직접 살피시길 바라셨을 겁니다."

무슨 뜻인지 알아들은 반에이크가 머리를 쓸어 넘기곤 희미하게 웃었다. 왠지 힐라리아라면 실로테에게만 맡겨 두진 않을 것 같았다. 에벤에셀은 힐라리아를 선택했는데 그녀는 어떠려나. 반에이크의 시선이 자꾸만 하늘과 바다를 품은 힐라리아의 눈을 향했다. 저도 모르게 입술이 말라왔다. 힐라리아가 그를 보곤 피식 웃었다.

"반하면 곤란해요, 반에이크 공. 나는 이미 결혼한 몸이라."

"정말 위험한 말씀을 하시네요, 황비 마마."

반에이크가 어설프게 웃으며 대답했다. 두 사람 사이의 성긴 긴장감을 해소시킨 건 뒤이어 도착한 마차였다. 마차에서 내리는 실로테와 베아트리체를 반에이크가 에스코트했다. 그들 주변을 사람들이 옹기종기 둘러쌌다. 네 사람을 호위해서 온 기사들이 긴장감을 늦추지 않은 채로 주변을 경계하고 있었다.

"실로테 황비 마마. 마마께서는 베아트리체 후작 영애와 함께 이곳을 둘러보시는 게 좋을 듯합니다."

"네. 그렇게 하도록 할게요."

실로테의 목소리는 기묘하게 깨끗했다. 마치 미련을 정리한 사람처럼. 그녀를 힐끗 본 힐라리아가 양산을 접어 팔목에 걸쳤다. 힐라리아의 시선이 베아트리체에게 닿았다.

[무슨 짓을 한 거야?]

힐라리아가 정령을 통해 보낸 전음을 알아들었는지 베아트리체가 자신도 모르겠다는 듯이 어깨를 으쓱했다.

'……일찍이 포기하는 게 낫긴 하지. 에벤에셀은 프로이턴의 남자니까.'

힐라리아가 더 이상 신경 쓰지 않겠다는 듯이 그녀에게서 고개를 돌렸다.

"그럼 우린 가볼까요? 베베. 실로테를 잘 부탁할게. 보기보다 여려서 말이야."

베아트리체가 다시금 어깨를 으쓱했다. 힐라리아가 그들을 등지고 반에이크를 따라 걸음을 옮겼다. 반에이크는 골목과 골목 사이를 파고들어 어느 허름하고 큰 건물에 도착했다. 예전에 꽤 성황을 이루었던 의원인 것 같았다.

'알코올 냄새가 나.'

힐라리아가 코를 찡긋했다. 오는 길 내내 나비들을 흔적으로 남겨두었고 베아트리체에게도 연락책으로 쓸 나비를 두엇 정도 남겨두었기 때문에 그다지 걱정되는 일은 없었다. 힐라리아가 눈을 가늘게 뜬 채로 주변도 한번 살펴보았다. 마녀는, 마녀를 알아본다. 이곳에 그녀를 위협할만한 것은 없었다. 힐라리아에게서 날아오른 나비가 먼저 건물 안으로 들어갔다. 힐라리아가 반에이크를 따라 그 뒤를 좇았다.

"200년 전 전쟁 이후로 이 거리가 전부 빈민굴로 바뀌었지요. 말발굽에 짓밟힌 이후로 아직까지 그대로 남아 있는 겁니다."

"철도가 놓이는 시대에 너무한 일이네요."

"그래서 현재 황제께서 이곳을 개혁하고자 하십니다. 예전의 전성기 때로 되돌리고자 하심이지요."

힐라리아가 주변을 둘러보았다. 썩은 곰팡이 냄새와 알코올 냄새가 뒤섞여 희한한 악취를 풍기고 있었다. 에벤에셀의 개혁은 성공한다. 덕분에 에벤에셀을 향한 국민의 인기는 치솟았고 빈민굴에 지어진 새로운 형태의 주택은 전국적으로 퍼져나갔다. 그리고…….

힐라리아의 푸른 눈이 어둡게 침잠했다. 6개월의 개혁 이후 메일린 프로이턴이 입국한다. 처음 그녀의 입국 사유는 이 개혁의 성과를 두 눈으로 확인하기 위함이라 했다. 하지만, 메일린 프로이턴이 화친을 이유로 에벤에셀과 결혼하기 위해 입국했다는 건 누구나 아는 사실이었다.

메일린 프로이턴은 백합 같은 여자였다. 예쁘고 청초하고 똑똑했다. 그녀는 황궁 사람들을 휘어잡고 실로테를 실각시킨 이후 출궁하게 만들었다. 힐라리아가 덜컹이는 가슴을 꾹 눌렀다.

'이상하게 기분이 더럽네.'

메일린 프로이턴. 분명 좋은 사람이었는데. 미래에서도 그녀는 자신의 조국도 아닌 윈프리드를 위해서 최선을 다했었다. 게다가 메일린은 진심으로 에벤에셀을 사랑했다. 누가 봐도 잘 어울리는 한 쌍의 연인이랄까.

지끈-

‘기분이 더 더러워졌어.’

힐라리아가 입술을 삐죽였다. 아마 배가 아파서 그런 걸 것이다. 두 사람은 행복한 결말을 맞이했는데 그녀의 기네비어는 그렇지 못해서.

“이쪽으로.”

반에이크는 가장 어두침침한 지하로 그녀를 이끌었다. 하지만, 힐라리아의 앞길은 나비들이 밝혀주고 있었기 때문에 조금도 두렵지 않았다. 여차하면 이 의원을 태우고 탈출하면 된다.

“멀리 가는군요.”

반에이크가 힐라리아를 힐끗 돌아보았다. 무덤덤하게 따라 내려오고 있던 힐라리아의 눈썹이 위로 치켜 올라가 있었다.

“힘드신 겁니까?”

“아니요. 힘들다기보단…….”

이 축축하고 음습한 분위기에 내가 열이 받는 것 같아서. 힐라리아가 고상하지 못한 말을 삼키고 생긋 웃었다.

“이렇게 지하로 내려가 보는 건 처음이라서요. 여기서 무기를 직접 옮기는 건가요?”

“그렇지 않습니다, 황비 마마. 무기는 여기서 낙찰받은 후에 일주일 뒤 새벽에 직접 배달해줍니다.”

“호오. 그러면 나도 낙찰받을 수 있는 건가요?”

“그렇지 않습니다.”

반에이크가 고개를 내저었다.

“좀 더 보닛을 눌러쓰시길.”

힐라리아가 보닛을 만지작거렸다. 이 보닛은 마차에서 내리기 직전 반에이크가 그녀에게 준 것이었다. 힐라리아는 보닛으로 머리카락을 전부 가린 후에 부채로 얼굴도 가린 상태였다.

“……이 일에 누가 관여하고 있는지 알려서는 안 됩니다.”

"황제 폐하께도?"

"그분께도."

반에이크가 고개를 끄덕였다.

"왼손이 하는 일을 모르게 해야 해서. 만약 이 일이 들통 나더라도 저는 제국을 위해 전부 짊어지고 갈 겁니다."

"당신은 충신이었네요."

"저는 윈프리드에 충성합니다."

"그래서 더 마음에 들고요."

힐라리아의 작은 중얼거림에 반에이크가 걸음을 멈춰 섰다. 좁은 복도엔 두 사람밖에 없었다. 그는 차마 돌아볼 용기가 나질 않았다.

"그런 말씀 함부로 하시면……."

"안 된다고요. 반에이크 공은 보수적이고 고지식한 면도 있네요. 그것 또한 나쁘지 않아요."

"……제가 보수적이고 고지식하다니. 그런 이야기는 처음 들어봅니다."

반에이크는 당신이 위험한 소리만 골라서 하고 있다는 말을 꾹 삼켰다. 힐라리아가 반에이크의 등을 손가락으로 쿡 찔렀다.

"그런 걸로 상처받지 말고. 빨리 가요. 나는 오늘 저녁 전에 돌아가야 한다고요."

힐라리아가 옅은 한숨을 내쉬었다.

구두와 함께 온 쪽지의 뒷면에도 메시지가 적혀 있었다.

<저녁 식사에 나를 초대해주겠어요?>

힐라리아가 이마를 매만졌다. 피곤하다는 명분으로 거절하기엔…….

'너무 핑계가 빈약하잖아. 게다가 황제는 정령인데.'

힐라리아가 입술을 톡톡 두드렸다. 그녀는 초대하는 대신에 그녀가 가겠다고 쪽지에 적었다. 하지만, 아침 식사도 아니고 저녁 식사다. 지금쯤 첼로스테는 신이 나서 목욕물을 받고 있을지도 모른다.

"물론이지요."

반에이크가 쓴웃음을 삼키곤 천천히 걸음을 내디뎠다. 반한 건 반에이크가 먼저였는데 그녀를 발견한 건 에벤에셀이 먼저였다. 에벤에셀은 힐라리아처럼 매력적이고 먹음직스러운 이를 놓아줄 사람이 아니었다. 반에이크가 서늘해지는 목을 문질렀다.

힐라리아와 반에이크는 약 3분가량 더 걷고 나서야 목적지에 도착했다. 반에이크는 힐라리아의 얼굴이 조금도 드러나지 않고 있다는 것을 확인하고는 문을 열었다. 그곳에는 모자와 가면, 부채 등으로 모습을 가린 이들이 테이블마다 앉아 있었다. 반에이크도 머리에 쓰고 있던 모자를 좀 더 깊이 눌렀다. 문가를 지키고 있던 남자가 그에게 말을 걸었다.

"암호를 말씀하십시오."

"클로버는 총구에 피나니. 겨누는 자에게 행운이 깃들 것이다."

"번호를 말씀하십시오."

"12번."

반에이크는 익숙하게 은패를 건네받았다. 힐라리아가 고개를 빼꼼히 내밀고 그것을 살폈다. 은패에는 화려하게 12번이라는 숫자가 양각되어 있었다. 그들이 안으로 들어가기 무섭게 문이 닫혔다.

"우리가 마지막입니다. 일부러 문을 닫기 직전에 도착했거든요."

반에이크의 설명에 힐라리아가 고개를 끄덕였다. 그들이 빈 테이블에 앉기 무섭게 나무판자를 쌓아놓은 허술한 단상 위로 황금색 가면을 쓴 여자가 올라갔다. 힐라리아가 부채 너머로 주변을 살폈다. 꽤 많은 사람들이 모여 있었다.

"15명입니다. 누구인지는 서로 알지 못해요."

힐라리아가 옅게 고개를 끄덕였다.

'내가 아는 것도 나르탄 백작뿐이지.'

그녀의 눈동자가 단상을 향했다. 이들이 정체를 전부 알고 있는 건 저 여자뿐이었다. 힐라리아가 부채로 얼굴을 전부 가렸다. 힐라리아의 푸른 눈이 금빛으로 변하는 순간 여태까지와는 다른 찬란한 금빛 나비가 그녀의 손끝에서 날아올랐다. 나비가 단상 위의 여자에게 무사히 안착하는 것을 확인하고 나서야 힐라리아가 부채를 살짝 내렸다. 나비가 여자의 얼굴에 스며드는 것이 보였다.

"이제 경매를 즐겨볼 수 있겠군요."

힐라리아가 화사하게 웃었다.

***

에벤에셀이 만년필을 내려놓았다. 잉크가 묻은 손가락은 그마저도 주인을 닮아 우아한 분위기를 풍기고 있었다. 검을 잡았던 손이라고는 절대로 상상하지 못할 만큼 곧고 아름다운 손이었다. 홀린 듯 그가 서명하는 것을 보고 있던 올리비아가 고개를 번쩍 들었다.

"어마마마의 생신 연회에 드릴 선물을 사러 잠시 외출한다고 했나요?"

"예, 폐하."

올리비아가 볼을 붉혔다. 아무리 봐도 아름다운 사내다. 흑단처럼 검은 머리카락이나 바다를 담은 것처럼 푸른 눈.

'푸른 눈.'

거기서 문득 힐라리아를 생각해낸 올리비아가 이를 바득 갈았다. 그녀가 크게 심호흡을 하고는 스스로를 가라앉혔다. 조금 있으면 기네비어와 함께 침몰할 여자가 아닌가.

'굳이 생각하지 말자.'

올리비아가 다시 그녀를 보며 부드럽게 웃는 에벤에셀을 홀린 듯이 응시했다. 아무리 봐도 그녀의 남편이 될 사람은 에벤에셀뿐이었다. 어떤 잘난 사내도 그의 곁에 있으면 별 볼일 없는 똥파리가 되어버리니. 올리비아가 뜨거운 숨을 내쉬었다.

“다녀오세요, 황비. 황비의 효심을 어마마마께서도 알아주실 겁니다.”

“예, 폐하. 감사합니다.”

“내일 오후까지는 들어오셔야 합니다. 짐이 황비가 걱정되어 잠을 설칠 것 같거든요.”

에벤에셀이 입술을 길게 늘여 웃었다. 사실 걱정해야 하는 쪽은 올리비아였다. 올리비아는 에라스모 백작가의 인질이었고 그녀가 돌아오지 않으면 에벤에셀은 그녀를 되찾겠다는 명분으로 에라스모 백작가를 도륙 낼 테니까. 에벤에셀이 고개를 살짝 기울이자 올리비아가 고개를 끄덕였다.

‘순진하긴.’

힐라리아라면 어떻게 반응했을까? 확실한 건 한 번에 에벤에셀의 속내를 간파했을 거라는 것이다. 올리비아처럼 달콤한 말에 속아 넘어가지 않고. 아마, 지금쯤……. 외간 사내와 외출을 즐기고 있을 테지만. 에벤에셀의 주의를 끌기 위해 올리비아가 빠르게 말했다.

“저는 황제 폐하를 걱정시키지 않을 거예요. 물론이죠.”

“짐은 황비를 믿습니다. 이제 그만 가보세요.”

그의 축객령에도 올리비아가 망설였다.

“하실 말씀이라도?”

“내일 돌아와서 점심 식사를 함께할 수 있을까요?”

올리비아의 목소리는 희망에 가득 차 있었다.

“글쎄요. 내일은 월요일 점심이니 바쁘지 않을까 합니다.”

“하지만…….”

“황비.”

에벤에셀이 사르르 아이스크림처럼 웃었다.

“짐에게 먹음직스러운 먹이를 제안하기 전까지 식사는 없습니다. 아시겠습니까?”

올리비아의 얼굴이 수치로 화륵 달아올랐다. 힐라리아는 대체 무엇을 제시했느냐 따져 묻고 싶었지만, 서늘한 에벤에셀의 얼굴에 그저 입을 다물어야 했다. 도망치듯 나가는 올리비아를 보는 에벤에셀의 눈이 검푸르게 가라앉았다. 그의 손가락이 뒤집어놓았던 작은 쪽지를 들어 올렸다.

<제가 가겠습니다.>

출궁 직전 급하게 휘날려 쓴 힐라리아의 필체를 손가락으로 훑은 에벤에셀이 서늘하게 미소 지었다.

'여전히 아무나 들일 수 없는 모양이지?'

이상하게 기분이 가라앉았다.

***

힐라리아가 밖으로 나온 건 1시간가량의 시간이 지난 후였다. 빈민굴을 둘러보고 있었던 실로테와 베아트리체도 비슷한 시간에 돌아왔다. 힐라리아와 반에이크는 다른 이들보다 먼저 빠져나오기 위해 후반 경매를 포기하고 나와야 했다. 그냥 미련 없이 일어서는 반에이크를 보고선 힐라리아는 그와 협력하고 있는 자가 저 안에 한 명쯤은 있다고 확신했다.

"어땠어?"

"꽤 흥미로웠어."

힐라리아를 보곤 베아트리체가 팔뚝을 문질렀다. 저런 온화한 미소라니.

"소름 돋게 왜 그래. 무슨 짓을 하려고. 대체 뭘 봤길래?"

"정말 흥미로운 걸 봤지."

힐라리아가 반에이크를 돌아보았다. 그녀가 부드러운 목소리로 말했다.

"다음에 차를 마시러 오도록 해요, 반에이크 공. 언제든지. 나는 베아트리체와 이 마차를 타고 환궁해도 될까요?"

"베아트리체 후작 영애는 가는 길이 다르실 텐데. 차라리 실로테 황비 마마와 함께 가심이 어떠실까요?"

"실로테는 클라리넷이 집이잖아요. 좀 더 있다 가고 싶지 않을까요?"

힐라리아의 푸른 눈이 실로테를 돌아보았다. 금빛으로 휘몰아치는 그 눈을 마주한 실로테가 홀린 것처럼 고개를 끄덕였다.

"그러는 게 좋겠어요."

어색하게 웃는 실로테에게 힐라리아가 스치듯 말했다.

"황제 폐하께서 저녁을 함께 하자고 하셔서. 그럼 먼저 가볼게요."

실로테의 얼굴이 일그러졌다가 금세 펴졌다. 그녀에게는 일언반구도 없었던 에벤에셀이 떠오른 까닭이었다. 하지만, 이제는 그런 감정을 겉으로 드러내는 허술한 짓은 하지 않았다. 그녀도 인정했다. 차라리 힐라리아의 줄에 서는 게 훨씬 나은 선택이라는 것을.

"궁에서 봐요, 힐라리아."

실로테가 작게 손을 흔들었다. 완전히 풀이 죽은 실로테를 본 힐라리아가 눈썹을 치켜올리곤 고개를 끄덕였다.

"이제 출발하자. 이만 가볼게요. 힐을 내려주고 저도 집으로 가야 해서."

다급하게 베아트리체에게 밀려 마차에 올라탄 힐라리아가 문 쪽을 턱짓하곤 물었다.

"실로테 왜 저래?"

"자신의 처지를 깨달은 거지, 뭐. 그나저나 너 안에서 뭘 한 거야? 내가 혹시나 해서 가져온 게 천만다행이지."

베아트리체가 이를 악물곤 주머니에서 불의 마석을 한 주먹 꺼내 그녀에게 쥐여 주었다.

"그러다가 들키면 어떡하려고 그래? 지금 눈이 반은 금색인 거 알아?"

"아아……."

힐라리아가 눈 아래를 문지르고는 베아트리체가 준 마석을 통째로 흡수했다. 약간의 시간이 지나자 힐라리아의 눈이 새파란 색으로 돌아왔다. 그제야 베아트리체가 안도의 숨을 내쉬었다. 분명 아카데미에선 밖에서 힘을 과하게 사용하는 걸 자제하라고 배웠었던 것 같은데 힐라리아는 필요한 상황에서는 망설이지 않는다. 마치 기름을 짊어지고 불 속으로 뛰어드는 부나방 같아 베아트리체는 종종 무서웠다. 마치, 오늘처럼.

"반에이크 공하고 나오는 네 눈을 보고 내가 얼마나 놀랐는지 알아? 300년 전에 있었던 마녀사냥이 거짓이었는 줄 알아? 그건 정말 실존했던 역사였다고!"

베아트리체가 걱정스러운 목소리로 외쳤다.

"나도 알아, 베베."

"나는 네가 걱정돼, 힐……."

힐라리아가 대답 대신 붉은 미소를 머금었다. 베아트리체가 한숨을 푹 내쉬었다. 필요한 순간이 온다면 절대로 망설이지 않을 사람이 힐라리아였다.

힐라리아가 턱을 괜 채로 창밖을 응시했다. 빠르게 변하는 밖의 풍경이 그녀의 눈에 가득 담겼다. 저 모든 것들이 새빨갛게 타오르는 것을 보았다. 전쟁에서 기네비어를 버리는 패로 선택한 윈프리드는 승리했지만, 많은 것을 잃었었다. 불타는 시가지의 불꽃은 정령을 다루는 힐라리아조차도 다룰 수 없을 정도로 거대하게 사람들을 먹어치웠다.

'마녀사냥이라…….'

힐라리아가 눈을 가늘게 떴다. 아카데미에서 배우길, 300년 전 자행되었던 마녀사냥의 희생양들의 비명이 아직도 산천초목에 남아 있다고 한다. 사실…… 그들은 마녀가 아니었다.

정식 명칭은 '정령술사.' 정령을 다루고 자연과 소통할 수 있는 순수한 이들을 일컫는 말이었다. 어머니에게서 어머니에게로 이어지는 이 능력을 질투하고 두려워한 이들의 추악한 발고가 마녀사냥의 시초였다.

붉은 여왕은 오명을 뒤집어쓴 정령술사들을 황궁과 결탁해 빼돌렸고 그렇게 건국된 것이 기네비어 공국이었다. 기네비어 공국은 윈프리드 제국의 치부였다. 기네비어 공국에 주어진 수많은 혜택들은 마녀사냥을 막지 못했었던 윈프리드 제국의 사죄였다.

'그럼에도 기네비어는 함부로 바깥으로 나오지도 못하지만.'

사람들에겐 여전히 기네비어 사람들을 꺼리는 문화가 남아 있었다. 황실은 기네비어와 제국민들을 분리시키는 방법으로 두 집단을 모두 지켜냈다. 명백한 피해자가 존재하는 가운데, 그런 안일한 방법이 지금껏 평화적으로 유지될 수 있었던 까닭은 전적으로 붉은 여왕 덕분이었다. 그녀는 원망 대신, 끝까지 윈프리드의 산천초목과 사람들을 사랑했다.

힐라리아가 입술을 혀로 훑었다. 그 핏줄을 타고나서 그런가. 그런 지독한 미래를 보고 나서도 여전히 윈프리드의 번영을 바라는 걸 보면. 나라를 잃은 자들이 어떤 꼴을 당하는지도 보았기에 더한지도 모른다.

"곧 도착해. 힐, 한동안 힘을 아끼는 게……. 야!"

말을 하기 무섭게 힐라리아가 불꽃으로 작은 반지를 만들어냈다. 붉은 링의 한가운데에는 일렁이는 금빛 나비가 장신구처럼 박혀 있었다. 힐라리아가 그것을 베아트리체에게 건넸다.

"이게 뭔데?"

"무기 경매장 사회자에게 나비를 심어뒀어. 나비가 보는 것, 듣는 것을 전부 알 수 있을 거야. 그들을 찾아."

"찾아서 어쩔 건데?"

"반역도들을 처단해야지. 그들이 가진 무기를 모두 몰수하고 말이야."

힐라리아의 입술이 호선을 그렸다.

"반에이크와 한 배를 탄 이들과 그렇지 않은 이들을 추려서 행동해야 해. 그러기 위해서는 경매장의 주인을 반드시 봐야 하고."

베아트리체가 한숨과 함께 고개를 끄덕였다.

"알았어. 내가 알아서 할게. 뭔가 나오는 게 있으면 연락할 테니까……. 제발, 얌전히 있어."

베아트리체가 볼을 부풀리며 말하자 그녀의 분홍빛 머리카락을 헤집은 힐라리아가 대답했다.

"최대한 노력해볼게. 약속해, 정말이야."

그제야 베아트리체의 표정이 풀렸다. 그 약속이 고작 1시간도 가지 않을 거라는 사실을 두 사람 모두 모르고 있었다.

***

힐라리아가 돌아오고 있다는 말에 에벤에셀이 의자에서 엉덩이를 떼어냈다. 오랜 시간 의자에 앉아 있었던 덕에 결리는 몸을 스트레칭을 하고 옷매무새를 가다듬은 에벤에셀이 머리를 쓸어 넘겼다.

"스베인."

"네, 폐하."

"저녁 식사 준비는 끝난 건가?"

"그렇습니다."

스베인이 눈을 빛내며 고개를 끄덕였다. 에벤에셀은 대놓고 힐라리아를 총애하기 시작했다. 치세가 바뀌고 나서 황제와 식사를 하는 황비가 생기다니! 모든 건 사소한 것에서 시작되기 마련이다. 이러다 덜컥 아이가 생기고 힐라리아 황비께서 황후에 등극하신다면……! 오랜 세월 기네비어와의 사이에 파여 있던 골이 메워짐은 물론이요, 윈프리드는 기네비어의 기동력과 군사력을 얻게 된다.

'여러모로 좋은 일이지!'

스베인이 에벤에셀의 책상 위에 액체가 든 보랏빛 병을 올려두었다. 그를 쳐다보는 에벤에셀에게 스베인이 은근한 목소리로 속삭였다.

"여성을 유혹하는 향이랍니다, 폐하. 자식만 다섯을 낳은 에르도안 남작이 사용한 향수! 폐하, 이거라면 문제없을……!"

에벤에셀이 미소 지었다. 남자치고는 색이 짙은 입술이 색스러운 호선을 덧그렸다. 쓸어 넘기는 바람에 흐트러진 머리카락이 그에게 은밀한 분위기를 더했다.

"스베인. 그게 내게 필요할 거라고 생각하나?"

스베인이 심각한 목소리로 대답했다.

"혹시 모릅니다, 폐하. 사람마다 취향은 천차만별이니……. 힐라리아 황비 마마의 호오를 아직 모르지 않습니까?"

에벤에셀이 고개를 살짝 젓고는 스베인이 준 향수를 책상 한편에 세워두었다. 페로몬 향수의 일종일 것이다.

"이제 그만 길을 비켜주겠어?"

"사용은 안 하십니까?"

"오늘은 그저 저녁 식사를 하려는 것뿐이야."

에벤에셀의 입술 사이로 흰 이가 드러났다. 그게 왠지 모르게 위협적이라 스베인이 에벤에셀의 앞에서 슬쩍 비켜섰다. 스베인은 그제야 알아차렸다.

'왜 기분이 안 좋으신 거지……?'

에벤에셀의 기분이 그다지 좋지 않다는 사실을.

***

힐라리아의 예상대로 첼로스테는 욕조에 향유를 푼 물을 가득 채우고 그녀를 기다리고 있었다. 케이티는 힐끔거리며 힐라리아의 눈치를 살폈다. 다행인 건 힐라리아의 기분이 썩 나쁘지 않은지 첼로스테에게 어울려줬다는 것이다.

'무슨 생각을 하시는 거지?'

얌전히 있으니 더 걱정이었다. 한편, 힐라리아는 에벤에셀에 대한 정보를 곱씹고 있는 중이었다. 베아트리체는 정령들의 족보를 뒤져서라도 에벤에셀의 정체를 밝혀주겠다고 했지만.

'너무 늦어.'

당장 에벤에셀을 만나러 가야 하는데 아는 것이 별로 없었다. 그는 힐라리아에 대해 퍽 많은 것을 아는 듯한데, 그녀만 불리한 형국이었다. 남들이 다 아는 정보 말고 그녀만 아는 정보가 필요했다.

황제가 정령이라는 사실은 밝히는 건 그다지 도움이 되질 않는다. 기네비어가 정령을 다루는 이상 황제가 정령이라는 건 자충수가 될 수도 있었다. 힐라리아가 미간을 만지작거리자, 눈치를 보고 있던 첼로스테가 고했다.

"준비가 끝났습니다, 황비 마마."

에벤에셀에 대해서는 항상 답을 찾을 수 없는 것 같다. 힐라리아가 한숨을 삼키곤 몸을 일으켰다. 긴장감이 그녀의 손끝을 저릿하게 만들었다. 힐라리아가 첼로스테와 케이티만을 거느리고 복도를 걸었다.

"황비 마마. 혹여 어디가 불편하신 건가요?"

케이티가 불안한 목소리로 물었다.

"왜 그렇게 물어?"

"……이상해서요."

그녀가 솔직하게 대답했다.

"너도 첼로스테를 말리지 않았잖아."

"그야……."

케이티가 볼을 붉힌 채로 첼로스테를 힐끗 보았다.

"황제 폐하는 잘생기셨잖아요. 마마, 밀리시면 안 돼요! 항상 황제 폐하보다 예쁘셔야 한다구요! 마마는 항상 제 자랑이시니까요!"

두 주먹을 움켜쥐고 콧김을 흥하고 내뿜는 케이티 덕에 힐라리아가 옅은 웃음을 터뜨렸다. 황제에게 미모로 밀리지 말라니. 케이티라서 할 수 있는 발상이었다. 첼로스테가 어처구니없다는 듯 케이티를 쳐다보았지만, 케이티는 자신의 신념을 꺾지 않았다. 힐라리아가 유쾌하게 말했다.

"걱정하지 마, 케이티. 나는 늘 예쁘니까."

아……. 탄식을 흘린 첼로스테가 작은 목소리로 케이티에게 물었다.

"혹시 기네비어에서도 이런 분위기야?"

"뭐가? 힐라리아 황비 마마를 다들 사랑하긴 하지. 정말 예쁘시잖아! 게다가 능력 있으시고 착하시고 마음도 여리시고."

"아……."

그래서 저렇구나. 첼로스테는 납득했다. 황제가 머무는 동관까지는 거리가 꽤 먼 편이었지만, 케이티 덕분에 심심하진 않았다.

힐라리아가 동관의 다이닝룸에 도착했을 때는 이미 에벤에셀이 도착해 있는 상태였다. 그가 오만한 자세로 힐라리아를 맞이했다. 그를 이렇게 늦은 저녁에 보는 건 처음이었다. 에벤에셀이 고개를 기울여 힐라리아를 올려다보며 생긋 웃었다. 그의 손가락이 유리잔에 맺힌 투명한 물기를 쓸었다.

"황비."

"황제 폐하를 뵙습니다. 좋은 저녁이에요. 혹여 늦을까 황급히 돌아왔는데 제가 늦었나요?"

힐라리아의 물음에 에벤에셀이 고개를 저었다.

"그렇지 않습니다, 황비. 딱 맞춰 오셨으니 이제 식사를 준비하라고 이르면 되겠군요."

에벤에셀의 미소를 마주한 힐라리아가 긴장감을 곤두세웠다.

'이 남자. 기분이 좋지 않아.'

대체 어디서 비틀린 거지? 인사치레일 뿐이었지 힐라리아는 늦지 않았고 그가 원한 대로 저녁 식사도 수락했다. 그러니 에벤에셀의 기분이 힐라리아로 인해 저렇게 나쁠 리는 없었다.

'쪼잔하기는.'

밖에서 상한 기분을 여기까지 끌고 온단 말이야? 힐라리아가 속으로 투덜거리곤 에벤에셀의 건너편에 앉았다. 저녁에 본 에벤에셀은 평소보다는 조금 피곤해 보였고 그만큼 나른했다. 약간 흐트러진 차림새가 그런 분위기를 더했다. 힐라리아가 식사가 준비되는 동안 물을 벌컥벌컥 마셨다.

짐작할 수 없으니 두렵다. 그나마 힐라리아가 안심하고 있는 건 에벤에셀과 힐라리아 사이엔 애정처럼 불확실한 것이 아닌 거래라는 명확한 것이 자리하고 있다는 점이었다.

"외출은 어떠셨습니까? 윈프리드의 황도는 처음인 걸로 알고 있는데."

"맞습니다. 기네비어의 분위기와 비슷했어요. 아무래도 기네비어는 윈프리드와 한 뿌리를 가지고 있으니 그런 것 같아요."

"외출의 목적은 달성했나요? 베아트리체 영애와 함께 외출한 것으로 알고 있는데."

클라리넷 공작은? 힐라리아는 왠지 모르게 자신이 깊은 늪으로 끌려 들어가고 있다는 느낌을 받았다. 에벤에셀의 눈이 검푸르게 가라앉아 어두운 빛을 발하고 있었다. 푸른 심연처럼. 심장이 자르르 떨려왔다.

'아……. 미쳤어, 힐라리아.'

대체 무슨 발톱을 숨기고 있는지 궁금했다. 의도적으로 에벤에셀이 제외시킨 클라리넷 공작의 이름을 꺼내면 무슨 일이 벌어질지.

'혹시 두 사람 사이가 벌어진 건가?'

오늘까지만 해도 그런 기색은 보이지 않았었다. 힐라리아가 마른 입 안을 혀로 훑고는 그 늪 속으로 한 걸음 내디뎠다.

"예. 베아트리체 영애와 더불어 반에이크 공께서도 함께하셨습니다. 즐거운 일요일 오후를 보냈지요. 다행히 시간이 되셨나 봅니다."

정확히 짚었는지 에벤에셀이 부드럽게 미소 지었다. 하지만, 그 속에 품고 있는 서늘한 칼날은 숨겨지지 않았다. 위험 경보가 귀에서 울렸다. 위험을 감지한 힐라리아의 나비들이 그녀의 주변으로 모여들었다. 파닥이며 열기를 내뿜는 나비들에게 둘러싸인 힐라리아가 흥미롭다는 듯이 입술을 열었다.

"폐하?"

"짐의 말대로지 않습니까? 두 사람은 퍽 잘 맞을 것 같았거든요."

에벤에셀이 무거운 분위기를 거두어들였다. 힐라리아가 의아함에 고개를 갸웃했고 나비들은 긴장감을 늦추었다.

"예에, 폐하의 말씀대로였습니다."

"짐이 듣기로는 반에이크 공작을 스틸로즈로 초대했다고 하더군요."

"예, 그랬었지요. 좋은 벗이 될 것 같았거든요."

에벤에셀의 눈가가 곱게 접혔다. 그의 손가락이 완만한 곡선을 그리고 있는 물잔을 거꾸로 쓸어 올렸다. 별것 아닌 행동에 힐라리아의 시선이 쏠렸다. 심상치 않은 분위기에 주변에서 대기하고 있던 시종들이 귀를 쫑긋 세웠다. 에벤에셀이 입술을 열었다.

"오늘 여기서 주무시고 가세요, 황비."

"네?"

힐라리아의 손이 물잔에서 미끄러졌다.

"짐도 침대에 아무나 들이진 않지만, 황비라면 허락하지요."

에벤에셀의 손끝이 닿은 그의 물잔이 서늘하게 얼어붙었다.

힐라리아의 입술이 바르르 떨렸다. 나비들이 날개를 파닥이며 그녀에게 위험을 경고했다. 에벤에셀의 검푸른 눈이 시리도록 차가운 연한 하늘빛으로 얼어붙었다. 그의 주변을 둘러싸고 있는 공기가 함께 어는 것을 느끼며 힐라리아가 어색하게 웃었다.

"……무슨 의미인지 모르겠습니다, 폐하."

"짐이 스틸로즈의 문턱을 못 넘으니 황비께서 넘으시라는 말입니다."

힐라리아가 에벤에셀과 나눈 대화를 곱씹었다.

'아……'

그걸 생각 못 했군. 기네비어와 윈프리드의 문화와 풍조가 많이 다르다는 걸 잊고 있었다. 기네비어에서는 남자가 결혼한 여자의 집에 드나들어도 그렇게 문제가 되지 않았다.

'기억하고 있었는데.'

베아트리체가 조심해야 한다고 그렇고 당부하고 또 당부했었는데. 에벤에셀의 날 선 반응은 아무래도 분노 같았다. 힐라리아와는 분명 협력 관계를 조성했었는데 반에이크를 스틸로즈 궁에 함부로 들이면 그녀는 추문에 휩싸이게 된다. 에벤에셀조차 아직 힐라리아의 궁에 온 적이 없었다.

남들이 그들 사이를 상상할만한 더한 자극도 주지 않은 채, 반에이크를 초대한다? 만약 이대로 두 사람이 담백한 사이를 이어간다면 사람들은 이내 힐라리아에게서 시선을 돌릴 것이다. 들이고 있는 공이 무색하게도 말이다. 이건 에벤에셀이 확실히 분노할만했다. 힐라리아가 두 손을 무릎 위에 올리고 우아한 모습으로 말했다.

"죄송해요, 황제 폐하."

힐라리아의 사과에 에벤에셀이 멈칫했다. 사실 그는 기분이 나쁘다는 걸 인식도 못 하고 있었다. 그냥 평소보다 거슬렸다. 연락 한 통 없는 반에이크도, 나가버린 힐라리아도, 그로 인해 조용해진 이 성도. 그것뿐이었다. 한데 다시 모든 게 완벽해졌다. 황궁을 둥지 삼은 붉은 나비도 돌아왔고 그가 통제하지 못할 상황은 없었다. 에벤에셀이 물잔에서 손을 뗐다. 다시 그의 연하늘빛의 눈이 밤바다처럼 변한 것을 확인한 힐라리아가 덧붙였다.

"여기가 윈프리드라는 걸 잊고 있었어요. 오늘 동관에서 머물다 가면 되는 건가요?"

힐라리아의 말에 첼로스테와 케이티가 고개를 번쩍 들었다. 그리고 그건 아까부터 두 사람 사이에서 눈치를 보고 있던 시종들도 마찬가지였다. 시종장이 눈을 가느스름하게 뜨고 에벤에셀을 살폈다. 이상하게 날 서 있었던 분위기가 가라앉은 상태였다.

"물론, 폐하의 침실에서요."

힐라리아의 가벼운 한마디에 고요한 정적이 흘렀다.

"다음엔 제 침실로 초대할게요, 폐하."

내가 준비가 된다면 말이지. 아직 정체도 제대로 모르는 상황에서 그를 힐라리아의 그라운드로 들일 수는 없었다. 게다가 힐라리아의 그라운드에는 불의 정령들이 수없이 포진해 있었다. 그들을 대비시킬 시간도 필요했다. 힐라리아의 말에 에벤에셀의 냉기가 전부 거두어졌다.

놀랍도록 마음에 드는 말이었다. 기네비어 사람들은 직설적이라던데, 그래서 힐라리아가 이토록 솔직 대범한 거라면. 그녀가 기네비어스러워서 다행이었다. 누구도 속을 털어놓지 않는 이 황궁에서 힐라리아가 독보적으로 매혹적인 데엔 이유가 있는 것이다. 에벤에셀이 마른입을 물로 적셨다.

힐라리아는 메마른 조화가 가득한 이 황궁에서 유일하게 생명력으로 반짝이는 생화 같았다. 파도가 일렁이는 푸른 눈이 보석처럼 반짝였다. 석류알처럼 붉은 입술이 화사한 미소를 머금는다. 방금 물을 마셨는데도, 입 안이 바짝 말라왔다. 뜨거운 열기를 물고 있는 것처럼. 에벤에셀의 나른한 눈가가 약간 붉은 것을 보곤 힐라리아가 말했다.

"피곤하신 것 같으니 오늘은 일찍 주무셔야겠어요."

힐라리아의 느긋한 말투에 시녀들이 이유도 없이 볼을 붉혔다.

"하하."

에벤에셀이 작은 웃음을 흘렸다. 대담한 발언들만 이어가는데 본인은 모르는 듯했다. 에벤에셀의 시선이 물잔을 쥐고 있는 힐라리아의 하얗고 긴 손가락을 향했다. 물기가 그녀의 손가락을 적시고 테이블로 톡 하는 소리를 내며 떨어졌다. 힐라리아가 손에 쥐고 있는 게 물잔이 아니라, 다른 어떤 것이라면. 에벤에셀의 눈가가 가늘어졌다. 그걸 아는지 모르는지 힐라리아는 태평하기만 했다.

"이미 침실은 준비되어 있는 건가요? 아, 잠옷을 안 가지고 왔는데……."

"그런 건 걱정할 필요 없습니다, 황비. 황비가 원하는 건 전부 이 안에 있을 테니까."

힐라리아가 식기를 만지작거렸다.

'기분이 풀렸네.'

역시 힐라리아의 짐작이 맞았던 것이다. 에벤에셀은 아무래도 철두철미한 성격인 것 같았다. 예를 들어, 조금도 예정에서 비틀어지는 걸 싫어하는 완벽주의자랄까.

"그럼 식사부터 하는 건 어떨까요?"

힐라리아가 한층 더 가벼운 목소리로 말했다.

"배가 고파요, 폐하."

에벤에셀이 턱짓을 하자 시종들이 빠르게 식사를 날랐다. 그날 이후로 황궁에는 새로운 소문이 하나 더 추가되었다. '황제가 힐라리아 황비의 치마폭에 갈대처럼 휘둘린다.'는, 달콤한 향기가 풍기는 소문이.

***

힐라리아가 에벤에셀과 저녁 식사를 하고 그의 침실에서 머물기로 했다는 소문이 황궁에 파다했다. 어떤 이야기도 듣기 싫어 저녁까지 먹고 돌아온 실로테의 노력이 거품으로 돌아갔다. 여전히 사용인들은 힐라리아와 에벤에셀에 대해서 떠들어대고 있었다.

'폐하의 침실에서 머물다 가고 싶어요.'

그렇게 파격적이고 유혹적인 발언을 힐라리아 황비가 모두의 앞에서 했다고 들었다. 미련을 전부 접고 힐라리아의 손을 잡겠다고 결심했지만, 마음을 비우는 게 하루아침에 되겠는가. 실로테가 짜증스럽게 눈가를 문질렀다. 소문은 종종 덩치를 키우고 각색되기도 한다는 걸 생각할 여력이 없었다.

이어 실로테가 지친 한숨을 푹 내쉬었다. 오늘 종일 걸어 다닌 덕에 퉁퉁 부은 다리가 아팠다. 그녀가 씁쓸한 미소를 지었다. 만약 그녀가 힐라리아였다면. 그녀처럼 행동하고 생각할 줄 알았다면. 아니, 힐라리아처럼…….

'비참해.'

실로테가 손바닥을 얼굴에 꾹 눌렀다 뗐다. 이런 짓은 이제 그만하자.

'너는 바보가 아니잖아, 실로테.'

그녀는 남을 비난하고 부러워하는 것보다 앞으로 나아가는 것을 택했다. 반에이크의 말처럼 멍청하게 굴지 않기 위해서였다. 그 결심이 서기 무섭게 실로테는 오늘 하루를 소모하며 새로운 목표를 세웠다. 황후가 될 수 없다면, 황후를 만들어보면 어떨까? 킹메이커를 자처하는 이들은 많지만, 완벽하고 이상적인 황후를 만든다는 이는 한 번도 보지 못했다. 그리고 실로테가 보기에 힐라리아는 그녀가 꿈꾸는 이상적인 황후가 될만한 자질이 있었다.

'당신을 황후로 만들어 보이겠어.'

그게 실로테의 자존심이었다. 힐라리아는 실로테를 무릎 꿇린 이상 이 나라의 1인자로 올라서야 한다. 결심을 굳힌 실로테가 입술에 바른 립스틱을 지웠다.

"애쥬라."

실로테의 부름에 애쥬라가 종종걸음으로 다가왔다.

"색조 화장품을 전부 버리도록 해."

"네?"

"앞으로 붉은색이나 분홍색, 코랄 같은 색은 사용하지 않을 거야. 차분한 색으로 다시 준비해."

한 번이라도 황제의 눈길을 끌기 위해서 어울리지도 않는 강렬한 색을 사용해왔다. 이제 그럴 생각이 없어졌으니 본래 좋아했던 색을 되찾을 것이다. 마음이 홀가분해졌다. 이렇게 그녀를 좋아하지도 않는 남자를 덜어내는 것만으로도 실로테는 하고 싶은 대로 할 수 있는데 여태껏 시간만 낭비했다.

"드레스도 푸른색이나 옅은 하늘색 계열로 다시 준비해줘."

실로테의 말에 애쥬라가 고개를 조아렸다. 뭔가 심경의 변화가 있었던 것 같은데 그게 나쁜 방향은 아닌 것 같아 마음이 놓였다. 최소한 힐라리아에게 반기를 들 것 같진 않았다.

드디어 실로테가 백기를 들고 힐라리아의 배 위에 올라탔다.

***

힐라리아가 에벤에셀의 침실을 둘러보는 사이 사용인들은 해야 할 일을 했다. 힐라리아와 에벤에셀의 진정한 첫날밤을 위해 심혈을 기울인 것이다. 이미 그들이 식사를 하는 사이에 동관 시녀장의 지시에 따라 이불도 새로 바꿔 깔고 커튼색도 갈았다. 시간만 더 있었다면 카펫도 들어내고 다시 깔았을지도 모른다. 힐라리아와 에벤에셀은 오히려 여유로운데 주변 사람들이 동동거리고 있었다. 의자에 앉아 힐라리아가 재밌다는 듯이 웃었다.

"폐하. 이건 너무 노골적이지 않나요?"

힐라리아가 테이블 위에 놓인 와인을 손가락으로 툭 쳤다. 게다가 정숙하고 웅장한 황제의 침실에서는 보기 힘든 선홍색의 커튼과 새하얀 이불이라니. 너무 정성스럽게 노골적이라 아는 척을 안 할 수가 없었다. 에벤에셀이 입매를 매만지고는 상냥한 척 웃었다.

"짐이 말하지 않았습니까? 원래 선홍색을 좋아합니다. 특히 황비처럼 붉은색을 특히 좋아하지요."

"제 머리카락 말씀하시는 건가요?"

힐라리아가 어처구니없다는 듯 물었다. 그동안 황제는 단 한 번도 그녀의 머리색을 칭찬한 적이 없었다.

"예. 선호를 따지자면 그렇습니다. 황비의 붉은 머리카락도, 푸른 눈도. 기네비어스러움까지 전부 마음에 듭니다."

에벤에셀이 눈을 가늘게 뜬 채로 은밀하게 속삭였다. 왠지 모르게 가슴이 술렁이는 목소리였다. 힐라리아가 에벤에셀의 눈을 피하며 떨리는 가슴 위를 손바닥으로 꾹 눌렀다.

'쓸데없이 예쁘기는.'

사람이 저렇게까지 예쁜 건 반칙이다. 게다가 밤에 피는 꽃처럼 에벤에셀은 지금 만개하여 물이 오른 것 같았다.

'하……. 밤에 더 예쁘구나.'

힐라리아가 입술을 잘근잘근 씹었다. 그녀는 예쁜 것에 약했다. 그사이 에벤에셀의 손짓에 시중을 들기 위해 대기하고 있던 사용인들이 전부 물러갔다. 에벤에셀의 단단하고 긴 손가락이 와인병을 쥐었다. 와인병을 타고 시원한 냉기가 흘러내렸다.

"이럴 때 좋구나."

힐라리아가 작게 중얼거렸다. 저렇게 응용할 생각은 못 해봤는데.

"이 와인은 차게 마셔야 더 맛있습니다. 추운 지방에서 여름 절기에만 수확할 수 있는 포도로 만들어서 그렇지요."

에벤에셀이 힐라리아의 중얼거림을 못 들은 척 태연하게 와인을 따랐다. 힐라리아가 새콤한 포도향을 음미하고 한 모금 입 안에 머금고 있다가 삼켰다. 에벤에셀의 집요한 시선이 힐라리아의 입술이 움직이는 것을 훑었다. 힐라리아의 붉은 입술이 천천히 벌어지는 것을 보며 에벤에셀이 자신의 입술을 손가락으로 훑었다. 그녀의 입술을 적신 와인이 참 달아 보였다. 에벤에셀이 제 몫으로 따른 와인을 입 안에 머금었다.

"청량한 향이 나요. 와인이 이런 맛을 내는 건 처음인데."

힐라리아가 말하자마자 다시 와인을 입 안에 머금었다. 그녀가 와인을 삼킬 때까지 기다린 에벤에셀이 체온으로 데워진 와인을 힐라리아와 동시에 삼켰다. 마치 힐라리아의 숨을 삼키는 기분이었다. 에벤에셀이 꿀이 떨어지는 것처럼 상냥하고 단 목소리로 속삭였다.

"황비의 마음에 들어서 다행이군요."

"하아."

힐라리아가 숨을 길게 내쉬었다. 오랜만에 마셔보는 차가운 와인이 모순적이게도 그녀를 뜨겁게 달구고 있었다. 연거푸 잔을 비우는 힐라리아에게 에벤에셀이 말을 건넸다.

"그러다 취하겠어요, 황비."

"나는 술에 취하지 않아요, 폐하."

힐라리아가 자신만만하게 말했다. 여태껏 술을 마시면서 한 번도 취해본 적이 없었다. 하지만 힐라리아는, 이처럼 와인과 분위기에 동시에 절여지면 어떻게 되는지는 경험해보지 못했다. 에벤에셀이 턱을 괴고 앉아 힐라리아의 잔을 연신 채워주었다. 힐라리아가 입맛을 다시는 모습이 귀여웠던 까닭이었다.

"더요, 더."

평소와 다르게 조르는 모습도 에벤에셀을 동하게 했다. 볼이 붉어진 채로 그 작은 입술을 벌려서……. 에벤에셀의 나긋한 시선이 힐라리아의 입술을 다시 한번 훑고 지나갔다.

"조금만 더 줘요, 폐하."

저렇게 예쁘게 조른다면 못 해줄 이유가 무엇인가. 에벤에셀은 힐라리아를 위해 기꺼이 시종처럼 잔을 채워주고만 있었다. 간간이 힐라리아가 조르는 모습을 보기 위해 뜸을 들이긴 했지만.

"많이요. 조금 더 많이."

입술을 삐죽이는 힐라리아의 눈이 완전히 풀린 건 와인 3병을 연거푸 비우고 나서였다. 에벤에셀이 헛웃음을 지었다. 이건 정말 파격이다. 여태껏 황비들과 침실을 공유한 적은 몇 번 있었지만, 매번 일만 하다가 돌아왔다. 힐라리아는 모든 걸 처음으로 하게 만드는 힘이 있었다.

"나, 졸려요. 음. 여기에서 자면 되나?"

힐라리아가 흐느적거리며 고개를 갸웃했다. 막 잠에서 깨어난 강아지 같았다. 에벤에셀이 턱을 괴고 앉아 힐라리아가 움직이는 것을 지켜보았다. 한 걸음, 두 걸음, 세 걸음. 힐라리아가 홀로 걸을 수 있는 걸음의 수였다.

"괜찮아요, 황비?"

에벤에셀이 나지막이 묻자 힐라리아가 에벤에셀을 돌아보며 칭얼거렸다.

"나 좀 일으켜줘요. 침대에 눕고 싶어……. 졸리단 말야."

에벤에셀이 천천히 몸을 일으켰다.

"……넌 늘 나를 움직이게 해."

혼잣말을 내뱉으며 곧장 힐라리아 곁으로 다가가 그녀를 부축해서 침대에 눕힌 에벤에셀이 몸을 기울였다. 힐라리아의 위로 자신의 그림자가 지는 것을 보며 에벤에셀이 만족스럽게 웃었다.

"넌 정말 이상해, 힐."

그때, 몸을 일으키려는 에벤에셀을 힐라리아가 잡아당겼다. 그녀의 손가락이 에벤에셀의 허리춤에서 빠져나온 셔츠를 꼭 붙들고 있었다. 힐라리아가 눈을 깜빡이며 속삭였다.

"아니야, 나는 예쁜 거야. 엄마가 그랬어. 내가 세상에서 제일 예쁜 여우라고. 빨리 예쁘다고 말해."

입술을 삐쭉이는 힐라리아의 푸른 눈이 다시 보석처럼, 햇빛을 머금은 바다처럼 일렁였다. 힐라리아가 손을 뻗자 그녀의 손목을 가린 부드러운 실크 드레스가 흘러내렸다. 설원처럼 희게 드러난 살갗에 에벤에셀의 눈이 어둡게 가라앉았다. 붉고 푸르고 하얗다. 사람이 어떻게 이렇게 다양한 색채를 가지고 있는 것인지. 그래서 그런가.

"예뻐."

에벤에셀의 말에 힐라리아가 생긋 웃었다.

"응. 난 이상한 게 아니야."

시간이 멈춘 것처럼 지독하게 느리게 흘러가고 있었다.

에벤에셀이 한숨처럼 중얼거렸다.

"그래. 그럼 이상한 건 나라고 하지."

그녀의 손가락이 에벤에셀의 눈가에 닿으려는 순간, 에벤에셀의 손이 힐라리아의 손목을 움켜쥐었다. 손바닥에 닿은 피부는 뜨거웠다. 입 안이 다시 마를 만큼.

"……내가 이상한 거야."

에벤에셀이 나지막이 중얼거리며 힐라리아의 손목을 침대 위로 내리눌렀다.

***

서신을 전달받은 올리비아가 손가락을 부들부들 떨었다. 황성 인근에 위치한 에라스모 백작가에서는 실시간으로 황제의 동태를 보고받을 수 있었다. 올리비아의 손가락이 서신을 구기는 것을 느긋하게 보던 에라스모 백작이 눈살을 찌푸렸다.

"왜 그러느냐. 좋지 않은 소식이라도 들은 게야?"

"아버지."

"음?"

"마녀에 대해 알아봐 달라고 부탁드렸었죠."

일전에 시녀를 시켜 서신을 보낸 일을 묻는 것 같았다. 에라스모 백작이 고개를 끄덕였다. 사실 그 일 때문에 황태후를 핑계로 출궁했다는 것을 짐작했던 터라 에라스모 백작이 준비해두었던 것을 테이블 위에 올렸다. 그것을 읽으며 정신 사납게 티룸을 왔다 갔다 하는 올리비아를 백작 부인이 못마땅하게 응시했다.

딸이 황궁에 들어가더니 품행이 엉망이 되었다. 게다가 천박하게 마녀라니. 이미 세상에서 지워진 이들이 아니던가. 언급하는 것조차도 위험하던 시절이 있었다. 300년 전엔.

하지만, 이제는 전설처럼 남겨져 믿는 사람들만 믿는 일이었다. 마녀로 낙인찍혀 죽은 이들은 사술을 부려 사람들을 해쳤다고 전해지고 있었고 진위 여부를 알 수도 없게 황실에서는 마녀에 대한 기록을 전부 파기했다.

"올리비아."

그녀의 나지막한 부름에 올리비아가 조바심을 내비치던 태도를 바꿔 자리에 앉았다. 예의범절을 중요시하는 어머니의 입술이 일자로 굳은 것을 보았기 때문이었다. 올리비아와 어머니 때문에 동생들이 숨도 제대로 쉬지 못하고 얼어붙어서는 찻잔을 쥐고 있었다. 올리비아가 애교스럽게 웃었다.

"오랜만에 와서는 좋지 않은 이야기만 한 것 같네요. 어머니, 너무 걱정하지 않으셔도 될 거예요. 제게도 방법이 있거든요."

"무엇이든 알아서 할 거라 믿는다. 하지만, 귀족의 품위를 잊어버리지 않도록 해. 그런 건 아무나 가질 수 없는 것이니. 분명 언젠가 황제께서도 알아주실 거라고 믿는다."

나긋한 어머니의 음성에 올리비아가 입술을 짓씹었다.

'고상하다가는 전부 빼앗기게 생겼다고요!'

숫제 비명을 지르고 싶은 심정이었다. 어머니의 눈치에 내려놓은 서류에 자꾸만 시선이 갔다. 힐라리아가 에벤에셀의 침실에서 밤을 보내기로 했다는 소식이 날날이 전해져 올리비아를 괴롭혔다.

기네비어와 힐라리아를 엮어 궁에서 내쳐야 하는데……. 아무것도 알려진 게 없다고 적힌 서류에 분노만 차올랐다. 그들이 알아온 것은 책 구석에 몇 줄 적혀 있는 사소한 사실들뿐이었다. 윈프리드의 제국민이라면 누구라도 알법한 것들. 이미 사장된 마녀사냥을 꺼내려면 올리비아도 만반의 준비를 해야만 했다. 섣불리 건드렸다가는 벌집에 잔뜩 쏘이는 쪽은 올리비아가 될 테니까.

'위험한 만큼 가장 확실한 방법이야.'

힐라리아에게 마녀의 죄를 씌워 화형대에 오르게 하는 것.

올리비아가 싸늘한 미소를 머금었다.

***

"황비 마마."

힐라리아가 침침한 눈을 깜빡였다.

'뭐야, 아침이야?'

분명 어제 에벤에셀과 술을 마신 것까지는 기억이 나는데 그 이후로는 아무런 기억도 없었다. 힐라리아가 나른한 눈을 다시 한번 깜빡이자 그녀를 울상으로 보고 있는 케이티가 보였다.

"황비 마마!"

"……왜 그래."

"한참을 깨워도 안 일어나시길래 무슨 일이라도 난 줄 알았어요!"

케이티가 뺨에 번진 촉촉한 눈물을 힐라리아의 잠옷으로 닦아냈다. 달래듯 케이티의 머리통을 톡톡 두드린 힐라리아가 몸을 일으켰다. 처음 보는 천장과 처음 보는 이불……. 아니, 여기는 황제의 침실이었다.

"아……."

어제 여기서 술을 마셨었지? 오랜만에 마시는 와인의 맛이 마음에 들어 쉬지 않고 마셨던 기억이 있었다. 사실 여태까지 술을 마시면서 취해본 적이 없어서 과신했다. 힐라리아가 옅은 숨을 내쉬었다.

"얼마나 마시신 거예요. 속은 괜찮으세요? 머리는요."

케이티가 침대 맡, 바닥에 앉아서 연신 물었다.

"괜찮아. 아픈 데도 없고."

그리고 기억도 없고. 힐라리아가 어설프게 웃었다.

이 끊어져버린 기억은 힐라리아의 나비들이 되돌려줄 것이다. 그녀가 에벤에셀의 침대에서 몸을 일으켰다. 불쾌한 숙취는 없는 걸 보니 역시 비싼 술은 다른 건가 싶었다. 힐라리아가 침대에서 내려오자 동관의 시녀들이 힐라리아의 앞에 와서 고개를 조아렸다.

"황제 폐하께서 아침 식사를 하고 돌아가심이 어떻겠느냐고 물으셨습니다."

힐라리아가 숨을 들이켰다. 지금? 나는 아직 마음의 준비가 되지 않았는데? 힐라리아가 아닌 척 다급하게 손가락을 휘저었다.

"지금 당장은 아니겠지? 일단 씻고 싶은데."

시간을 벌기 위한 작은 꼼수였다. 동관의 시녀장이 대답했다.

"폐하께서 천천히 준비하시라고 이르셨습니다. 미리 목욕물을 받아두었고 스틸로즈의 시녀들이 갈아입으실 옷을 가지고 오는 중이라고 들었습니다. 먼저 씻으시겠습니까?"

힐라리아가 허망하게 고개를 끄덕였다. 동관의 욕실에서 목욕이라니. 그것도 황제의 욕실에서! 힐라리아가 버릇처럼 입매를 만지작거렸다. 허공을 배회하던 시선이 손목에 닿았다.

"하아."

대체 무슨 일이 있었던 거야. 미약하게 남아 있던 냉기가 힐라리아의 한숨에 흩어져버렸다. 케이티가 불안한 눈으로 힐라리아를 쳐다보았다. 욕실로 가는 힐라리아의 뒤를 따르며 케이티가 말을 건넸다.

"황비 마마? 왜 그러세요?"

"아무것도 아니야. 첼로스테는 어디 있어?"

"지금 옷을 챙겨서 오고 있을 거예요. 오늘 황제 폐하와 조찬을 가지신 다음에 초대장을 보내셔야 해요."

"아, 초대장."

힐라리아가 눈살을 옅게 찌푸렸다.

그 초대장이 황태후에게도 가게 되었다는 것이 떠오른 탓이었다.

"그리고 또 오늘 실로테 황비 마마와 동석하여 재무장관, 복지장관과 함께 오찬을 가지시기로 되어 있습니다."

"뭐?"

"……어제 그렇게 말씀하셨다고 들었는데."

힐라리아가 눈을 꾹 감았다가 떴다.

마치 백지처럼 지워졌던 기억이 약간씩 돌아왔다.

'나도요, 나도.'

'뭐를?'

'나도 할 줄 알아요. 실로테가 해주는 거 날름 먹기 싫어요. 그건 너무 밉상이잖아?'

하아.

'망할 힐라리아. 좀 더 정숙하고 우아하고 도도하게 말했어야지!'

그녀가 그런 생각을 하고 있었던 건 사실이지만, 굳이 그렇게 어린애처럼 말할 필요가 있었느냐는 말이다. 힐라리아가 잠시 자괴감에 빠져 욕실에 들어가던 중간에 서서 얼굴을 감싸 쥐었다. 힐라리아가 정신을 차린 것은 기다리다 못한 케이티가 그녀의 등을 톡톡 쳤을 때였다.

"괜찮으세요?"

"아니. 전혀 괜찮지 않아."

힐라리아가 손바닥에 파묻었던 얼굴을 들고는 천천히 걸었다. 그러다가 되찾은 기억에서 이상한 점을 깨달은 힐라리아가 고개를 홱 하고 돌렸다. 그녀의 일렁이는 푸른 눈에 하얀 이불이 흐트러져 있는 침대가 들어왔다.

하나, 둘, 셋. 딱 3초면 충분했다. 힐라리아가 풀썩하고 주저앉았다. 시녀들이 의아한 듯 그녀를 힐끗거리는 걸 느낀 케이티가 어색한 얼굴로 고개를 저었다.

"괜찮으십니다. 괜찮으세요. 잠시 어지럼증을 느끼신 것뿐이니……. 아침이라, 방금 일어나셔서 그래요."

신체 건강한 힐라리아는 아침이라고 그런 적이 한 번도 없었지만, 케이티는 적당한 핑곗거리라고 생각했다. 그녀의 말에 시녀들이 어느 정도 납득한 듯 고개를 주억거렸다. 힐라리아가 입술을 꾹 깨물었다. 웅크리고 앉아 손바닥에 고개를 파묻고 속으로 비명을 내질렀다.

'미친 거야, 힐라리아?'

대체 무슨 짓을 저지른 거야! 차라리 기억하지 못했으면 좋았을 기억들이 하나, 둘 돌아오고 있었다.

***

힐라리아가 자신의 손목을 내리누른 에벤에셀을 보며 고개를 갸웃했다. 와인에 젖어 더욱 붉어진 입술이 유혹적인 호선을 그렸다. 힐라리아가 에벤에셀에게 속삭였다.

"아래에서 보니까 더 예쁘네?"

에벤에셀이 하하, 소리가 나게 웃었다. 흐트러진 그의 머리카락이 숨결에 휘날려 나부꼈다. 와인에 이렇게까지 새로운 모습을 보여주다니. 힐라리아의 손목을 붙든 에벤에셀의 손가락에 힘이 들어갔다. 힐라리아가 다시금 입술을 달싹였다.

"예쁘니까……. 나도 예뻐해줄게."

힐라리아가 손목을 비틀어 빼냈다. 그리곤 대담하게 에벤에셀의 머리카락을 쓰다듬었다. 웃음이 고인 힐라리아의 눈매가 이루 말할 수 없이 아름다웠다.

"착하다……."

나른하게 흩어지는 그녀의 목소리가 에벤에셀을 마법처럼 휘어잡았다.

"이리 누워봐. 이 침대는 넓어서 같이 누워도 괜찮아."

힐라리아가 자신의 옆을 툭툭 쳤다. 금방이라도 잠이 들 것처럼 눈을 깜빡이면서도 괜찮은 척, 꿈쩍도 하지 않는 에벤에셀의 손목을 힐라리아가 열심히 잡아당겼다. 그녀의 몸 위로 넘어질뻔한 에벤에셀이 옆으로 몸을 굴렸다. 힐라리아가 깔깔 웃으며 냉큼 에벤에셀의 몸 위로 올라탔다.

"정말 착하네. 말도 잘 듣고. 봐, 정말 침대가 넓지? 우리가 같이 누워도 아무렇지도 않잖아. 그러니까, 코오 자는 거야."

힐라리아가 에벤에셀의 머리카락을 재차 쓰다듬었다. 와인에 젖어 있어 느릿하고 명료하지 않은, 흐느적거리는 손길이었다. 그럼 어때. 에벤에셀이 말없이 힐라리아의 눈을 뚫어져라 쳐다보았다. 그에게 그녀가 닿아 있는 것을. 에벤에셀이 눈가를 휘며 사르르 웃었다.

그에게, 그녀가 먼저 닿아온 것을. 에벤에셀이 힐라리아의 볼을 아주 조심스레 쓰다듬었다. 그의 위로 쏟아진 머리카락, 또는 그녀가 움직일 때마다 설핏 내비치는 새하얀 속살이었나. 그도 아니면 힐라리아가 웃을 때 보이던 새빨간 혀와 바다 같은 눈이었을지도. 어떤 것이 에벤에셀의 이성을 마비시켰는지는 모를 일이었다. 다만, 에벤에셀의 폐부를 가득 채운 힐라리아의 달큼하고 은은한 향이 너무 가까웠다.

"당신이 먼저였습니다."

에벤에셀의 낮은 목소리에 힐라리아가 고개를 갸웃했다.

"네가 먼저 닿았다고."

"……맞아. 내가 먼저야."

힐라리아가 화사하게 웃었다. 인정할 건 인정해야지!

***

흐릿하게 드문드문 떠오르는 기억이 힐라리아를 수치스럽게 만들었다. 힐라리아가 참지 못하고 낮은 신음을 흘렸다.

'미쳤어, 힐라리아!'

무슨 대화를 주고받았는지는 정확히 기억하진 못해도 그녀가 에벤에셀의 몸 위에 올라탔으며 두 사람이 같은 침대에 있었다는 사실만은 선명했다. 힐라리아가 침대를 쳐다보며 입술을 손으로 틀어막았다.

"마마? 황비 마마!"

그런 힐라리아를 케이티가 걱정스럽게 불렀다. 멍하니 넋을 놓고 주저앉아 있는 힐라리아가 이상했다. 한 번도 이러신 적이 없었는데? 힐라리아가 입술을 빼끔거렸다.

"예? 황비 마마, 왜 그러세요."

"……그러게 내가 왜 그랬을까."

"네?"

"아니야."

힐라리아가 몸을 우아하게 일으켰다. 여태까지 아무 일도 없었던 것처럼 더할 나위 없이 귀족적인 자태로 욕실을 향해 걸었다. 떠올랐던 기억들을 다시 떨쳐내기 위해 노력하며. 그리고 정신이 들면 나비에게 물어 어제의 기억을 되찾으려 했던 계획은 취소했다. 떠올려봤자 그녀의 정신 건강에 하등 좋을 것이 없어 보였다. 힐라리아가 지끈거리는 미간을 문질렀다.

"하아……."

여기에 오고 나서, 에벤에셀을 알고 나서부터 의도치 않은 일들과 예상하지 못 했던 일들이 벌어지곤 한다.

'당황스럽게.'

늘 에벤에셀은 힐라리아의 예상 범위 밖에 서 있었다. 그리고 그런 에벤에셀은 힐라리아가 한 번도 해보지 않은 짓들을 하게 만든다. 힐라리아가 한숨과 함께 뜨거운 물 속에 머리끝까지 담갔다.

"곤란하게……."

이곳이 에벤에셀의 욕실이라는 사실을 망각한 채로.

***

에벤에셀이 옅은 미소를 지었다. 그것을 지켜보던 스베인도 덩달아 웃었다. 힐라리아가 깨어나길 기다리기 위해 조찬을 미루고 서류를 검토하던 에벤에셀이 큭 하고 웃음을 터뜨린 것이다. 서류를 빠르게 검토하고 서명하던 손길도 멎었다. 이른 월요일 아침에 서류부터 살펴야 할 정도로 긴급한 사안이라는 건 잊은 표정이었다.

남부 지방에서 홍수가 발생했다. 이제 막 여름에 접어드는 시기라 종종 일어나는 일이지만, 그 지방 사람들에겐 생계가 달린 일이었다. 지방의 영주는 새벽 내내 잠을 이루지 못하고 황실의 지원을 기다리고 있을 것이다.

황실에서 기사들을 파견해 재건을 돕고 재정부와 복지부, 행정부를 소환해 회의도 해야 한다. 예년보다 많은 비가 내린 남부 지방에 댐을 건설한다든가 저수지를 건설한다든가, 그런 것도 논의해 실행해야 한다. 또 한 번 이런 일을 답습할 수는 없으니. 그 모든 걸 인가해야 하는 것이 에벤에셀의 몫이었다. 지금 에벤에셀이 저 서류에 도장을 찍으면 수백 명의 사람들이 움직일 것이다. 한데 에벤에셀의 손가락은 여전히 가만히 머물러 있었다.

"좋으십니까?"

"좋다니?"

에벤에셀이 서늘하게 물었다. 이미 그를 물들이고 있었던 미소는 지워진 상태였다. 스베인이 아랑곳하지 않고 다시 물었다.

"결혼한 새신랑 같은 표정을 하셔서요."

잠시 아무 말 없이 서류를 만지작거리던 에벤에셀이 만년필을 고쳐 쥐었다. 그리곤 여유롭게 대꾸했다.

"결혼한 새신랑은 맞지 않나. 힐라리아 황비가 들어온 지 얼마 되지 않았으니. 하지만, 그렇게 넋이 나가 있지는 않아. 스베인, 회의는 아침 식사가 끝나고 10시로 잡아줘. 그리고 힐라리아 황비와 실로테 황비의 회의를 3시로 조정하고."

스베인이 웃음기 어린 목소리로 대답했다.

"두 분 황비 마마께 양해 구하겠습니다."

"기사단장에게 일러 훈련 일정을 취소하고 지원 나갈 수 있는 병력을 준비시키라고 해. 보통 재난 지역에서는 범죄도 늘어나기 마련이니 전투가 가능한 기사들도 배치시키고."

"예, 폐하."

모든 명령을 하달받은 스베인이 잠시 물러가고 나서 에벤에셀이 이마를 문질렀다. 힐라리아가 동관에 오기 전에 그의 집무실로 옮겨두었던 나비가 파닥거리는 소리를 냈다. 에벤에셀이 나비에게 시선을 던졌다.

"힐."

나비가 대답하듯 날개를 활짝 폈다.

"네 주인은 원래 당돌한 편인가?"

나비가 날아올랐다.

"그도 아니면……."

에벤에셀이 말을 늦췄다.

"귀여운 편이던가."

나비가 얼어붙은 듯이 움직임을 멈췄다.

그것을 알아차리지 못한 에벤에셀이 입매를 문질렀다.

Chapter 4.

책임전가

자신감이 넘치는 힐라리아는 평소에 긴장을 잘 하는 편이 아니었다.

그럼에도 불구하고.

"황비, 식사를 마저 하세요. 음식이 입맛에 맞지 않으십니까?"

지금은 아침 식사도 제대로 목으로 넘어가는 것 같지가 않았다. 힐라리아가 어색하게 고개를 저으며 포크를 고쳐 쥐었다.

에벤에셀의 밤하늘 같은 머리카락을 비추는 햇살과 남자치고는 흰 피부에 그림자 진 정원수의 둥근 이파리가 마치 음험한 문신처럼 보였다. 음영진 푸른 눈에는 오롯하게 힐라리아만이 담겨 있었다.

바람이 불었다. 오소소 소리를 내며 부딪치는 잎사귀들과 속을 달래줄 부드러운 차향, 아침을 시작하는 새들의 노랫소리까지. 동관의 정원이 왜 황궁에서 제일이라고 손꼽히는지 알 것 같았다.

푸른 하늘을 유영하는 구름은 에벤에셀의 눈을 표류하는 감정 같았다. 아침의 분위기와 어우러진 에벤에셀의 나른한 표정이, 그리고 어제와 같은 동작으로 물잔을 쓸어 올리는 감각적인 행동이 힐라리아를 자극했다.

'대체 왜 나를 그렇게 보는 거야.'

힐라리아가 눈을 깜빡이며 헐떡이는 숨소리를 감춘 채로 대답했다.

"입맛이 없어서 그래요. 음식은 맛있어요."

"어제 와인이 과했나 보군요. 거봐. 짐이 취할 거라고 경고했잖아요."

"그러게요. 저를 너무 믿었나 봐요. 아, 오늘 아침부터 바쁘셨다고 들었어요. 제 일정까지 미루실 정도로요."

힐라리아가 부드럽게 말을 돌렸다.

"스베인에게 들어서 아시겠지만, 로마노프 영지에 홍수가 나서 어쩔 수 없는 일이었습니다. 회의엔 장관들이 필요하니까요. 시녀장에게 확인했을 때 일정에 무리가 없다고 들었는데, 무슨 문제라도 있나요?"

물잔을 쥔 에벤에셀의 손가락으로 물방울이 흘러내리는 것을 힐라리아가 훔쳐보았다. 목이 말라오는 기분이었다.

'와인 주제에 독하네.'

아직까지 술기운이 가시지 않은 게 분명했다. 힐라리아가 애써 스스로를 다잡았다. 생각하자, 생각. 안 그래도 그 사건에 관해 할 말이 있었다.

스베인의 전언에 따르면 예정되어 있었던 힐라리아의 오찬 약속이 3시간 정도 밀렸다고 했다. 급하게 각 부서의 장관들을 불러 모은 이유가 무엇이냐고 물으니 남부 지방에 홍수가 났다는 대답이 돌아왔다. 힐라리아는 사건이 일어났던 정확한 날짜를 기억하진 못했지만, 대략적인 시기는 기억하고 있었다. 그러니 스베인이 꺼낸 홍수라는 말에 힐라리아가 로마노프 영지에서 일어났던 비극적인 사건을 떠올린 건 자연스러운 일이었다.

로마노프 영지를 휩쓴 건 홍수가 아니라 전염병이었다. 이 비극의 서막이 어디서부터 시작되었는지는 힐라리아도 알지 못한다. 그저 홍수로 인해 별의별 것들이 로마노프에 유입되었는데 전염병도 그중 하나였을 뿐이다. 훗날 학자들은 로마노프에서 시작되어 전역으로 퍼져나간 이 전염병을 '콜레라'라고 명명했다. 힐라리아가 숨을 가다듬곤 말을 꺼냈다.

"제 일정에 문제는 없습니다. 다만, 저는 한 가지 가능성을 말씀드리고 싶을 뿐이에요."

"가능성?"

"홍수로 인한 2차적 피해가 발생할 수도 있지 않을까요?"

힐라리아가 명료한 발음으로 말했다. 하지만 여전히 그녀의 시선은 에벤에셀의 손가락이 움직이는 걸 훔쳐보고 있었다. 그녀의 노력에도 불구하고 어제의 기억은 아직도 두 사람 사이에 머물러 있었다.

'저 손이 저런 식으로 내 손목을 잡았었나?'

굳이 기억하지 않아도 좋을 것들이었다. 힐라리아가 빠르게 눈을 아래로 내리며 삶은 계란을 입 안에 떠 넣었다. 이상한 숨소리를 낸다거나 하지 않아도 될 말을 막기 위함이었다.

"2차적 피해라. 전 황제의 치세에는 한 번도 그런 일이 발생한 적이 없었습니다. 짐이 그것을 염두에 둬야 할 이유가 있을까요?"

"저는 그저 가능성에 대해서 말씀드리고 있을 뿐이에요. 로마노프 영지는 바다와 맞닿아 있는 만큼 어업으로 인한 폐수가 많이 발생하죠. 거리에는 생선을 손질하고 내버린 내장들이 나뒹굴고 그것을 먹이 삼은 떠돌이 개들과 고양이, 갈매기들의 배설물도 널려 있어요. 위생 관리가 철저한 윈프리드 제국에서 가장 지저분한 게 해안 도시들이죠."

"그러니 전염병이 발생할 확률이 높다?"

힐라리아가 고개를 주억거렸다. 에벤에셀이 물기를 머금은 손을 손수건에 닦곤 팔짱을 꼈다. 갖춰 입은 황제의 정복 사이로 힐라리아의 신경을 자극하던 손이 사라져버렸다. 힐라리아가 천천히 고개를 들어 올렸다. 새벽녘의 바다처럼 시원해 보이는 에벤에셀의 눈이 힐라리아를 직시하고 있었다.

'미쳐버리겠네.'

어젯밤은 기억나지 않아야 했다. 힐라리아에게 온갖 것들이 낙인처럼 남아버리고 말았다. 저 남자의 아래의 누워 그의 눈에 담겨 있었던 그 순간이 떠올랐다.

'사람들이 황비와 짐의 눈이 닮았다고 하더군요. 다들 보는 눈이 없는 게 분명해. 황비의 눈은 보석처럼 반짝이거든. 속에 바다라도 품은 것처럼.'

그런 말도 했었구나. 저 입술로. 힐라리아가 스스로를 포기했다. 어쩔 수 없다. 이렇게 자꾸 눈길이 가고, 시선으로나마 탐하게 되는 것은 전부 그가 예쁘기 때문이다. 게다가 어제 와인을 권한 것도 에벤에셀이었으니…….

'다 당신 탓이라고 할래.'

힐라리아가 고개를 옅게 끄덕였다.

"맞아요. 뭐든 대비해서 나쁠 건 없으니까."

에벤에셀이 흥미롭다는 듯이 물었다.

"황비는 짐이 어떤 대비를 해야 한다고 생각합니까? 쉽게 구하지 못할 약재들을 수입하고 의사들을 데려올까요? 아니면, 전국의 의서들을 끌어모아야 할까요."

힐라리아의 의견이 무엇이든지 받아들이겠다는 어투로 에벤에셀이 말했다. 곧 그의 눈이 곱게 접혔다.

'귀여워.'

대체 뭐 때문에 그의 손을 집요하리만치 힐끔대는지는 모르겠지만, 그가 팔짱을 끼기 무섭게 묘하게 실망하던 힐라리아를 목격했다. 그러다가 한숨을 몰래 푹푹 내쉬었다. 에벤에셀은 힐라리아가 어제 있었던 일을 모조리 기억하고 있다는 것을 직감했다. 에벤에셀이 힐라리아의 대답을 기다리며 그녀의 시선에 스스로를 내맡겼다.

"깨끗한 물, 물을 많이 준비하는 건 어떨까요. 큰 비가 내렸으니 깨끗한 물을 준비하는 건 어렵지 않을 거예요. 사실 병의 대부분은 깨끗한 물과 맛있는 식사만으로도 해결되곤 하니까."

"거기에 다정한 간호도 있다면 더 좋겠죠."

"네. 아무래도……. 전염병이 번지게 된다면 그들을 돌봐줄 사람들이 필요할 거예요. 지원자를 받는 것도 좋겠지만, 대가를 지불하고 사람들을 고용하는 게 더 나을 것 같아요."

그런 의도가 아닌데. 힐라리아의 진지한 대꾸에 에벤에셀의 미소가 깊어졌다. 그가 나지막한 목소리로 나긋하게 물었다.

"짐이 아프면 황비께서 짐을 돌봐줄까요?"

"예? 황궁에는 뛰어난 의사들과 폐하를 돌봐줄 사람들이 많은데 제가 어째서."

힐라리아가 고개를 내저었다. 난데없는 말에 당황한 기색이 엿보였다.

"저는 그런 것에는 소질이 없습니다. 받는 건 익숙하지만요."

"괜찮습니다. 의사나 시종들보다는 황비께서 더 다정하게 짐을 돌봐주실 것 같아서요. 황비는 짐과 한 이불을 덮고 잔 사이니까요."

힐라리아가 입술을 뻐끔뻐끔 벌렸다. 숨을 쉬기가 힘들었다. 모르는 척할 거면 끝까지 모르는 척해주지! 빙긋 웃고 있는 모양새를 보아선 황제도 어제 있었던 일을 전부 기억하는 게 분명했다. 게다가 그 일련의 사건들은 에벤에셀에게 조금도 영향을 주지 못한 듯했다. 그는 아무렇지도 않게 어제 일을 언급하며 힐라리아의 반응을 즐기고 있었다.

'한 이불……!'

힐라리아가 정신을 되찾고는 새초롬한 표정으로 그를 노려보며 말했다.

"어제 저는 이불을 덮고 자진 않았습니다. 여름이니까……."

"짐의 체온을 이불 삼아 잠드셨지요."

에벤에셀이 힐라리아의 말을 가로챘다. 그녀의 당황한 모습이 보고 싶었다. 매사 당당하고 우아한 모습을 표방하는 힐라리아의 표정이 무너지는 게 유쾌했다. 에벤에셀의 의도대로 귀족적인 가면을 벗어던진 힐라리아가 에벤에셀에게 톡 쏘아붙였다.

"놀리지 마세요, 폐하. 저는 착한 사람이 아니라서 언제 폐하를 곤란하게 만들지 모르거든요!"

에벤에셀은 그녀가 그를 어떻게 곤란하게 만들지 궁금하다는 말을 삼켰다.

그녀의 뒤편으로 보이는 스베인이 다급한 표정으로 에벤에셀을 쳐다보고 있었다. 그건 예상보다 더 긴 시간을 힐라리아와 보내고 있다는 걸 의미했다. 에벤에셀이 몸을 일으켰다. 나른하게 풀려 있던 에벤에셀의 표정이 날카롭게 벼려졌다. 그의 갑작스러운 행동에 힐라리아도 얼른 표정을 가다듬었다.

'으. 이러지 말라니까!'

스스로를 질책해도 에벤에셀과 대화를 하다 보면 스르륵 풀려버리곤 했다. 힐라리아가 자세를 가다듬었다. 에벤에셀 또한 옷매무새를 간단하게 정리하곤 커프스단추를 매만지며 말했다.

"힐라리아 황비의 말을 검토해보도록 하지요. 만약, 힐라리아 황비의 예상처럼 전염병이 발생한다면……."

서늘한 그의 시선이 힐라리아의 눈을 직시했다.

"황비가 이 일을 맡아주면 좋겠군요."

처음부터 그걸 노리고 있었던 힐라리아가 화사하게 웃었다. 이건 제이나를 낚을 훌륭한 미끼가 되어줄 테니.

"그렇게 하도록 하겠습니다, 폐하."

대답을 들은 에벤에셀이 힐라리아를 스쳐 지나갔다. 순간 그의 손이 힐라리아의 머리를 솜털을 매만지는 것처럼 아주 가볍게 쓰다듬고 지나갔다. 조금의 위화감도 느껴지지 않게, 마치 우연의 일치로 일어난 일인 것처럼.

"흡!"

힐라리아가 동요를 감추며 심호흡했다.

'쓰다듬은 건가?'

최대한 다급해 보이지 않도록 고개를 돌렸다. 뒤를 돌아보지 않는 단단한 등은 무너지지 않을 성벽처럼 보였다.

'잘못 느낀 거겠지.'

힐라리아가 스틸로즈 궁으로 돌아가자마자 샤워를 해야겠다고 생각하며 눈을 질끈 감았다가 떴다. 한동안 에벤에셀과 단둘이 있는 일은 피하는 게 좋겠다. 힐라리아가 일어나려다가 잠시 주춤하고는 자리에 앉았다. 에벤에셀이 멀어지기가 무섭게 나비들이 그녀의 주변으로 모여들었기 때문이다.

[어제 힐라리아 황비하고 황제께서 한 침대에서 주무셨다며? 깨우러 들어간 시녀들이 전부 다 봤대!]

[세상에……. 정말로 힐라리아 황비가 황후가 되는 건가? 이제라도 줄을 서야 하는 거 아니야? 그러다가 후계자라도 덜컥 낳으면…….]

[내 말이.]

나비들이 그게 사실이냐는 듯이 날개를 파닥였다.

"하아."

힐라리아가 손을 들어 눈을 가렸다. 에벤에셀이 떠나고 홀로 남겨졌는데도 불구하고 힐라리아는 여전히 에벤에셀의 흔적에 둘러싸여 있었다.

마치 함께 있는 것처럼.

[힐라리아 황비와 함께 밤을 보냈다고? 대체, 대체 뭐가 잘나서!]

[특별하단 건 그런 거지. 올리비아 황비가 발악하고 있겠군.]

[따분해.]

머릿속에 여러 목소리들이 뒤엉켰다. 힐라리아가 마른세수를 했다. 그녀의 오판이었다. 생각해보니 에벤에셀의 침실에는 그 어떤 후궁도 발을 들인 적이 없었다. 최악을 피하려다가 또 다른 최악에 발을 담근 것이다. 힐라리아가 눈을 꾹 눌렀다. 어째 에벤에셀만 얽히면 일이 꼬이는 것 같다. 걷잡기 힘들 정도로.

***

"감사합니다. 이 정도면 마차 삯으로 충분할까요?"

바닥을 딛고 선 카르탈이 짐마차에 태워준 농부에게 금화를 내밀었다.

"됐소! 그나마 당신이 있어서 그렇게 심심하진 않았으니까. 게다가 나도 수도에 오는 길이었다니까. 만약 아니었으면 어림도 없어!"

"그래도요. 그래도 받아주세요, 여기요."

카르탈이 재차 권했다.

"큼, 큼. 그러면 받아볼까. 금화 한 개면 충분하오."

카르탈이 내민 다섯 개의 금화 중에서 농부는 단 한 개만 가져갔다. 카르탈이 곤란한 얼굴을 했지만, 농부는 작별 인사도 하지 않고 마차를 출발시켰다. 카르탈이 뒤로 물러섰다.

"잘 가게, 젊은이! 찾아야 한다던 사람은 꼭 찾길 바라네!"

"감사합니다."

멍하니 웅얼거린 카르탈이 몸을 돌렸다. 그는 그렇게 검을 끌어안은 채로 황도에 도착했다. 그의 피부에 스며든 파란 나비가 황도의 풍경을 보자마자 번뜩였다.

'힐라리아, 베아트리체, 기네비어, 윈프리드.'

마치 그의 의지인 것처럼 단어들이 카르탈의 뇌리를 스치고 지나갔다.

"힐라리아……. 제너시스 후작 가문. 베아트리체 후작 영애를 만나야 해."

카르탈이 중얼거리다 삐걱대며 부자연스럽게 몸을 돌렸다. 그의 눈동자 속에는 여전히 어두운 푸른색이 똬리를 틀고 있었다.

"베아트리체 후작 영애. 아, 말 좀 묻겠소."

"아, 나 말이오?"

남자가 카르탈을 위아래로 살펴보았다. 행색을 보아하니 시골 뜨내기 같은데. 게다가 철로가 깔리고 기차가 다니는 이 시대에 짐마차를 타고 오는 걸 확인했다. 남자가 거만하게 웃으며 입을 열었다.

"얼마든지 물으시오. 내가 이 황도는 손바닥 안처럼 꿰고 있거든! 어딜 가고 싶으신데?"

"제너시스 후작가를 찾고 있습니다."

"뭐, 뭐?"

목적지에 데려다주고 사례금을 뜯어낼 작정이었던 남자가 눈을 동그랗게 떴다. 제너시스 후작가라니! 황도에서 이름을 날리고 있는 전도유망한 대귀족 중에 하나 아니던가! 남자가 식은땀이 솟아난 이마를 훔쳤다.

다행이었다. 아직 사례금에 대한 이야기나, 좀 더 사례금을 뜯어내기 위해 빙글빙글 돌아가는 짓거리 따위를 하지 않았으니까. 물론 아무나 넘을 수 없는 문턱이지만, 남자가 돌다리를 두드리는 심정으로 물었다.

"왜 제너시스 후작가를 방문하려 하는 거요?"

"만나야 할 사람이 있습니다."

"어디서 오셨길래."

남자가 경계심 짙은 눈으로 물었다. 제너시스 후작가에 데려다주기 전에 눈앞의 청년의 정체를 파악해야 했다. 잘못 엮여서 제너시스 후작과 척 지는 것도 사절이니까.

"저는 남부의 로마노프 영지에서 왔습니다. 형님의 심부름을 하고 있는 중이지요. 후작가에서 일하는 마부가 숙부님이십니다."

평온한 카르탈의 말에 남자가 고개를 끄덕였다.

"그런 거였군!"

다행히 귀족은 아니었다. 이 정도면 사례금도 적당히 요구할 수도 있고 후작저에 데려다주어도 문제가 발생할 것 같지 않았다. 남자가 호탕하게 말했다.

"내가 데려다주겠소! 마침 근처에 가는 길이거든!"

카르탈이 검을 챙기곤 남자의 뒤를 좇았다.

'제너시스, 베아트리체, 힐라리아.'

마치 그의 의지인 것처럼 똑같은 단어들을 속으로 되뇌며.

***

지금 사교계가 주목하고 있는 단 한 사람이 있다면, 단연 힐라리아였다.

그녀는 주목을 끌자마자 기다렸다는 듯이 티파티 초대장을 발송했다. 사교계가 한차례 들썩이는 것은 당연한 수순이었다. 물론 힐라리아는 첼로스테를 시켜 황태후에게도 초대장을 전달하는 것을 잊지 않았다.

힐라리아가 찻잔을 쥐고 홀로 소파에 앉아 입술을 비죽이 올렸다. 첼로스테와 맨드라미 궁 시녀장의 대화는 나비를 통해 바로 옆에서 듣는 것처럼 엿들을 수 있었다. 힐라리아가 고개를 기울이며 테이블 위에 있는 포도를 오물오물 씹었다. 달큼한 즙이 톡하고 터져 나오며 힐라리아의 입 안을 가득 채웠다.

[이것을 황태후 마마께 전해주세요.]

[하? 힐라리아 황비가 직접 오지 자네가 온 건가?]

황궁 사람들 특징인가.

"왜 죄다 자기 주제를 모르는 것 같지?"

힐라리아가 서늘한 목소리로 뇌까렸다. 황태후나, 그녀의 시녀장이나. 그녀가 손가락을 딱하고 맞부딪히자 나비가 보고 있는 장면이 찻잔의 수면 위로 투영되었다.

***

첼로스테가 삐질삐질 흘러나오는 땀을 닦아냈다. 대체 왜, 어째서. 사람들은 힐라리아라는 위험한 짐승을 자꾸 자극하는 걸까? 당장이라도 스틸로즈 궁으로 쫓아갈 것처럼 구는 맨드라미 궁의 시녀장을 보는 첼로스테의 눈에 회한이 서렸다.

'그러지 말지.'

옆에서 보는 첼로스테의 가슴이 벌렁거릴 지경인데.

"기네비어의 공주는 본 데 없이 자란 게 분명하군. 황궁의 가장 큰 어른을 초대하면서 직접 오지도 않다니. 첼로스테, 자네는 주인을 어떻게 모시고 있는 건가?"

그게 억지라는 건 여기 있는 두 사람 모두 알고 있었다. 힐라리아는 스틸로즈의 시녀장을 보내 충분히 황태후에 대한 예의를 갖췄다. 다른 황비들이 일개 시녀가 가져간 초대장을 받은 것과는 확연히 달랐으니까.

'그러지 마세요…….'

첼로스테가 기가 질린 얼굴로 입술을 달싹였다. 왠지 이 대화를 힐라리아가 전부 듣고 있을 것만 같은 불안한 기분이 들었다. 등 뒤에서 힐라리아가 짠하고 나타날 것 같은…….

"그래서 내가 직접 왔네."

"꺅!"

첼로스테가 비명을 내지르며 바닥에 털썩 주저앉았다. 푸른색 드레스를 우아하게 차려입은 힐라리아가 첼로스테 뒤에 서 있었다. 붉은 머리카락을 늘어뜨리고 머리는 드레스와 맞춰 푸른색 깃털로 장식한 힐라리아는 마치 청명한 바람처럼 맨드라미 궁에 불어닥쳤다. 힐라리아가 태연한 얼굴로 다가와 첼로스테에게 손을 내밀었다.

"일어나요, 첼로스테."

첼로스테가 덜덜 떨리는 손을 힐라리아의 손에 포갰다.

'내가 그랬잖아! 어디서든 듣고 있는 것 같다고!'

그녀는 곧장 자신에게 이런 두려움을 심어준 맨드라미 궁의 시녀장, 마리아를 날카로운 눈빛으로 노려보았다. 그렇지만 깜짝 놀란 첼로스테의 눈가엔 물기가 서려 있어 그렇게 무서워 보이진 않았다. 첼로스테가 힐라리아의 손을 잡고 일어나는 장면을 마리아는 허리를 펴고 서서 처음부터 끝까지 지켜보았다.

"케이티는 두고 오셨어요?"

힐라리아가 의뭉스럽게 웃었다. 그녀의 미소에 첼로스테의 팔에는 소름이 돋아났다. 케이티는 절대로 힐라리아를 혼자 둘 사람이 아닌데. 아무리 그녀의 뒤를 살펴도 케이티는 보이지 않았다. 첼로스테가 침을 꿀꺽 삼켰다.

'위, 위험해.'

그녀가 불안한 얼굴을 한 채 마음속으로 케이티를 간절하게 불렀지만, 스틸로즈 궁에서 힐라리아를 찾아 헤매고 있는 케이티에게 들릴 리가 없었다. 케이티는 지금 힐라리아가 곱게 앉아 있었던 그 자리에서 그녀의 찻잔을 붙든 채로 울부짖고 있었다.

[**힐라리아 황비 마마!!! 마마님, 마마님! 들리시잖아요!!**]

모른 척, 힐라리아가 부채를 펼쳐 얼굴을 반절 가린 채로 마리아를 향해 사뿐사뿐 걸었다.

"그대 이름이……?"

"마리아 에이버리입니다, 황비 마마."

"마리아. 기억해두도록 하지. 그대는 참 예의범절에 바른 사람인 것 같아."

힐라리아가 눈을 곱게 접어 웃었다.

"첼로스테에게 하는 이야기는 다 들었네."

"……저는 블라디슬라프에서 가장 오래 종사한 시녀장으로서 첼로스테에게 틀린 점을 지적했을 뿐입니다."

허리를 곧게 펴고 서서 두 손은 아랫배 위에 올린 자세로 마리아가 대답했다. 조금의 흐트러짐도 용납하지 않는 꼬장꼬장한 모습이었다. 힐라리아가 그녀를 위에서 아래로 훑어 내렸다.

"역시 오랜 시간 황궁에서 일해서 그런지 자세가 남달라. 한데 말이야, 마리아 에이버리."

차마 못 보겠는지 첼로스테가 두 손을 맞잡곤 눈을 질끈 감았다.

"오랜 시간 일했기 때문일까? 그대는 천지 분간 못 하고 날뛰고 있다는 사실을 인지하지 못하는 것 같아. 아, 비난하는 건 아니고."

힐라리아가 의아하다는 듯 고개를 갸웃했다. 그녀의 움직임에 따라 붉은 머리카락이 불꽃처럼 일렁이며 움직였다. 그사이 존재하는 바다처럼 푸른 눈은 옅은 웃음기마저 담고 있었다. 하지만, 웃음기 너머로 묻어나는 서늘한 냉기에 마리아 에이버리의 등골이 오싹할 지경이었다.

"그저 생각해보라는 거야. 그대가 첼로스테를 가르칠 만큼의 인성과 품위를 갖추었는지."

"마마님. 저는 틀리지 않았습니다!"

"정말로?"

힐라리아가 부채를 내리며 붉은 입술을 드러냈다. 그녀의 손에 들려 있던 푸른 깃털의 부채가 새파란 바람을 불러일으키는 것만 같았다. 마리아의 입술 끝이 바르르 떨렸다.

"블라디슬라프의 시녀들은 하나같이 오류를 범하더군. 시녀장이, 궁의 주인이 될 수가 있나? 주인의 지위를 마치 자기들 것인 양 훔쳐 쓰기라도 하는 모양이야. 나는 궁에서 태어나 궁에서 자랐지. 그런데도 기네비어의 궁에선 이런 무례를 범하는 시녀들은 한 번도 보지 못했단 말이야."

첼로스테의 심장이 철렁했다. 지금 블라디슬라프 시녀들의 총관리자는 마리아 에이버리였다. 마리아는 그 사실에 엄청난 자부심을 가지고 있는 사람이었다. 그녀의 자부심이 힐라리아 앞에서 유리처럼 부서지는 게 보였다.

"마리아 에이버리. 나는 스틸로즈 궁의 주인 힐라리아 윈프리드지. 내게 걸맞은 예의를 취해주겠어? 그대가 이렇게 천지를 분간하지 못하니 블라디슬라프의 시녀들이 하나같이 이 모양이지. 쯧."

힐라리아는 욕 한마디 하지 않고 마리아를 짓밟았다. 벌겋게 달아올라 부들부들 떠는 마리아 에이버리의 머리 위로 힐라리아의 묵직한 말이 얹어졌다.

"자네가 먼저 제대로 된 예절 교육을 받고 와야겠군. 내가 그대를 위해 기네비어의 시녀장을 초청해줄 수도 있는데. 어때? 그대의 고고한 자존심에 걸맞은 교육을 받아보는 건?"

자존심만 세지 정작 갖추고 있는 예의는 없다는 말로 똑똑히 들렸다. 첼로스테가 힐라리아와 마리아를 번갈아 쳐다보았다. 힐라리아는 지금 이 순간이 유쾌하다는 듯 화사하게 웃고 있었다. 그녀의 말은 틀린 구석이 없었고 귀족의 우아함을 완전히 지킨 채로 마리아를 비난하고 있었다. 마리아의 고개가 천천히 숙여졌다. 초대장을 쥐고 있는 그녀의 손가락이 덜덜 떨렸다.

"죄송합니다, 황비 마마. 제가 아둔하여 그릇된 행동을 했습니다."

"스스로의 잘못을 아는 자는 좀 더 나은 사람이 될 수 있는 법이지."

힐라리아가 접은 부채로 마리아가 들고 있는 초대장을 가리켰다.

"그리고 어느 법도에도 초대장을 파티의 주최자가 직접 가져다주는 사례는 없었는데. 내가 잘못 알고 있는 건가?"

"아닙니다. 그것 또한 제 아둔함이……."

힐라리아의 입술이 벌어지며 꿀이 녹진하게 녹아든 듯 달콤한 목소리가 흘러나왔다.

"황태후 마마께선 아직 황궁의 예법을 다 알지 못하시는 모양이야. 이렇게 시녀장을 가르치신 것을 보니."

마리아는 아무런 대답도 하지 못했다. 힐라리아가 쐐기를 박듯이 덧붙였다.

"황태후 마마께서 반드시 티파티에 참석해주셨으면 좋겠네. 배울 점이 많으신 분 같거든. 내 초대장은 잘 전해드리길 바라지."

힐라리아의 위험한 초대였다.

그녀가 볼일을 마쳤다는 듯이 첼로스테에게로 시선을 돌렸다.

"자, 첼로스테. 이만 가도록 하죠. 차를 마시다가 와서 그런지 목이 말라."

"네, 네, 마마님."

첼로스테가 고개를 떨어질 것처럼 끄덕였다. 힐라리아는 말 몇 마디로 마리아 에이버리와 황태후를 동시에 깔아뭉갰다. 고개를 숙인 채로 덜덜 떨고 있는 마리아 에이버리의 귀 끝이 붉게 달아올라 있었다. 그런데 이상한 건 힐라리아의 곁에 서 있으니 조금도 무섭지 않다는 것이다. 힐라리아가 첼로스테를 힐끗 보고는 말했다.

"첼로스테. 어쩌면 그대는 이 블라디슬라프를 총괄하게 될지도 모르는 사람이에요."

첼로스테가 침을 꿀꺽 삼켰다.

"황후가……."

"이런, 이런. 그런 허망한 꿈이 아니라 나는 현실을 이야기하고 있는 거죠. 내가 얘기했잖아요. 나는 이 궁을 나갈 생각이라고."

"그러면……."

"나를 위해 일해준 사람이니까. 그 정도 보상은 받아도 된다고 생각해. 그대가 고개를 숙여야 하는 건 내 앞에서 뿐이야. 내가 그렇게 만들어줄 테니 다른 사람 앞에선 절대로 지지 마."

힐라리아가 부드럽고 몽롱하게 속삭이며 첼로스테를 힐끗 돌아봤다. 그 눈길엔 아까와는 다른 웃음기가 담겨 있었다. 첼로스테의 동공이 확장되었다. 블라디슬라프의 시녀장. 시녀로 종사해온 이들이라면 한 번쯤은 꿈꿔보는 자리였다. 힐라리아는 그 꿈의 자리를 약속한 것이다.

'힐라리아 황비 마마님은 마음이 제일 예뻐. 정말 착하시거든.'

케이티가 한 말이 무슨 뜻인지 알겠다. 가슴이 벅차올랐다. 첼로스테가 대답할 말을 찾지 못하고 입술을 달싹였다. 굳이 대답을 바란 것은 아니었던 힐라리아가 가볍게 시선을 앞으로 돌렸다.

첼로스테는 힐라리아가 '내 사람'으로 정한 사람이었다. 그래서 마리아에게 말로 얻어터지는 모습을 보기 싫었달까. 거슬림을 눈치채자마자 나비를 이용해 공간을 건너뛰었다. 케이티가 찻잔을 붙든 채로 울부짖는 건, 조금 이따가 달래주면 될 일이니까. 첼로스테가 뒤에서 코를 훌쩍이는 게 들렸다.

'어릴 때의 첼로스테는 마음이 약하군.'

힐라리아가 아는 미래의 첼로스테는 블라디슬라프의 시녀장으로서 대단한 위용을 떨쳤다. 블라디슬라프에 종사하는 시녀들 중에서 그녀를 두려워하지 않는 사람이 없었고 황후마저도 첼로스테를 존중했다.

그녀는 메일린 프로이턴의 시녀장이었다.

'그런데 내게로 왔으니.'

어떻게 미래가 뒤바뀐 건지는 모르겠다. 하지만, 힐라리아가 한 가지 다짐한 것이 있다면…… 그녀라는 변수로 첼로스테가 잃은 것들을 반드시 되찾아주겠다는 것. 힐라리아는 이 궁을 떠나기 전에 첼로스테를 블라디슬라프의 총괄 시녀장으로 만들 생각이었다. 지금은 코를 훌쩍이는 귀여운 시녀에 불과하지만.

***

"밖에서 일어난 소란은 전부 들었어. 마리아."

황태후가 은은한 미소를 내보였다.

"그대가 당한 수모는 내가 당한 것과 다르지 않아. 나는 분명 그대에게 충분한 지위와 권력을 쥐여준 것 같은데 그걸 활용하지 못하고 나를 욕보이다니."

자애로운 목소리였지만, 마리아는 두려움에 질려 있었다. 황태후가 초대장을 손가락으로 툭툭 쳤다. 이것을 얻어내기 위해 직접 황제까지 만나고 왔다. 힐라리아는 정말 겁이 없는 걸까?

'무서운 걸 모르고 날뛰는군.'

마리아 에이버리가 그녀의 사람이라는 걸 알면서도 철저하게 깔아뭉갰다. 황태후의 부드러운 시선 속에 벼려진 날카로운 칼이 마리아를 향해 겨눠졌다.

"마리아. 그대는 지금부터 무슨 일을 해야 할까? 이 건방진 후궁을 길들이기 위해서 말이야."

"……미리 하녀들을 매수해두었습니다."

"힐라리아 황비가 내 교육을 잘 받아들였으면 좋겠군."

황태후가 초대장을 구겨서 물잔에 빠뜨렸다.

검은 잉크가 물속에 번지는 것을 보며 만족스럽게 웃었다.

***

다시 앉아 있던 자리로 돌아온 힐라리아를 케이티가 울상으로 쳐다보았다. 연신 그녀를 이리저리 살피며 발을 동동 굴렀다. 힐라리아의 머리카락 한 올이라도 상했을까 걱정하는 기색이 역력했다.

"제가 잠시 화장실 다녀온 사이에 이러실 수 있는 거예요?"

"내가 뭘?"

"혼자 다니시지 말라니까요!"

"거기에 첼로스테가 있었잖아."

"그래도요. 그래도! 왜 자꾸 이런 일에 손을 담그세요. 첼로스테나 제가 알아서 할 수 있는 일인데."

"내가 하는 게 더 쉬우니까?"

"약속하세요. 혼자 다니시지 않겠다고. 마마님께 무슨 일이라도 생기면 저는……."

이 궁에 에벤에셀을 제외하고는 힐라리아에게 해코지할 수 있는 사람이 없다는 걸 알면서도 케이티는 간절했다.

아니, 어쩌면 케이티는 에벤에셀을 지목해 말하고 있는지도 모른다. 힐라리아가 가볍게 고개를 끄덕였다.

"알았어. 그러니까 그만 징징대."

그녀의 대답을 얻어낸 케이티가 힐라리아의 손바닥에 마석을 왕창 올려 주었다.

"얼른 드세요!"

"착하게 굴다가 왔다고. 정말이야."

"예에, 믿어드릴게요."

케이티가 입술을 삐죽였다. 그녀의 종용에 못 이겨 마석을 포도처럼 집어 먹던 힐라리아가 서늘한 미소를 흘렸다.

[하녀를 매수했습니다.]

힐라리아가 마석을 오도독 씹으며 말했다.

"나는 얌전한 사람인데. 왜 이렇게 못 건드려 안달인지 모르겠어."

"……드시던 거나 드세요. 아무래도 아직 기력이 쇠하신 듯하니……."

힐라리아가 유쾌한 웃음을 터뜨렸다. 시원한 바닷물이 밀려오는 것 같은 웃음이었다. 두 사람을 지켜보던 첼로스테는 이 그림 같은 하루하루를 절대로 잊지 못할 거라는 사실을 깨달았다. 힐라리아는…… 좋은 주인이었다.

***

힐라리아가 나눈 대화는 어김없이 에벤에셀에게도 전달되었다.

[나는 이 궁을 나갈 생각이라고…….]

남들 눈에는 텅 비어 보이는 새장 안엔 힐라리아의 금빛 나비가 구속되어 있었다. 에벤에셀이 얼굴을 손바닥으로 덮었다. 가지런한 손가락 사이로 에벤에셀의 푸른 눈이 얼음 송곳처럼 번뜩였다.

'나간다라.'

대체 누구 마음대로? 에벤에셀이 허락하기 전까지 힐라리아는 절대로 이 궁을 나갈 수 없다. 힐라리아가 그에게 빌기로 약속한 소원의 대가가 출궁이라는 건 알고 있었다. 하지만, 황제의 이혼은 그렇게 쉬운 게 아니라는 사실을 힐라리아는 알아야 할 것 같았다.

특히 황제의 총애를 받고 있다는 소문이 유력한 후궁과의 이혼은. 사람들은 벌써 힐라리아가 낳을 윈프리드 제국의 후계자에 대해서 떠들어대고 있었다. 아무도 힐라리아의 출궁을 찬성하지 않을 것이다.

그의 침대 위에 누워 있던 힐라리아의 흐트러진 모습은 잔상처럼 남아 잊을만하면 눈앞에 떠오르곤 했다. 에벤에셀이 입매를 문질렀다.

'다음번에도 무사히 내 침실을 걸어 나갈 수 있을까?'

힐라리아는 모르겠지만, 아무에게도 곁을 허락하지 않았던 에벤에셀이 다시 한번 동침을 고려하는 순간이었다.

***

힐라리아 윈프리드, 힐라리아 기네비어. 역시 기네비어보다는 윈프리드가 더 어울리는 이름이다.

에벤에셀이 얼굴을 가리고 있던 손을 떼어냈다. 옅은 미소가 머무르는 에벤에셀에게 모두의 시선이 쏠렸다.

"황제 폐하, 그러면 금액은 이 정도로 책정하면 되겠습니까?"

그 말에 곧장 에벤에셀이 서류를 훑었다. 완벽하게 책정된 로마노프 영지 복구 예산안에서 빠진 것이 있다면.

'전염병이요.'

힐라리아의 목소리가 귓가에 남았다.

"……부족합니다. 예산안을 증액하고 복지부에서는 전염병을 대비하도록 하세요."

"예? 전염병이 발병했다는 소식은 아직 듣지 못 했습니다만."

"경. 발병한 후에는 이미 늦지 않겠습니까? 짐은 짐의 신하가 한 발 더 앞서가는 이였으면 좋겠습니다. 자연재해가 발생한 지역에서 전염병이 발병하는 건 자주 있었던 일이니 대비함이 옳지요."

"하지만…… 카밀라 1세께서 도로를 정비하고 위생을 단속하신 이후로 지난 100년간 전염병이 창궐하지 않았습니다."

"그렇다고 해서 전염병의 위험이 아주 사라진 것은 아닙니다. 운이 좋았던 거지."

에벤에셀의 뜻은 확고했다. 복지장관과 재정장관의 눈이 부딪쳤다. 전염병에 관한 일은 복지부의 소관이었다. 재정부에서 얼마의 예산을 더 책정받아야 하는지 계산기를 두드리는 눈이 번뜩이고 있었다.

"그럼 비상 회의는 이쯤에서 마무리하도록 하고. 두 분께서는 황비들과 대담을 가지실 예정이라 들었는데."

에벤에셀이 매번 싸우는 게 일상인 복지장관과 재정장관을 번갈아 쳐다보았다. 벌써부터 이를 드러내고 서로를 향해 으르렁거리고 있던 두 사람이 멈칫했다.

"예, 폐하. 그렇습니다."

"로마노프 지역을 수복하는 일을 전부 힐라리아 황비에게 일임하고자 합니다."

"예?"

복지장관이 자리를 박차고 벌떡 일어났다.

"하지만, 황비 마마께서는 아직 입궁하신 지 얼마 되지도 않으셨고……."

"고작 서류를 검토하고 인가를 내리는 일입니다. 그것도 못할 정도로 짐의 황비가 모자란 것 같습니까?"

에벤에셀이 날카롭게 말했다. 반발이 나오지 않게 밀어붙이기 위함이었다. 이렇게, 에벤에셀은 힐라리아와 한 약속을 지켰다. 그녀의 속셈이 뭔지는 대강 알 것 같다. 아무래도 힐라리아는 로마노프와 제이나를 손에 쥐려 하는 것 같았다. 에벤에셀이 해야 할 일은 힐라리아가 로마노프를 손에 쥐도록 허락하느냐 마느냐였다. 그가 망설이지 않고 힐라리아의 손에 제이나와 로마노프를 쥐여주기로 결정한 건…….

'황제 폐하를 곤란하게 만들지도 모르거든요!'

귀여워서였다. 정말로 귀여워서. 에벤에셀의 보드라운 미소에 세 장관들이 흠칫했다. 서늘하기만 한 사람이 내보인 일말의 다정함이 오히려 두려운 법이다. 에벤에셀의 말에 반박했던 복지 장관이 두 손을 내저으며 부정했다.

"그렇지 않습니다! 기네비어의 공주로 태어나신 분이니 분명 잘 해내실 겁니다!"

다만, 이 사건으로 회의에 참석했던 이들은 에벤에셀이 힐라리아를 총애하고 있다고 여기기 시작했다. 자연재해 수복 같은 일은 명성을 쌓는 데 좋았다. 에벤에셀의 말대로 서류만 검토하고 서명하는 게 전부인 일인데 힐라리아가 주도했다는 것만으로도 백성들은 힐라리아의 이름을 기억하게 될 것이다. 공명정대하고 따뜻한 심성을 가진 황비로. 에벤에셀이 보드랍게 웃었다.

[따분해. 케이티, 이 궁을 나가게 되면 가장 먼저 말을 탈 거야.]

[쉬이. 그런 말씀은 조심하셔야 한다니까요!]

[아무도 안 들어. 흥. 내 루비는 잘 있겠지?]

[그 성질 더러운 말이야 잘 먹고 잘 살고 있겠죠!]

파닥이는 날개 소리와 함께 힐라리아의 목소리가 귓가에 아른거렸다.

'말이라.'

기네비어 사람들은 남녀노소를 막론하고 말을 탈 줄 안다고 듣긴 했었다. 힐라리아와 말이라. 승마바지를 입고 말을 타는 모습은…….

'보고 싶군.'

말을 탄 힐라리아는 개선장군이나 여왕처럼 톡톡 튈 것 같았다. 머리를 높게 묶고 말을 달리는 힐라리아의 모습이 눈앞에 그려지는 듯했다. 생기로 반짝이며 더운 공기를 가르고 시원하게 질주하는 그 모습이 보고 싶어졌다. 에벤에셀의 고민은 짧았다. 그는 행정장관에게 시선을 던졌다.

"어마마마의 생신이 얼마나 남았습니까?"

"이 주 정도 남았습니다."

"파티는 실로테 황비가 주관하는 게 맞습니까?"

"네. 힐라리아 황비 마마께서 입궁하시기 전부터 실로테 황비 마마께서 준비해오셨습니다."

에벤에셀이 의뭉스러운 음성으로 말했다.

"경. 이번엔 색다른 이벤트를 곁들여볼까 합니다. 침체된 황궁에 활기를 불어넣고 싶군요."

힐라리아가 입궁한 이후로 한 번도 침체된 분위기를 보인 적 없었던 황궁이다. 회의에 참석해 있던 반에이크가 실소했다.

"어떤 이벤트 말씀이신지……?"

행정장관의 눈동자가 불안하게 떨렸다.

"경마를 주최해볼까 합니다. 기사들과 귀족, 높게는 황비까지. 누구든 참석할 수 있도록 하여 우승자에게는 짐이 좋은 선물을 내리도록 하지요."

경마라니……. 경마라니! 경마는 귀족들의 전유물로 전시에 성행했었다. 전쟁에 지친 사람들에게 활기를 불어넣기 위해 시행되었던 것으로 우승자에게는 명예와 함께 황제가 내리는 상품이 주어지곤 했다.

'활기라고 말씀하실 때부터 알아봤어야 했어!'

이번엔 행정장관과 재정장관의 눈이 마주쳤다. 두 사람 사이에 번개가 쳤다. 사실 재정장관은 홀로 서 있는 외로운 섬 같은 존재였다. 황실에 무슨 일이 있을 때마다 그는 황실의 재정을 수호하기 위해 홀로 검을 들어야 했다. 그 가운데에서 에벤에셀이 고상한 미소를 지으며 회의의 끝을 알렸다.

"그러면 각자 하실 일들이 많으실 테니, 회의는 이쯤에서 파하도록 하겠습니다."

에벤에셀이 누가 봐도 다정해 보이는 미소를 덧그렸다. 경마. 이번 이벤트가 이 황궁에 어떤 바람을 불고 올지 그도 궁금해졌다.

'힐라리아, 그대는 무슨 반응을 보일까?'

유쾌했다.

***

머리카락을 곱게 틀어 올리고 연하늘색의 드레스를 입은 실로테가 스틸로즈 궁에 방문했다. 힐라리아도 짙푸른 드레스를 입은 덕에 스틸로즈 궁에는 파도가 휘몰아치는 듯했다. 은발의 청초한 미인과 적발의 화려한 미인. 나란히 앉은 두 사람을 보는 것만으로도 속이 시원해지는 것 같았다. 더운 여름의 열기가 한결 가신다고나 할까. 첼로스테와 애쥬라의 눈이 마주쳤다. 뿌듯했다. 말하지 않아도 뜻이 통한 두 사람의 시선이 다시 힐라리아와 실로테에게로 돌아갔다.

"아침 식사는 했나요? 요새는 날이 더워 아침엔 입맛이 돌지 않더군요."

이제는 황제와 아침 식사를 하는 게 익숙해진 힐라리아가 말했다. 물론 오늘 아침에 식사를 제대로 하지 못한 건 숙취와 더불어 그녀를 괴롭게 하는 기억 때문이었지만. 고상한 미소를 마주한 채로 실로테가 고개를 끄덕였다.

"날이 점점 더워지는 것 같긴 해요. 그래서 저는 새로운 드레스를 맞췄답니다. 통기성이 좋은 재질로 만든 드레스가 유행이라던데. 황실의 재단사들도 유행에 민감한 터라 다행이었지요. 황비께서도 새로운 드레스를 맞추셔야 할 텐데요."

"저는 아직 가져온 드레스가 많아서."

힐라리아가 부드럽게 거절했다. 아직도 그녀는 기네비어에서 가져온 드레스를 입고 있었다. 블라디슬라프의 꽃이 수놓아진 드레스를 입을 생각은 없었다. 그것만으로도 황궁의 꽃으로 전락하는 것 같달까. 애초에 후궁들을 꽃에 비유하면서 생긴 문양이라 더 거부감이 생겼다.

"아. 그래도 유행은 빠르게 바뀌니까요."

"제가 유행에 민감한 사람은 아니라서 다행일까요."

힐라리아는 확실히 유행에서 빗겨 간 드레스를 자주 입곤 했다. 하지만, 사람들은 힐라리아가 유행에서 뒤처졌다고 생각하기보다는 그녀가 새로운 유행을 창출한다고 느끼는 것 같았다.

황궁만 해도 그랬다. 황실 재단사들은 힐라리아가 입는 드레스를 흉내 낸 디자인을 하기 시작했다. 그게 전부 힐라리아의 철저한 계산에 의한 일이라는 걸 실로테는 몰랐다. 힐라리아가 부채를 팔락이며 입술을 끌어 올렸다.

'이번 일만 잘 마무리되면 의상실을 하나 사들여야겠어.'

힐라리아의 시선이 스틸로즈 궁의 정원을 가로질러 걸어오는 복지장관과 재정장관에게 향했다. 미리 연락받은 대로 행정장관도 함께였다. 그가 무슨 이야기를 꺼낼지는 이미 짐작하고 있었다. 에벤에셀은 착하게도 힐라리아의 제안을 받아들인 모양이었다.

"자, 이제 본격적으로 이야기를 나눌 시간이군요."

힐라리아의 손짓에 케이티와 첼로스테가 테이블 위를 치웠다. 찻잔과 다과가 올려져 있었던 테이블 위에 잉크병과 깃펜, 양피지들이 놓였다. 힐라리아가 부채를 내려놓고 세 사람을 맞이했다.

바람이 불었다. 하지만, 에벤에셀과 있을 때와는 느낌이 완전히 달랐다. 비장한 표정으로 걸어오는 세 장관 덕분일지도 모른다. 후덥지근하고 더운 바람에 힐라리아의 드레스가 펄럭였다.

"반갑습니다. 나는 힐라리아 윈프리드, 스틸로즈 궁의 주인입니다. 잘 오셨어요."

힐라리아의 매혹적인 붉은 미소에 세 사람이 긴장감으로 침을 삼켰다. 스틸로즈 궁의 내부에는 들어가는 것도 허락받지 못했다. 하늘하늘한 천이 햇볕을 가려주는 정원의 정자가 오늘의 회의 장소였다. 처음에는 힐라리아가 지금 이 회의를 다과회 정도로 생각하나 했는데 그녀의 표정과 자세를 보니 그게 아니라는 걸 절로 알게 되었다.

"만나 뵙게 되어 영광입니다."

"……잘 부탁드립니다, 황비 마마."

"앞으로도 잘 부탁드립니다."

힐라리아에게 시선이 쏠려 뒤늦게야 실로테를 발견한 세 장관이 허둥대며 그녀에게도 인사를 건넸다. 실로테가 미간을 찌푸렸다가 환히 웃으며 그들을 맞이했다. 회의가 시작되었다.

***

"흠."

베아트리체가 반지를 만지작거렸다. 아침부터 진동을 거듭하는 반지의 신호를 따라 여기까지 왔다. 그녀는 지금 반짝이는 대리석이 깔린 고급스러운 건물 앞에 서 있었다. 베이지색 벽돌을 쌓아올려 축조한 건물의 외관은 부드러우면서도 은은한 분위기를 뽐내고 있었다. 그 앞에 놓인 새빨간 우체통이 도드라졌다. 그리고 짙은 체리나무 현판에는 '프로이턴 외교 대사관'이라고 적혀 있었다.

베아트리체가 어색한 미소를 머금었다. 그녀의 손에 들려 있던 흰 양산이 빙그르르 돌았다. 그녀가 가지 못할 곳은 제국에 거의 없다시피 한 편이지만, 이곳은 다르다. 치외법권을 인정받은 외교 대사관이 아니던가. 이 안에서 무슨 일이 일어나든 간에 윈프리드 제국은 관여하지 못한다. 베아트리체가 한 걸음 물러섰다.

"잘못 온 건가."

하지만, 그렇다기엔 반지의 보석 안을 배회하고 있는 작은 금빛 나비가 이곳이 맞다는 듯 날개를 퍼덕이고 있었다. 힐라리아의 정령술이 틀리는 건 본 적이 없었다. 베아트리체가 눈가를 일그러뜨렸다. 윈프리드를 뒤흔들지도 모를 무기밀매에 프로이턴이 관여되어 있다면.

이건……. 청신호일까, 적신호일까.

"힐라리아, 보고 있어?"

금빛 나비가 그렇다고 대답하는 것처럼 날개를 퍼덕였다.

[집으로 돌아가.]

힐라리아의 상냥한 목소리가 나비를 통해 흘러나왔다. 베아트리체는 미련 없이 등을 돌려 타고 온 마차에 올라탔다. 그녀의 역할은 끝났다.

그러나 그사이, 베아트리체는 대사관 건물의 2층 커튼이 펄럭이는 걸 보지 못했다. 벽에 기대 서 있던 인영이 베아트리체의 마차가 떠나기 무섭게 사라졌다. 창틀에는 가면이 가지런히 놓여 있었다. 힐라리아가 경매장에서 본 것과 꼭 닮은 가면이.

***

회의에 임하고 있던 힐라리아의 입술 끝이 흥미로 바르르 떨렸다. 오랜 시간 이어진 회의에도 지치지도 않는지 설전을 벌이는 세 장관을 구경하는 재미가 있었다. 돈을 지키기 위해 안간힘을 쓰는 자와 그것을 뜯어내기 위해 이를 드러내는 자. 힐라리아는 이런 약탈전을 좋아하는 편이었다. 게다가 에벤에셀은 힐라리아를 믿어줬다.

'짐이 어디까지 해줄 수 있을지 알고. 짐은 로맨티시스트입니다, 황비.'

에벤에셀의 말이 머릿속을 빙글빙글 돌았다. 그는 힐라리아가 원했던 대로 로마노프의 홍수를 그녀에게 일임했다. 거기까지가 딱 좋았다. 재정장관이 투덜거리며 한마디를 던지기 전까지.

“돈을 최대한 아껴야 한다 이 말씀입니다. 황제 폐하께서 경마를 하시겠다고 하지 않습니까? 그게 예산이 얼마나 드는 일인지……!”

“올해 예산이 남아돈다는 사실은 행정부 말단도 알아요!”

힐라리아가 눈을 깜빡였다.

‘경마?’

갑자기, 이렇게 난데없이? 대체 왜? 힐라리아의 푸른 시선이 케이티와 첼로스테를 훑었다. 힐라리아의 나비는 단 한 순간도 두 사람을 놓친 적이 없었다. 그러니 두 사람이 누군가에게 힐라리아와 한 대화를 누설했을 리는 없다.

‘그런데 어떻게 에벤에셀이 대화 내용을 아는 거지?’

물론 이건 힐라리아의 괜한 기우일 수도 있다. 하지만, 힐라리아가 말에 대해서 언급하기 무섭게 경마 이야기가 나온 건 그냥 지나칠만한 일은 아닌 것 같았다. 그녀가 보았던 미래에서의 경마는 에벤에셀의 치세 동안 주최된 적이 없었다. 당연히 의심이 생길 수밖에 없는 일이다.

힐라리아가 부채를 펄럭이자 그것이 만들어낸 작은 바람이 살랑거리며 그녀의 머리카락을 흔들었다. 낮말은 새가 듣고 밤말은 쥐가 듣는다더니. 힐라리아가 작게 혀를 찼다. 아무리 조심해도 어떤 경로로든 힐라리아의 일상이 흘러나가고 있었다. 힐라리아가 못마땅한 표정을 하자 대화를 나누고 있던 세 장관의 심장이 철렁 내려앉았다.

“경마가……. 아니, 말을 안 좋아하십니까?”

“물론 귀족 영애들 중에는 말 냄새를 안 좋아하시는 분들이 많지요. 그러실 수 있습니다. 혹여 원하지 않으신다면 황제 폐하께 말씀을 올려서…….”

힐라리아가 고개를 가볍게 저었다.

“아니에요. 그저 잠시 의아해서. 경마는 150년 전 이후로 폐지되다시피 한 걸로 알고 있는데. 갑자기 무슨 연유로 경마를 주최하신다는 건지 궁금할 뿐이에요.”

“황궁에 새로운 전환점이 필요하다고 생각하시는 것 같습니다.”

“새로운 전환점?”

“날이 덥다보니 황비 마마님들도 그렇고 귀족들도 그렇고 축축 처진 분위기라서…….”

행정장관이 힐라리아의 기분을 살폈다. 실로테는 그저 이 상황에 관심이 없는 듯 서류를 유심히 넘겨보고 있을 뿐이었다.

“아하. 그렇다면 황비인 저도 참가할 수 있다는 말씀이시군요?”

“예. 누구든……. 우승하는 자는 황제께서 내리시는 포상을 받으실 수 있습니다.”

“그러면 말이 필요하겠군요.”

“……참여를 원하는 후궁이 있다면 황제께서 직접 말을 보내주시겠다고 하셨습니다.”

힐라리아가 헛웃음을 지었다. 후궁 내에서 경마에 참가할 수 있는 사람은 오직 힐라리아 한 명뿐일 것이다. 수도에 기거하는 대부분의 귀족 영애들의 교양 수업에 승마는 없었다. 설사 말을 탈 줄 알더라도 경마에 직접 참가할 만큼 말을 빠르고 정확하게 다루진 못할 것이다.

결국 저 말은 힐라리아에게 에벤에셀이, 또 다른 선물을 하겠다는 말과 일맥상통했다. 힐라리아가 혀를 작게 차고는 부채로 손바닥을 탁 쳤다. 부채에 달린 푸른 깃털이 부드럽게 흔들렸다.

“그 말을 받아보고 싶군요. 저는 참가하겠어요.”

힐라리아가 가장 먼저 출사표를 던졌다.

‘의도가 뭔지는 모르겠지만.’

오랜만에 바람을 가르며 말을 탈 생각에 기분이 고취되었다. 당당하게 승리를 거머쥐고 얼빠진 귀족들의 얼굴을 구경해주리라. 힐라리아의 붉은 머리카락이 어깨 위에서 넘실거렸다. 그녀는 마치 황궁에 몰려온 폭풍우 같았다. 푸르게 일렁이는 해일 같기도 했다. 뭐가 됐든 항상 이 황궁에 새로운 바람을 불러일으켰다. 행정장관이 어색한 미소를 지으며 힐라리아를 응시했다.

"말을…… 타실 줄 아십니까?"

"나는 기네비어니까요."

"하지만, 다른 마마님들은 모두 참가하지 못 하실 텐데 함께 다과나 나누시는 건 어떠실까요?"

행정장관의 권고에 힐라리아가 서늘한 미소를 머금었다.

"내가 말을 타게 되면 문제가 되는 건가요?"

"그게 아니라……. 아닙니다. 여태껏 경마에 여성분이 참가하신 것은 붉은 여왕께서 건재하셨던 300년 전 이후로 처음이라 제가 무례했습니다."

경마가 성행했던 것은 200년 전부터 약 50년간이었지만, 경마가 처음 시작된 것은 300년 전이었다. 그리고 300년 전에 항상 우승했던 건 붉은 여왕이었다.

"그러면 300년 만에 제가 처음이 되겠군요. 게다가 저는 붉은 여왕처럼 경마에서 우승할 생각이랍니다. 황제 폐하께 말을 청해주세요."

힐라리아의 호쾌한 말에 세 장관이 어색한 미소를 지었다.

'절대 내가 이길 거라고는 생각 안 하는군.'

기네비어의 저력도 모르고. 걸음마 때부터 승마를 배워온 기네비어의 공주를 너무 우습게 보는 거지. 검에는 소질이 없어 제대로 배우지 못했지만, 승마에는 뛰어난 두각을 나타내며 기네비어 공국에서 개최한 경마에서 심심찮게 우승을 거머쥐었다. 고작 수도의 허약한 남자들을 이기지 못할 이유가 없지.

'황제에게 무엇을 달라 할까.'

그리고 황제는 무엇을 내어줄 수 있을까. 힐라리아가 하기 나름이라고 했었던 그의 말이 떠올랐다. 그녀가 원하는 무엇이든 해줄 수 있다고. 하지만, 해주겠다는 단언은 아니었으니 황제는 힐라리아의 바람을 거절할 수 있다.

그렇다면 황제가 쉽게 들어주지 않을만한 걸 빌어야 하는데.

힐라리아가 부드럽게 웃는 모습을 보며 행정장관이 작은 목소리로 대답했다.

“예, 마마님.”

힐라리아가 찻잔을 딸깍 소리 나게 내려놓았다.

“실로테. 당신도 경마에 참가하는 건 어떨까요?”

힐라리아가 얌전히 찻잔을 쥐고 있던 실로테에게로 화두를 돌렸다. 실로테가 눈을 동그랗게 떴다. 갑자기 나는 왜? 어리둥절한 얼굴에 힐라리아가 생긋 웃었다. 혹시나, 다른 황비들 가운데 말을 탈 줄 아는 사람이 있나 궁금했다. 이건 하나의 확인 과정이었다.

“고마운 제안이지만, 저는 말을 타지 못합니다. 허벅지 근육이 연약해 말을 탔다가는 한 달을 앓아누울지도 모르지요.”

“그러면 다른 황비들도 전부 말을 다룰 줄 모르는 건가요?”

“제이나 황비가 말을 다룰 줄 안답니다. 해안가를 따라 말을 달리는 게 유일한 취미였다고 들은 적이 있어요.”

하나씩 맞아 들어가고 있었다. 제이나는 확실히 검과 말을 다룰 줄 안다. 로마노프의 기질을 그대로 이어받은 것이다. 그동안 나비가 전해주는 이야기를 아무리 염탐해도 검이나 말에 대한 건 조금도 들을 수가 없었다.

‘베아트리체에게 서두르라고 해야겠군.’

제이나를 먼저 그녀의 편으로 끌어들이고 로마노프에 빚을 지운 다음 날개를 달아주는 거다. 그동안 황태후와 황제 사이에서 저울질을 하며 있는 듯 없는 듯 살았던 제이나에게.

힐라리아가 본 미래에서 제이나는 말을 달리고 검을 들었다. 황제가 자리를 비운 황궁을 탈주해 완연한 기사가 된 것이다. 하지만, 체계적인 훈련을 받지 못한 듯 엉성하던 그녀는 전쟁 초반에 목숨을 잃고 만다. 그래서 언제부터 검과 말을 다룰 줄 알았는지 궁금했는데…….

'싹이 좋았단 말이지?'

그녀가 큰 공을 세우진 못 했지만, 그 기개는 높이 살만하니 잘만 이끌어 주면 큰 저력이 될 것이다.

힐라리아가 눈을 빛냈다. 이번 경마의 우승 선물로 황제에게 무엇을 받아낼지 결정했다.

"실로테 황비."

힐라리아가 끈적하고 달콤한 목소리로 실로테를 불렀다.

"네?"

"제이나 황비를 초대해야겠어요."

중립을 표방하고 있는 로마노프, 재능을 가지고 있는 제이나 황비. 둘 다 먹음직스러운 만찬 아닌가.

힐라리아의 표정을 본 실로테가 소름이 돋은 팔을 문질렀다. 대체 그 얌전한 사람을 무슨 이유로? 실로테가 얼른 부채를 펼쳤다. 그리곤 그들의 대화에 관심을 가지고 지켜보는 세 장관에게 들리지 않을 작은 목소리로 속삭였다.

"혹, 제이나 황비가 무슨 실수라도……. 착한 이입니다. 우유부단하긴 하지만……."

힐라리아도 부채로 입술을 가렸다.

"애벌레도 자라서 고치를 만들고 나비가 되는 법이죠. 이제 고치를 벗을 때도 되지 않았나요? 우리 나이 때에는 보통 독립을 하기 마련이니."

"무슨 뜻이죠?"

"좋은 뜻이에요, 실로테 황비."

힐라리아가 고개를 갸웃하고는 생긋 웃었다.

"겁먹지 말아요."

푸른 눈이 불꽃을 담은 것처럼 일렁였다. 실로테가 침을 꿀꺽 삼켰다.

'도망치라고 해야 하나.'

심히 고민이 깊어지는 순간이었다.

***

그 시각, 베아트리체는 난데없는 손님을 맞이하는 중이었다. 다짜고짜 그녀를 만나야 한다고 우기는 사람이 있다길래 호기심이 일어 나와본 참이었다. 얼마나 길을 헤맨 것인지 꾀죄죄한 소년이 멍한 눈빛을 한 채로 베아트리체를 보고 있었다.

"어디서 왔지?"

"기네비어 공국에 계신 형님께서 심부름을 보내셔서 왔습니다."

베아트리체가 주변을 둘러보고는 소년의 팔목을 움켜쥐었다. 17살의 소년보다 훨씬 작은 베아트리체의 악력에 소년이 눈을 크게 떴다.

"앞으로 기네비어라는 말은 함부로 입에 담지 마. 알았어?"

"……예."

카르탈이 고개를 끄덕였다. 의문은 갖지 않는다. 그의 목덜미에 자리 잡은 푸른 나비가 새파랗게 빛났다. 베아트리체가 나비의 기운을 확인하고는 숨을 짧게 들이켰다.

'헬레나미아!'

기네비어 공국에서 왔다고 했을 때부터 정령술이 개입했음은 예상했지만, 헬레나미아가 직접 나서다니. 헬레나미아는 지금 현존하는 모든 마녀의 왕이었다. 그런 그녀의 강대한 푸른 힘에 베아트리체가 침을 꿀꺽 삼켰다. 힘의 잔재를 느낀 베아트리체의 어머니도 저택 안에서 밖으로 나오고 있었다.

"헬레나미아!"

"아니에요, 어머니."

베아트리체가 빠르게 고개를 저었다. 제너시스 후작 부인이 기네비어 출신이라는 건 아무도 모른다. 기네비어 공국의 왕가가 북부인의 특성을 이어받아 흰 피부를 지닌 덕에 후작 부인 또한 눈처럼 하얀 피부를 가졌다. 제너시스 후작 부인은 평민 출신이라고 알려져 있지만, 사실은 기네비어의 두 번째 공주였다. 허약하고 여리게 태어난.

보호받으며 자라 바깥에 대한 호기심이 강했던 그녀는 아무도 몰래 기네비어 밖을 유람하다가 제너시스 후작을 만났고 결국 여기까지 오게 된 것이다. 힐라리아와 베아트리체는 사적으로는 사촌 관계였다. 크리스티나 제너시스 후작 부인이 휘청이는 걸 베아트리체가 얼른 부축했다.

"어머니, 조심하셔야 한다니까요."

크리스티나가 중심을 잡아 바로 서고 나서야 베아트리체가 다시 카르탈에게 시선을 돌렸다.

"들어와."

베아트리체가 크리스티나를 부축해선 안으로 들어갔다. 베아트리체가 그를 안내한 곳은 후작 부인의 응접실이었다. 후작 부인의 명으로 주변 반경을 비웠다. 거기에 더해 크리스티나의 미약한 정령술로 주변에 소리가 새어나가지 않도록 막았다.

"이리 손을 줘볼래?"

자리에 앉기 무섭게 크리스티나가 카르탈에게 손을 내밀었다. 카르탈이 새하얗고 작은 크리스티나의 손을 보고는 망설였다. 그의 꾀죄죄한 손을 얹기에는 너무 미안할 정도였다.

"괜찮으니 얼른."

크리스티나의 재촉에 카르탈이 천천히 손을 얹었다. 파드드득! 크리스티나의 기운에 감응한 헬레나미아의 나비가 날아올랐다. 끈 떨어진 인형처럼 고개를 푹 숙인 카르탈을 숙주 삼아 거대한 날개를 펼친 나비가 천장을 뒤덮었다.

"헬레나미아……."

[제 이름은 일리입니다. 헬레나미아 님께서 보내셔서 이렇게 크리스티나 님을 뵙습니다.]

크리스티나의 둥근 뺨을 따라 눈물이 주룩 흘러내렸다.

"헬레나미아는 잘 지내는 거지?"

[잘 지내고 계시니 걱정하지 않으셔도 된다고 전하셨습니다.]

"그래, 그래. 다행이구나."

크리스티나가 고개를 끄덕였다. 잠시 손바닥에 얼굴을 묻고 감정을 추스른 크리스티나가 심호흡을 했다. 다시 일리를 마주한 채로 물었다.

"저 소년은 누구지?"

[카르탈 세바스찬. 세바스찬의 마지막 핏줄입니다. 힐라리아 님께서 카르탈 세바스찬이 가지고 있는 위험성을 눈여겨보시고 기네비어로 들이셨습니다. 헬레나미아 님은 카르탈 세바스찬이 힐라리아 님의 곁을 지키길 바라십니다.]

"이 허약한 앨 뭐로 쓰라고?"

베아트리체가 투덜거렸다. 기네비어의 왕자들 틈에 둘러싸여 자란 힐라리아가 저 소년을 보고 참도 안심하겠다 싶었다. 베아트리체의 타박에도 일리는 끄떡도 하지 않았다.

[허약한 대로 쓸모가 있을 것입니다. 하지만, 세바스찬의 신분으로는 절대로 황궁의 턱을 넘지 못할 것이니 새로운 이름을 부여하셨습니다. 그게 바로 '일리'입니다. 베아트리체 님께 부탁드린다고 말씀하셨습니다.]

"……내가?"

아, 이모님. 베아트리체가 이마를 짚었다. 이럴 때 보면 헬레나미아랑 힐라리아랑 똑 닮았다.

"저 앨 힐라리아에게 데려다주기만 하면 되는 거지?"

[새로운 신분도요.]

"아하."

결국 힘든 일은 전부 베아트리체의 몫이 된 것이다. 헬레나미아의 모든 전언을 마친 일리가 덩치를 줄였다. 일반 나비처럼 작아진 일리가 파드득 날아 허공을 배회하다 크리스티나의 어깨에 내려앉았다.

"헬레나미아……?"

나비가 날갯짓을 할 때마다 푸른빛의 가루가 크리스티나에게로 스며들었다. 지치고 무거웠던 몸이 한층 가벼워지는 기분이었다.

[**헬레나미아 님께서 전하라 하신 축복입니다. 건강을 기원하셨습니다.**]

크리스티나의 커다란 눈동자에 눈물이 어른어른 어렸다.

"고맙다고……. 보고 싶다고 전해줄 수 있겠니?"

나비가 수긍하듯이 날개를 퍼덕였다. 헬레나미아는 크리스티나를 살리기 위해 자신의 힘을 반절가량 내놓았다. 세상 빛을 보지 못할뻔했던 베아트리체가 태어날 수 있었던 건 전부 헬레나미아 덕택이었다. 크리스티나가 입술을 꾹 깨물었다. 울컥하고 눈물이 흐르는 것을 참지 못한 그녀를 베아트리체가 끌어안았다. 일리가 다시 카르탈의 목덜미로 스미려는 찰나, 다정하면서도 강인한 목소리가 가는 바람이 되어 크리스티나를 스쳐 지나갔다.

[**울지 마, 바보야.**]

크리스티나가 결국 울음을 터뜨렸다.

'바보는 자기면서.'

***

세 장관과 실로테가 돌아간 정원에는 힐라리아 홀로 남았다. 차게 식은 채로 남은 찻잔들과 싹 비어버린 찻잔을 보는 힐라리아의 눈이 서늘했다. 텅 빈 찻잔은 실로테의 몫이고 반쯤 차 있는 찻잔들은 세 장관의 찻잔이었다.

'고지식한 공직자들 같으니.'

힐라리아가 옅게 혀를 찼다. 여전히 어디에 줄을 서야 할지 눈치를 보는 꼬락서니가 거슬렸다. 어차피 두 달도 지나지 않아 힐라리아의 아래로 기어들어올 게 뻔한 치들이. 힐라리아가 뒤쪽을 향해 손짓했다.

"오늘 저녁 식사에 제이나 황비를 초대할까 하는데."

"……왜 자꾸 위험한 일을 벌이시는 것 같을까요."

"이런, 케이티……."

"예, 죄송합니다. 저는 힐라리아 황비 마마님을 항상 믿고 있지요."

힐라리아가 피식 웃으며 첼로스테에게 말했다.

"물론, 제이나 황비와는 아직 어색한 사이이니 다른 황비도 초대할까 하는데."

"올리비아 황비 마마님께서는 아직 출궁 중이십니다."

"그러면 실로테 황비라도 초대해야겠군요. 케이티, 주방에 가서 오늘 있을 저녁 만찬에 대해서 알리도록 해. 첼로스테, 실로테 황비와 제이나 황비를 초대해줘요."

"네, 황비 마마."

"네!"

두 사람이 물러가고 힐라리아가 녹음이 우거진 정원을 둘러보았다. 그녀의 푸른 눈에 그만큼 푸른 하늘이 담겼다. 표류하는 구름을 보고 있자니 요새 자꾸 그녀의 생각을 파고드는 얼굴이 자연스럽게 떠올랐다.

'에벤에셀.'

속 모르고 위험한, 그렇기에 더 매혹적인 황제. 탄식이 절로 나왔다. 아……. 이렇게 위험해지기 전에 죽였어야 했다.

***

크리스티나를 진정시켜 방 안에 눕힌 베아트리체가 어깨를 통통 두드리며 침실을 나섰다. 응접실에 남겨두었던 카르탈, 아니. 일리가 그녀의 뒤를 졸졸 쫓아왔다.

"이모님……."

제멋대로 구는 힐라리아를 돌보는 것도 벅찬데 아무것도 모르는 똥강아지 하나를 더 떠맡았다. 고개를 갸웃하는 청년의 허리춤에는 엉성한 검이 매어져 있었다.

"일단 검부터 준비해야겠구나."

베아트리체가 한숨 섞인 목소리로 중얼거렸다. 그런 그녀를 재촉하듯 나비 한 마리가 허공에서 퐁하고 나타났다. 금빛 날개를 퍼덕이던 나비가 베아트리체의 머리카락 위에 살포시 내려앉았다.

"왜."

[최대한 빨리 검을 가져와. 준비는 된 거야?]

"내일 아침에 갈게. 네게 전해줘야 할 게 많은 것 같거든."

베아트리체의 시선이 다시 멍한 눈으로 바뀐 일리를 향했다. 일단 깔끔하게 겉모습부터 치장하고 쓸만한 검을 마련해 들려 보내야 한다. 게다가.

'새로운 신분이라.'

가장 무난한 건 친인척 관계인데……. 제너시스 후작가엔 현재 이렇다 할 친인척이 없었다. 베아트리체가 턱을 문지르며 잠시 고민에 빠졌다.

"흐음……."

호위 기사라기엔 너무 어리고 시종이라기엔 몸이 단단하다. 하인으로 쓰기엔 곱상한 얼굴이지. 그렇다고…….

"아!"

베아트리체가 악동 같은 미소를 지었다. 가장 적당한 신분을 찾았다.

예로부터 황궁의 여자들은 밤 시중을 들어주는 노예를 하나씩 들이곤 했다. 지금도 그 관습은 없어지지 않았고 은밀한 형태로 유지되고 있었다. 황태후마저도 외로움을 달래기 위해 생식 능력을 박탈한 곱상한 정부를 데리고 있었다.

'아주 적당한데.'

힐라리아가 황궁의 관습 중에 가장 싫어했던 게 정부였다. 하지만, 가장 적당한 속임수 아니던가. 일리의 힘으로 화사한 금발과 녹안으로 바뀌고 나니 곱상한 면모가 더 두드러졌다. 더구나 소년이었던 카르탈은 이제, 누가 봐도 스무 살 청년의 모습으로 보였다. 일리의 힘은 아주 대단했다. 베아트리체가 까르르 웃음을 터뜨리며 다시 한번 생각했다.

'아주, 적당해.'

그리고 속 모를 황제를 자극하기에도 좋은 방법이었다.

뭐. 그에 대한 대가는 힐라리아가 치를 테지만.

"깔깔깔깔!"

왠지, 즐거워졌다.

***

힐라리아가 두 황비를 초대했다는 소식은 에벤에셀에게도 전해졌다. 지금 황궁에서 가장 핫한 힐라리아와 그녀와의 기 싸움에서 패배했다는 실로테, 마지막으로 있는 듯 없는 듯 얌전한 제이나까지. 세 사람의 화합은 초대장이 전해진 지 30분 만에 황궁의 뜨거운 감자로 떠올랐다.

"힐라리아 황비 마마님이 실로테 황비 마마님을 초대했다며?"

"제이나 황비 마마님도 간다던데?"

"허……. 드래곤과 와이번의 싸움에 가련한 사슴 한 마리가 끼어들었군."

"지금 사용인들끼리 모여서 내기를 한다던데. 자네도 할 테야?"

"무슨 내기?"

"제이나 황비가 그곳에서 웃으며 나올지, 울면서 나올지. 대다수의 사람들이 울면서 나온다에 걸었다는군."

"그 점잖으신 분이 우시기야 하겠어?"
"아, 말이 그렇다는 거지. 아무튼 둘 중 하나야. 내기하겠어?"
그런 식으로 그들의 만찬을 두고 한바탕 내기가 황궁 구석구석에 퍼져나가고 있으니 어디든 귀를 열어두고 있는 에벤에셀이 듣지 못했을 리가 없었다. 시종들이 전해주고 간 이야기를 들은 에벤에셀의 입가에 가느다란 미소가 맺혔다.
"힐."
다른 사람의 시선엔 텅 비어 보이는 얼음 새장 안을 노닐던 금빛 나비가 날개를 파르르 떨었다.
"네 주인은 아직도 짐을 '아무나' 취급을 하는구나."
나비가 절대 그렇지 않다는 듯이 날개를 빠르게 파닥였다. 허튼짓을 당하지 않기 위해 나름 필사적이었다. 그래봐야 불꽃이 되어 도로 힐라리아에게 흡수되는 것뿐이지만, 정령의 모습을 하고 있는 지금이 훨씬 좋았다.
"힐, 네가 보기에도 짐이 아무난가?"
에벤에셀이 입매를 문질렀다. 힐라리아는 누구나 들이는 스틸로즈 궁에 그만은 들이지 않고 있었다. 가장 좋은 궁, 가장 좋은 것만 내렸는데 그를 '아무나'로 규정짓고……. 그 궁은 에벤에셀이 힐라리아를 위해 아껴두었다가 내린 것이었는데 말이다.
'그래서 더 깜찍하긴 하지만.'
굳이 넘지 않아도 될 후궁의 문턱이라지만, 이상하게 오기가 든달까. 그의 기색을 읽은 힐이 재빨리 빙글빙글 돌았다.
"그렇다면 힐라리아도 짐이 오늘 저녁 만찬에 참여하면 기뻐할까?"
1초. 힐이 멈춘 시간이었다. 하지만, 날개를 얼리는 냉기에 질려 재빨리 긍정을 표시했다. 힐라리아는 에벤에셀이 참석한다는 의사를 표하면 그다지 좋아할 것 같진 않았지만 일단 정령이라도 살고 봐야 하지 않겠는가.
"분명 부끄러워서 짐을 초대하지 못하는 걸 거야. 그렇지?"

에벤에셀의 냉기 가득한 손가락이 새장을 훑고 지나갔다. 부끄러워서? 힐이 모른 척 최선을 다해 날개를 파닥였다.

"초대는 못 하고 있지만, 짐이 가주길 기다리고 있을지도 모르지. 귀여운 황비는 부끄러움이 많으니."

수많은 나비들 중에 하필이면 왜 자기였을까. 분명 힐라리아의 말도 잘 듣고 심부름도 잘 하는 착한 정령이었는데. 힐의 속내를 알 리 없는 에벤에셀이 새장에서 손을 떼어냈다. 허공에 얼어붙은 것처럼 멈춰 있던 나비가 천천히 움직임을 시작했다.

힐라리아의 나비는 연약했다. 필요할 땐 식인도 서슴지 않는 나비에게 붙을 수식어는 아니었지만 에벤에셀은 개의치 않았다. 힐라리아의 나비는 툭 치면 부서질 것처럼 연약했다. 힐라리아처럼. 그럼에도 생을 모두 불태워 뛰어드는 열정은 사소하고 하찮으며…… 아름답다.

에벤에셀이 마른입을 물로 적셨다. 힐라리아는 푸른 녹음을 태울 뜨거운 불처럼 타오르다가도 새파란 파도처럼 일렁이며 사람을 홀리려든다. 헷갈리게. 힐라리아는 어쩌자고 그리도 반짝여서……. 계획적으로 흘러가던 에벤에셀의 삶에 나타난 단 하나의 변수였다. 힐라리아가 입궁하던 그때까진 조금도 고려치 않았던 변수.

기네비어가 공주를 내놓지 않는다면 기네비어를 전쟁의 희생양으로 삼으려 했다. 사람을 믿지 않는 그에게 결혼은 가장 부드럽고 다정한 방법으로 인질을 억류하는 수단이었다. 기네비어가 필요했으니 그들에게 가장 귀한 사람을 훔친 것이다.

만약, 기네비어에 아들밖에 없었다면 어떤 오명이라도 각오하고 그를 황비로 들였을지도 모른다.

햇살 아래에서 물고기의 비늘처럼 반짝이던 힐라리아의 눈동자와 귀여운 말들을 재잘대던 붉은 입술, 뽀얀 뺨을 간지럽히던 붉고 곱슬곱슬한 머리카락, 코가 간지러운지 작게 찡긋하던 콧잔등과 찻잔을 쓸던 손가락. 그런 사소한 것들이 잔상처럼 남아 있었다. 아직은. 그래, 아직은 그에게 그 어떤 무게도 되지 못하지만. 지금은 단지 힐라리아가 궁금할 뿐이다.

"힐, 네가 생각하기에도 그렇다니……."

에벤에셀이 배부른 고양이처럼 나른한 표정으로 속삭였다.

"짐이 가봐야겠어."

힐이 힘없이 자리에 앉았다. 기력이 쪽 빨린 모습으로.

***

그런 이유로 저녁 만찬은 네 사람이 함께하게 되었다. 저녁 만찬을 시작하려던 순간에 갑작스럽게 들이닥친 황제를 힐라리아는 차마 거절하지 못했다. 멍하니 상황 파악 못 하던 사람들의 시선은 황제가 한 아름 안고 들어온 꽃다발에 쏠려 있었다.

"즐거운 만찬 자리가 있다 해서."

"그래도 오셔도 되는 자리는 아니었는데."

"그래서 이렇게 테이블 위를 장식한 꽃이라도 되려고 왔습니다, 황비."

힐라리아가 입술을 꾹 깨물었다. 이렇게 사람이 많은 곳에서 황제를 배척하는 건 그녀에게 마이너스로 작용할 게 뻔했다. 힐라리아가 바들바들 떨리는 손으로 에벤에셀이 내미는 꽃을 받아들었다. 에벤에셀의 품에 안겨 있던 꽃은 생기를 받아 반짝…….

'반짝?'

힐라리아가 고개를 번쩍 치켜들었다. 마냥 부드럽게 웃고 있는 줄로만 알았더니…… 이제 보니 위협적이지 않은가. 생생하게 살아 있던 꽃잎이 살짝 얼어 있는 것으로도 그 의도는 충분했다. 덕분에 꽃은 옅은 빛을 받아 더욱 반짝이고 있었다. 손가락을 시리게 하는 냉기는 그대로 힐라리아에게 스며들었다.

"자리를…… 내어드리지요."

힐라리아가 이를 갈았다. 이번엔 진심인데, 기회가 된다면 에벤에셀을 무릎 꿇리고야 말겠다. 명백한 힘의 우위에 밀려 힐라리아가 푸르게 물든 손끝에 열기를 불어넣었다.

"감사합니다, 황비. 혹여나 불청객이 될까 걱정하였는데."

에벤에셀이 힐라리아를 스쳐 지나갔다.

"그건 선물인데 마음에 안 드나 봅니다."

그의 긴 눈초리가 힐라리아에게 닿았다가 떨어졌다.

'선물이라고, 이게?'

힐라리아가 헛웃음을 지었다. 황제는 자신이 꽃이 되겠다고 했다. 그렇다면 황제는 지금 꽃이 아니라 스스로를 선물한 셈이 된다. 게다가 꽃에 그의 기운까지 듬뿍 담겨 있었으니.

'대체 이건 무슨 귀여운 짓일까.'

힐라리아가 짜증스러운 표정으로 케이티를 손짓해 불렀다.

"왜, 왜 그러세요……. 얼른 웃으세요, 얼른!"

다른 사람은 못 보는 각도라서 다행인 줄 알면서 케이티가 힐라리아를 재촉했다. 연이은 재촉에도 힐라리아의 입술은 바르르 떨릴 뿐 휘어지지 않았다. 케이티가 울상을 지었다.

"황비 마마!"

"쉬이."

힐라리아가 옅게 속삭이며 다시 표정을 가다듬었다. 던지다시피 케이티에게 꽃다발을 건네준 힐라리아가 산뜻하게 몸을 돌렸다. 제이나 황비, 실로테 황비, 마지막으로 에벤에셀까지. 모두의 시선이 그녀에게 향해 있었다.

"만찬 테이블을 장식할 꽃도 도착했으니 그럼 식사를 시작해보도록 할까요? 기네비어에서 자주 먹었던 음식도 준비하라고 일렀는데. 다들 입맛에 맞으셨으면 좋겠군요."

힐라리아까지 착석하자 요리가 나오기 시작했다. 힐라리아가 준비한 스틸로즈 궁에서의 첫 만찬은 고소한 고깃국으로 시작되었다. 한 뿌리에서 시작되었다지만, 기네비어는 초원과 황무지가 적절히 섞인 땅이었기에 자주 해먹는 음식이 약간 달랐다. 다행히 이 자리에 모인 황궁 사람들은 가리지 않고 잘 먹었다. 하지만…….

실로테가 테이블을 둘러보았다. 기네비어 식으로 담백하게 끓인 고깃국이 입맛을 돋우었지만, 분위기는 한껏 침체되어 있었다. 아무리 봐도…….

'살풍경해.'

대체 이 조합은 어쩌다……. 물 마시는 소리, 고기를 써는 소리, 먹는 소리. 모든 소리가 한데 뒤엉켜 있는데도 숨소리마저 크게 들렸다. 실로테가 체할 것 같다는 생각을 하며 억지로 고깃국을 한 입 떠먹었다.

"야, 약간 부족한 것 같은데."

먼저 말문을 튼 건 이 분위기를 이기지 못한 실로테였다. 얹힌 것 같은 속을 달래기 위해 시큼한 와인이라도 마셔야 할 것 같았다. 별생각 없이 가져온 와인이었지만 지금 이 순간을 타개해주길 바랄 뿐이었다. 그녀의 손짓에 첼로스테가 미리 준비해둔 와인을 가져왔다.

"저녁 만찬이라고 해서 준비해봤는데, 30년 전에 저희 영지에서 만들어진 와인입니다. 산미가 강하지만, 단맛이 돌아 오늘 만찬에 퍽 어울릴듯합니다."

"그럼…… 저도 한잔."

분위기에 주눅 들어 있던 제이나가 가장 먼저 손을 들었다.

"그럼 짐도 한잔하도록 하지."

사람들의 시선이 힐라리아를 향했다.

"……그럼 주최자인 제가 빠질 순 없지요."

찰랑- 검붉은 액체가 투명한 잔을 반절가량 채웠다. 힐라리아가 손가락끝으로 와인잔을 훑었다. 입 안을 감도는 와인의 향이 코를 찔렀다. 실로테의 말대로 언짢던 속이 가라앉았다. 마치 꽃향기가 나는 것 같기도 했다.

"힐라리아 황비께서 이런 자리를 마련해주시니……. 월요일 저녁이 심심하진 않군요."

"실로테 황비의 말씀대로예요. 지금쯤이라면 혼자 책이나 읽으며 시간을 보내고 있었을 거예요."

힐라리아가 작게 웃으며 제이나에게로 시선을 돌렸다.

"제이나 황비. 이번에 경마가 열린다는 소식은 들었나요?"

"예. 황비께서 참가하신다는 소식도 들었지요. 재능이 많으신 것 같아 부럽습니다."

제이나가 유한 미소를 지으며 말했다. 그것을 물끄러미 보던 힐라리아가 고고한 자세로 앉아 우아한 어투로 불씨를 던졌다.

"제이나 황비께서도 참석하시는 건? 듣기로는 말을 다룰 줄 아신다고 들었습니다."

제이나가 실로테를 힐끗 보고는 입술을 꾹 물었다. 그녀의 볼이 술기운 때문인지 아니면 다른 이유 때문인지 붉게 달아올랐다. 잠시간의 망설임 끝에 제이나가 고개를 저었다.

"아닙니다, 저는……. 경마에 참가할 실력은 되지 않습니다. 게다가 로마노프에 홍수가 났으니, 저는 자중하는 게 좋을 것 같습니다."

"이런, 이런."

힐라리아의 낮은 뇌까림에 첼로스테와 케이티가 흠칫하며 뒤로 물러섰다.

"홍수는 수습하면 그만이지요, 제이나 황비. 홍수가 크게 났다고는 하나 다행히 인명 피해는 적고 황제 폐하께서 빠르게 대처하신 덕에 피해도 최소화되었다더군요. 그렇죠?"

에벤에셀이 와인잔을 들어 올리며 긍정을 표했다.

"힐라리아 황비께서 짐을 도와주셔서 더 수월했지요. 황비의 조언이 없었다면 2차적인 피해에 대해선 생각도 못 했을 겁니다."

힐라리아가 미소로 화답하며 다시 제이나에게로 고개를 돌렸다.

"들었죠, 제이나 황비?"

"……예."

"자, 이제 로마노프의 문제는 더 이상 황비의 핑계가 되지 않겠군요. 황비, 나는 함께 말을 타고 여러 놀이를 함께할 좋은 친구가 필요해요. 나는 그 일에 황비가 제격이라고 생각하고 있고요."

제이나가 눈을 동그랗게 떴다.

"그렇게 말씀을 해주시니……."

"잘 생각해봐요, 제이나 황비. 더 이상 황비는 로마노프가 아니에요. 로마노프에 얽매일 필요가 없다는 말이지요."

실로테는 지금 힐라리아가 하는 말이 들리지 않는 듯 귀를 닫았고 에벤에셀은 흥미로운 얼굴로 두 사람을 지켜보고 있었다. 이번엔 또 어떤 폭풍을 몰고 올지 궁금해졌다.

그의 기대대로, 제이나의 눈동자가 풍랑을 맞이한 것처럼 흔들렸다. 단 한 번도 엄한 부모님의 뜻을 거스를 생각조차 하지 못하고 살아왔다. 그런데…… 힐라리아가 내미는 먹이가 너무나 달콤해서, 영혼을 홀릴 것처럼 매혹적이어서 눈이 멀어버릴 것 같았다.

'잡을까. 잡으면 안 되나.'

경마는 시작일 뿐이다. 일탈을 시작하면 끝도 없이 그녀는 나아갈 것이다. 첫걸음을 힐라리아가 내딛게 해주겠다는데 왜 거절해야 할지 모르겠다. 제이나가 숨을 크게 들이켜고 아주 작게 고개를 끄덕였다.

"경마, 참가해보고 싶어요."

힐라리아가 활짝 웃었다.

"그렇다는군요, 폐하. 그러면 제이나 황비께도 좋은 말을 내려주시겠지요?"

"물론입니다. 제이나 황비에게도 어울리는 좋은 말이 있을 겁니다."

"그러면 제가 황비를 꼬여냈으니 그럴듯한 선물을 하나 해야겠군요. 제이나 황비, 내일 선물이 갈 겁니다. 마음에 드셨으면 좋겠네요."

"……감사합니다."

제이나는 힐라리아가 살짝 열어준 문틈으로 발을 내디뎠다.

이야기가 끝나갈 즈음이 되자 식사도 마무리되었다. 테이블이 치워지고 숙면을 도와줄 차가 들어왔다. 힐라리아가 부드럽게 웃으며 속삭였다.

"벌써 시간이 이렇게 되었군요. 다음에도 이런 자리를 가지면 좋을 것 같아요."

에벤에셀은 빼고! 힐라리아가 테이블을 장식한 꽃병을 노려보았다.

"그러게요. 다음에도 반드시 초대해주세요."

실로테가 꽉 막힌 속을 꾹 누르며 말했다. 돌아가서 반드시 소화제를 먹어야지. 그리고 며칠 동안 이 식사 자리는 떠올리지도 않으리라!

"저도요. 정말 즐거웠습니다."

제이나가 나붓이 웃으며 말했다. 그녀는 오늘 힐라리아 덕에 얻은 것이 많아, 불편한 식사 자리도 행복했다. 내내 기억에 남을 것 같았다.

"……짐은 아직 해야 할 말을 다 나누지 못한 것 같습니다, 황비."

에벤에셀이 힐라리아와 눈을 마주쳤다. 힐라리아가 헛웃음을 삼키며 찻잔을 어긋나게 내려놓았다. 떨리는 그녀의 시선을 에벤에셀의 목을 타고 흘러내린 목걸이가 잠시간 사로잡았다. 스치듯이 지나친 힐라리아의 눈이 에벤에셀의 얼굴을 어색하게 쳐다보았다.

"무슨 말씀을……?"

에벤에셀이 힐라리아의 찻잔을 바로잡아 주는 척하며 그녀의 손등을 쓸었다. 아무도 모르게 이뤄진 접촉에 힐라리아가 손을 웅크렸다. 아무래도 암살자라도 알아봐야 하지 않을까……. 힐라리아가 입술을 꾹 깨물었다.

"긴 밤 내내 나눌 은밀한 이야기가 있습니다, 힐라리아 황비."

힐라리아가 헛숨을 들이켰다. 이 망할 남자가 진짜! 할 말이 있다면 그냥 할 말이 있다고 하면 되는 것을 굳이 은밀한 이야기란다. 힐라리아가 입술을 잘근잘근 씹었다. 그녀의 표독스러운 눈빛에도 에벤에셀은 조금도 끄떡하지 않았다. 실로테가 허둥대며 몸을 일으켰다.

"이제, 어, 저는 그만 가봐야 할 것 같습니다. 황제 폐하, 뜨거운 밤 되시기를……. 아니, 따뜻한 밤 되시기를……."

실로테의 얼굴이 빨갛게 달아올랐다. 따뜻한 밤, 잘 보내라고. 잘 자라고 말하고 싶었는데 분위기에 휩쓸려 실수했다. 그녀의 눈에 힐라리아가 꾹 쥐고 있는 와인잔이 보였다. 와인을 당장이라도 실로테에게 끼얹을 것 같은 기세였다. 실로테가 눈을 질끈 감고는 몸을 뒤로 물렸다.

더 이상 아무 말도 안 하는 게 낫다는 판단하에 우아한 귀족의 예를 취하고 달아나듯이 방을 빠져나갔다. 힐라리아는 실로테가 남기고 간 테이블 위의 손수건을 주시했다.

'실로테……. 귀엽다, 귀엽다 했더니.'

아득- 이 갈리는 소리에 제이나가 흠칫했다. 실로테가 도망친 방 안이 야릇하면서도 냉막한 모순적인 분위기로 변했다. 은밀함과 뜨거움. 겨우 두 개의 단어 조합이 힐라리아를 열 받게 했고 에벤에셀은…… 즐거워 보였다.

힐라리아의 뺨을 주시하며 미소를 짓고 있는 황제의 유려한 옆모습이 제이나의 망막에 맺혔다. 황제의 달콤한 표정에 제이나가 소름 돋은 팔뚝을 문질렀다. 어떻게 저런 표정……. 아니, 분명 저런 얼굴도 할 수 있겠지만. 제이나가 고개를 마구 젓고는 몸을 일으켰다. 두 사람 사이에 껴서 새우등 터지고 싶지는 않았다.

"황제 폐하, 이만 저도 물러가도록 하겠습니다. 힐라리아 황비, 내일 선물

기대할게요."

힐라리아가 고개를 작게 끄덕였다. 절대로 에벤에셀이 있는 쪽으로는 고개도 돌리지 않겠다는 의지가 돋보이는 표정이었다. 제이나가 총총걸음으로 빠르게 방에서 빠져나갔다.

"힐라리아 황비."

"말씀하세요. 하실 말씀이 있다고 하셨으니, 빨리 하시고……."

에벤에셀이 다시 그녀의 이름을 힘주어 불렀다.

"힐라리아."

힐라리아가 고개를 홱 하고 돌렸다. 에벤에셀이 그녀를 지위를 빼고 이름만 부른 건 이번이 처음이었다. 에벤에셀은 아무것도 하지 않았다는 듯이 의뭉스럽게 웃고 있었다.

"짐에게서 고개 돌리지 마세요, 황비. 항상 그렇게…… 짐을 보고 있는 겁니다."

힐라리아와 에벤에셀 사이에 놓인 촛불이 오렌지빛으로 아른거렸다. 실로테의 말대로 공기는 뜨거웠고 힐라리아의 턱은 긴장감으로 팽팽하게 당겨져 있었다. 힐라리아는 에벤에셀의 의도를 짐작할 수 없었다. 에벤에셀이 예쁘고 잘생긴 건 인정한다. 힐라리아도 가끔씩 혹할 정도다.

하지만, 두 사람은 그런 달콤한 애정이나 나누자고 만난 사이가 아니었다. 힐라리아는 기네비어 공국과 윈프리드 제국을 구할 목적을 가지고 있었고 에벤에셀은 이번 대륙전쟁의 승리를 거머쥐기 위해 기네비어를 필요로 했다. 한데 무슨 이유로…….

'나를 그런 눈으로 보는 거야.'

옅은 푸른 눈이 몰아치는 파도처럼 혹은 유유히 흘러가는 강물처럼 힐라리아를 끌어당겼다. 이대로 보고 있으면 그대로 몸을 던질 것 같은 위험한 매혹이었다. 찌르르르- 풀벌레가 노래하고 촛농이 뚝뚝 떨어지는 소리만이 정적을 채워주고 있었다. 힐라리아의 시선이 에벤에셀의 얼굴을 더듬었다.

'이러지 마.'

힐라리아는 누군가의 들러리가 되는 건 질색이었다. 어차피 황후 자리는 메일린 프로이턴에게 돌아간다. 힐라리아는 여러 여자들과 한 남자를 두고 다투는 건 질색이었다. 이왕 사랑이라는 걸 할 거라면 멋지게 하고 싶었다. 이유 없이 뜨겁고 끝을 알 수 없는 그런 사랑.

에벤에셀과 메일린의 만남을 막을 수 있지 않겠느냐고? 힐라리아가 입궁함으로써 바뀌어버린 것투성이인데, 그들의 사랑을 어떻게 확신하느냐고?

에벤에셀은 다분히 정치적인 인물이었다. 그는 메일린 프로이턴이 아니라 그녀와의 결혼으로 얻어낸 프로이턴과의 동맹을 사랑했을지도 모른다. 프로이턴 제국과 윈프리드 제국은 결혼 동맹으로 두 제국 사이의 우호적인 관계를 명시했다. 프로이턴 제국이 윈프리드의 전쟁에 참전한 건 그런 이유였다. 그러니 에벤에셀과의 관계는 이미 끝이 보이는 관계다. 힐라리아는 그런 조촐한 사랑에 몸을 던지고 싶진 않았다.

'그냥 노리개는 더욱 사양이고.'

힐라리아의 마음이 차갑게 가라앉았다. 그를 지켜보던 에벤에셀의 시선도 차분하게 가라앉았다.

"황제 폐하, 저는 황궁의 꽃으로 살아가지 않겠다고 말씀드렸습니다. 잊으셨나요?"

"그럴 리가요. 황비의 말은 전부 기억하고 있답니다."

"그럼 제가 착각하고 있는 건가요? 황제 폐하께서는 무슨 이유로 이 자리에 앉아계신 건가요?"

계속된 힐라리아의 물음에 에벤에셀이 몸을 뒤로 물렸다. 바르게 앉아 옷매무새를 가다듬는 모습이 질서정연하고 무심했다. 힐라리아에게 내보였던 웃음이나 장난기 같은 것들을 전부 거둬낸 서늘한 모습이었다. 에벤에셀이 느릿하게 말문을 열었다.

"짐은 황비를 여릿한 꽃송이로 생각하지 않습니다. 그리고 황비께선 짐의 행동을 옳게 판단하고 있습니다."

"……."

에벤에셀의 짙푸른 시선에 힐라리아가 몸을 뒤로 물렸다. 그녀를 목표물로 정한 사냥꾼의 눈빛이었다.

'대체…….'

힐라리아가 두 손을 맞잡았다. 이런 전개는 예상해본 적이 없었다. 애초에 힐라리아와 에벤에셀은 정략결혼을 한 사이다. 정략결혼에서 이런 건 룰을 위반하는 일이 아니던가?

이건……. 이건, 너무 무겁다. 차라리 에벤에셀이 아무 말도 안 했으면 좋겠다. 그녀가 고려하지 못한 변수가 끼어들어 힐라리아가 짠 판을 훼방 놓는 건 싫었다. 힐라리아가 에벤에셀이 하려는 말을 막으려 할 때였다.

"폐하, 저는……."

"짐은 황비가, 궁금합니다."

힐라리아가 입술을 꾹 깨물었다. 와인의 잔향이 아릿하게 올라왔다. 고작 마신 건 한 잔인데 그때처럼 세 병은 거뜬히 마신 것 같다. 속이 울렁거리고 취기가 돌았다. 귓가가 둥둥 울렸다. 힐라리아의 시선이 테이블 위를 배회했다. 반짝이는 은식기와 차갑게 식어가는 음식들이 눈에 들어왔다.

"황비는 짐에게 바라는 것이 없습니까? 왜 짐은 초대해주지 않는 겁니까? 짐은……. 아직도, 여전히, 그대에게 '아무나'밖에 되지 않습니까?"

에벤에셀의 손가락이 힐라리아의 시야에 나타났다. 그녀의 턱을 천천히 들어 올리는 에벤에셀의 느릿느릿한 움직임에 힐라리아가 동조했다.

'당신……. 내 나비를 훔쳐갔구나.'

그러지 않고선 힐라리아가 했던 말들을 알 수는 없었다. 경마부터 시작해서 방금 전에도. 지금 이런 생각이나 하고 있는 자신이 우습다. 힐라리아가 자조하며 에벤에셀과 시선을 맞부딪쳤다.

"그렇다면 어쩌시겠습니까? 제게 황제 폐하는 여전히 '아무나'밖에 되지 않습니다. 황제 폐하가 궁금하지도 않습니다. 저는……."

에벤에셀이 동요 없이 부드럽게 웃었다. 의자에서 일어선 에벤에셀이 힐라리아를 향해 허리를 굽혔다. 흘러내린 에벤에셀의 목걸이가 흔들렸다. 한 뼘, 그다음은 한 마디. 에벤에셀은 힐라리아에게 그의 움직임을 각인시키려는 것처럼 천천히 움직였다. 그리곤 서로의 숨결이 얽힐 정도로 가까워졌을 때 입술을 달싹였다.

"겁내지 마세요, 황비. 짐이 그대를 잡아먹기라도 한답니까? 짐은, 그저 네가 궁금할 뿐이라고 말했잖아."

에벤에셀이 힐라리아의 아랫입술을 잘근, 씹었다.

"흣."

부드럽게 뭉개지는 말랑하고 촉촉한 살갗의 느낌에 힐라리아가 눈가를 찌푸리며 작은 신음을 터뜨렸다.

"나를 이렇게 만든 건 내가 아니라 너야, 힐."

에벤에셀이 벌어진 입술에 천천히 입술을 겹쳤다. 뜨겁게 닿았다가 잠시간 떨어진 간격으로 더운 호흡이 오갔다. 힐라리아의 확장된 동공에 비친 자신의 모습을 만족스럽게 응시하며 에벤에셀이 부풀어 오른 그녀의 아랫입술을 손가락으로 쓸었다.

"네가 먼저 나를 건드렸어. 내게 먼저 닿은 건 너였다고."

아래로 내리깐 에벤에셀의 검은 속눈썹 사이로 검푸른 바다가 엿보였다.

힐라리아가 숨을 들이켰다.

'네가 먼저 닿았다고.'

그래, 그랬었지. 어지러웠다. 힐라리아가 가쁜 숨을 토해냈다. 작게 웃음을 터뜨린 에벤에셀이 힐라리아의 아랫입술을 머금었다. 질척한 소리가 났다. 그녀의 입술에서 달콤한 꿀이라도 흘러나오는 것처럼 오랜 시간 공을 들여 빨아들였다. 견디지 못한 얇은 표피가 벌어져 톡하고 작은 핏방울이

내비칠 때까지. 에벤에셀이 고개를 들어 올렸다. 그는 웃고 있었다.

'하.'

밀어내지 못했다. 지금이라도 에벤에셀을 밀어내야 한다.

그녀는 겁쟁이는 아니지만, 도박꾼도 아니다. 그러니…….

"힐라리아 황비, 짐은 그대가 원하지 않는 건 무엇도 하지 않을 겁니다. 그게 혹여, 사랑이라도."

힐라리아가 들어 올리려던 손을 멈췄다. 여전히 숨이 서로에게 닿을 정도로 가까운 거리였는데 에벤에셀의 목소리는 평소처럼 돌아와 있었다. 방금 있었던 일을 증명해주는 건 에벤에셀의 가라앉은 눈빛과 핏방울이 맺힌 그녀의 입술을 쓸어주는 무심한 손길뿐이었다.

"그저 황비를 알고 싶을 뿐입니다. 황비는 그저 가만히. 그 자리에 가만히 계시면 됩니다."

힐라리아가 무력하게 손을 떨어뜨렸다. 최상위의 포식자가 몸을 낮춘 채로 그녀를 보며 웃고 있었다.

'미쳤구나, 힐라리아. 니가 초래한 결과를 봐.'

이렇게 위험한 소굴인지도 모르고 두 발로 걸어 들어왔다. 그녀가 예상했던 미래에 에벤에셀은 없었다. 입술이 홧홧하게 달아올랐다. 잊지 말라고 수도 없이 각인시키는 것처럼.

***

은밀한 대화? 어젯밤에 은밀한 대화를 나누긴 했지. 힐라리아가 지끈거리는 머리를 움켜쥐었다. 에벤에셀은 어젯밤 사람을 그렇게 술렁이게 해놓고는 미련도 없이 돌아갔다.

물론, 돌아가지 않길 바란 건 아니지만.

"케이티, 소금 뿌려."

"네?"

"소금 뿌리라고!!"

이건 마가 낀 게 분명했다. 그러지 않고서는 차가운 얼음벽 같은 에벤에셀이 이렇게 변할 리는 없다. 아무래도 마법의 힘이 개입했거나…….

'정신 차려. 그럴 리가 없잖아.'

정령에게 마법이 통한다는 말은 리오나 아카데미에서도 들어본 적이 없었다. 한숨도 자지 못한 거뭇한 눈가를 힐라리아가 거친 손길로 문질렀다.

"소금은 왜……. 어제 무슨 일이 있으셨던 건가요?"

힐라리아가 누군가를 물어뜯을 것 같은 표정을 하고 있었기 때문에 케이티는 아주 조심스럽게 물었다. 그 물리는 대상이 자신이 되고 싶지는 않았다.

"……됐어. 두통약이나 줘."

힐라리아가 손을 내젓자 케이티가 고개를 갸웃하며 물러섰다. 저런 얼굴을 하는 힐라리아는 오랜만이다. 보통 힐라리아가 저렇게 무서운 얼굴을 할 땐 해서는 안 되는 일을 저지르곤 했다. 예를 들어 금지된 방에 들어간다든가, 미래를 엿보다 목숨을 잃을뻔한다든가……. 케이티가 두통약을 찾아 내밀며 힐라리아의 손을 두 손으로 꼭 쥐었다.

"황비 마마님, 안 돼요."

"뭐가."

"무슨 생각을 하시는지 모르겠지만, 뭐든 안 돼요!"

"하하하. 케이티?"

위협적으로 번뜩이는 푸른 눈을 마주한 케이티가 몸을 부르르 떨며 눈을 질끈 감았다.

"그래도 안 돼요!"

"좋아. 아무것도 하지 않을 테니까, 이 손 좀 놓겠어?"

케이티가 눈을 슬쩍 떠서 힐라리아의 얼굴을 확인하곤 슬금슬금 물러섰다. 아침부터 힐라리아의 기분이 좋지 않다는 걸 알아차린 첼로스테는 멀찌감치 침실을 정돈하고 있었다. 힐라리아의 눈앞에서 얼쩡거릴 용기가 도저히 나질 않았다.

힐라리아가 두통약을 입 안에 털어 넣고는 잠시 생각에 잠겼다. 에벤에셀이 힐라리아의 나비를 가지고 있다는 건 확실하다. 중요한 건 어떤 멍청한 정령 나부랭이가 그 남자의 손에 있느냐는 것이다.

힐라리아가 천천히 자신의 나비들을 불러들이기 시작했다. 첼로스테는 보지 못하는 수많은 나비들이 침실로 모여드는 광경에 케이티가 눈살을 찌푸렸다. 정령들이 내뿜는 빛에 도저히 눈을 뜰 수가 없었다. 힐라리아는 몸을 파고드는 정령들을 느끼며 돌아오지 않은 정령들을 헤아렸다. 아예 불꽃으로 돌아간 정령도 몇 있는 듯했고…….

"하핫……."

어떤 멍청한 정령 나부랭인지 찾았다.

'샐리스트!!'

힐라리아가 나비로 부리는 것들은 전부 불의 하급 정령, 샐리맨더들이었다. 그리고 에벤에셀에게 붙잡혀 있는 것은 아마도 그 많은 샐리맨더들을 통솔하는 정령, 샐리스트인 것 같았다. 힐라리아가 허망함에 이마를 짚고는 너털웃음을 터뜨렸다.

"왜, 왜 이러시는……. 마마님!"

물론 샐리스트를 더 소환하는 건 어려운 일이 아니다. 하지만, 한 번에 수천 마리의 나비들을 소환하면서 샐리스트도 여러 마리 소환하는 건 힐라리아라도 무리였다. 힐라리아가 고개를 뒤로 젖힌 채로 눈을 깜빡였다.

에벤에셀을 최대한 피해 다니려고 했다. 보지 않으면 엮이지 않을 거라고……. 하지만, 이 멍청한 정령 나부랭이를 구하기 위해선 직접, 그를 보러 가야 하는 상황에 놓였다. 축 늘어진 힐라리아에게서 나비들이 하나둘 빠져

나와 자신들이 있었던 자리로 돌아가기 시작했다. 케이티가 새하얗게 질린 얼굴로 힐라리아를 흔들었다.

"마, 마마님. 힐라리아 황비 마마님!"

정신없는 상황에 첼로스테가 덜덜 떨며 어찌할 바를 모르고 있을 때 누군가가 힐라리아의 침실을 두드렸다. 첼로스테가 조심스럽게 문을 슬쩍 열고 밖을 확인했다. 황성에서 일하는 심부름꾼 아이였다.

"안녕하세요, 시녀장님!"

"무슨 일이니?"

"황제 폐하께서 이걸 가져다드리라고 하셨어요."

아이가 내미는 연고를 받아 든 첼로스테가 문을 닫았다. 그리곤 여전히 늘어져 있는 힐라리아에게 작은 목소리로 고했다. 다리가 떨릴 정도로 무서웠지만, 황제가 전하라고 한 물건을 무시할 순 없었다.

"황비 마마님, 황제 폐하께서 이것을……."

힐라리아가 느릿하게 고개를 들어 올렸다. 뚜둑- 목이 움직이며 내는 소름 끼치는 소리에 케이티가 바닥에 털썩 주저앉았다.

'베아트리체 님! 헬레나미아 님!'

지금 이 순간을 타개할 길이 보이질 않는다. 섬뜩한 소리를 낸 힐라리아는 아랑곳하지 않고 첼로스테가 내민 것을 받아 들었다. 그것은 상처에 바르는 연고였다.

"망할 에벤에셀!!"

쩌렁쩌렁한 사자후가 터졌다.

***

에벤에셀이 나비를 손가락으로 부드러이 매만졌다. 유유히 날아다니던 샐리스트를 포획한 건 우연이었다. 그리고 힐라리아는 샐리스트의 부재를 지금 알아차린 것 같았다. 에벤에셀이 여전히 힐라리아의 온기가 묻어나는 것 같은 입술을 손가락으로 훑었다.

"힐. 네 주인이 짐의 선물을 기뻐할까?"

아무래도 그가 보낸 연고를 집어 던진 것 같지만. 귓가를 맴도는 비명에 에벤에셀이 픽 웃음을 터트렸다.

***

"입술이 왜 그래?"

"고양이가 물었어."

"……뭐? 이 성에 고양이가 있단 말이야?"

베아트리체가 속상한 얼굴로 힐라리아의 볼을 붙들고 이리저리 살폈다. 부풀어 오른 입술에 내려앉은 피딱지가 베아트리체의 관심을 사로잡았다. 이내 베아트리체가 심술궂은 표정으로 힐라리아의 볼을 붕어처럼 꾹 하고 눌렀다.

베아트리체는 이른 아침부터 정체 모를 청년을 데리고 입궁한 참이었다. 청년은 밖에서 몸수색을 받는 중이었고 베아트리체는 별다른 문제 없이 성을 통과했다.

힐라리아가 베아트리체를 맞이한 곳은 스틸로즈 내부가 아닌 바깥의 정원이었다. 부슬부슬 안개비가 내리고 있음에도 불구하고 힐라리아가 밖을 고집한 덕에 유리온실에 테이블이 차려졌다.

오랜만에 열린 유리온실은 스틸로즈 궁에서 가장 아름답다고 손꼽히는 곳이었는데 오직 스틸로즈 궁에만 있는 시설물이기도 했다. 사시사철 우거진 온실수들은 좌우대칭으로 완벽하게 관리되어 있었다.

흐드러지게 피어 있는 계절 꽃들은 온실의 아름다움을 더했다. 쉬지 않고 지저귀는 새들은 관상용으로 기르는 것들이라 깃털 색과 노랫소리마저 영롱했다. 이전에 스틸로즈를 사용했던 주인이 키우던 애완동물이 지냈던 곳이라 아늑하기도 했다. 그것들을 보고 있노라면 어제 있었던 일을 잊을 수 있을 것 같았다.

"여기서 키우던 애완동물이 고양이였었나 보지."

"무슨 소리야, 힐."

베아트리체가 손가락을 세운 채로 고개를 절레절레 저었다.

"고양이가 아니라 호랑이였다고, 어흥!"

"나도 무언가를 키워볼까?"

힐라리아가 주변을 둘러보았다. 사람이 지내도 충분한 정원이었다. 유리 온실을 이렇게 크게 짓기 위해 얼마나 돈을 들였을지. 정원의 끝에는 사람이 지낼 수 있는 작은 집도 있었다. 애완동물을 돌보던 이가 지내던 곳이라나.

"뭘 키우게?"

"이제부터 찾아봐야지."

힐라리아가 푸른 눈을 번뜩였다. 기사들이 막지 못하는 신분의 사람이라도 짐승은 막을 수 있을 테니까.

'나도 호랑이라도 키워볼까. 아니면, 늑대? 그것도 아니면, 곰?'

그래도 충성심으로 따지자면 늑대가 좋지 않을까 싶었다. 늑대 몇 마리 길러서 바깥 정원에 풀어두면 마음대로 궁의 턱을 넘는 에벤에셀의 발목 정도는 묶을 수 있지 않을까? 힐라리아가 부질없는 생각을 하며 입술을 버릇처럼 손가락으로 쓸었다.

"앗."

하지만 입술이 따가웠던 덕에 힐라리아가 바로 손가락을 떼어냈다. 손가락에 쓸려서 떨어진 피딱지 덕에 몽글몽글 피가 묻어났다. 최상위의 정령을 짐승이 막아설 리는 없지만…….

'드래곤이라도 잡아와야 하나!'

힐라리아가 이를 아드득 갈았다. 새파란 눈에 검은 물감처럼 번지는 감정을 베아트리체가 알아차렸다. 베아트리체가 장난스럽게 속삭였다.

"고양이일 리가 없지. 황제가…… 네 입술을 물어뜯기라도 한 거야?"

"베베, 위험한 질문이었어."

"위험하긴. 진실을 말한 거겠지."

베아트리체가 귀엽게 웃으며 힐라리아에게서 물러났다. 분홍빛의 곱슬거리는 머리카락이 물결처럼 흔들렸다. 베아트리체가 힐라리아에게서 달아나 정원 사이로 몸을 숨겼다.

"베베."

"힐! 정말 여기에 뭘 숨겨도 아무도 모를 것 같지 않아? 예를 들어 사람이라도 말이야."

저 멀리서 들리는 목소리에 힐라리아가 한숨을 푹 내쉬었다.

"네 멋대로 해. 그러니 이리로 돌아와. 그 호랑이가 아직 안 죽었을 수도 있잖아?"

힐라리아가 나른한 몸짓으로 푸딩을 작게 잘랐다. 그것을 베아트리체가 앉아 있었던 곳에 놓고는 식사를 이어가기 시작했다.

풍미가 짙은 치즈를 올린 토마토 카프리제와 연어 샐러드, 반숙란, 상큼한 레몬 셔벗까지.

아무것도 먹기 싫다는 힐라리아를 위해 그녀가 좋아하는 것들로만 특별히 엄선한 것이다. 힐라리아가 레몬 셔벗을 먹을 때마다 눈살을 찌푸렸다. 그사이 정원을 한 바퀴 휙하고 돌아본 베아트리체가 돌아왔다.

"다행히 호랑이는 없네."

"푸딩 먹어. 좋아하는 거잖아. 초코 푸딩."

힐라리아의 말에 베아트리체가 활짝 웃으며 힐라리아가 잘라둔 푸딩을 먹기 시작했다.

"너는 의외로 다정하단 말이야."

"멋있는 거라고 해줄래?"

베아트리체가 아무래도 좋다는 듯 고개를 끄덕였다. 그 모습을 지켜보고 있던 첼로스테가 어색한 몸짓으로 케이티를 툭툭 쳤다.

"대체 어떤 사이시길래……. 황비 마마님께서 저렇게 챙겨주시는 거야?"

"아. 사촌지간이셔."

눈을 동그랗게 뜬 첼로스테가 두 사람을 번갈아 보았다. 사촌지간! 전혀 짐작할 수가 없었다. 힐라리아는 시원시원한 미인이었고 베아트리체는 오밀조밀하니 사랑스러운 미인이었다. 미인이라는 공통점은 있지만, 조금도 닮지 않았는데? 어쨌든 힐라리아와 제너시스 후작가 사이의 연관 관계가 밝혀지는……?

"그럴 리가! 후작 부인은 분명 평민이라고 들었는데!"

"그러니까, 비밀이겠지. 쉿."

두 사람의 대화를 전부 들은 힐라리아가 손가락으로 입술을 가렸다. 첼로스테가 흠칫하며 뒤로 물러섰다. 어, 어떻게 이 거리에서 나눈 대화를…….

"내가 귀신같은 면이 있긴 하지."

첼로스테가 침을 삼켰다. 절대로 다른 생각 하지 말아야지.

"그래서 제이나 황비에게 보낼 물건은?"

힐라리아의 물음에 베아트리체가 눈을 동그랗게 뜨며 손바닥을 탁 쳤다. 그녀가 직접 가져오는 물건만이 궁을 쉽게 통과할 수 있어서 주머니에 담아 가져왔다.

베아트리체가 그녀의 공간 확장 마법이 걸려 있는 작은 주머니를 뒤져 기다란 상자 두 개를 꺼냈다.

"흡!"

"비밀이시라잖아, 쉿."

케이티가 깜짝 놀란 첼로스테를 다독였다.

"이건 제이나 황비에게 줄 것. 이거는……."

"내가 주문한 적이 없는 물건인데?"

"이거는 곧 알게 될 거야. 제이나 황비에게 먼저 선물을 보내는 건 어때? 정말 좋아하지 않을까?"

힐라리아가 첼로스테에게 턱짓했다.

"첼로스테. 다녀와 주겠어?"

"네, 황비 마마님."

그대로 들고 가기엔 너무 눈에 띄는 물건이라 첼로스테가 상자째로 품에 조심히 안았다. 첼로스테가 온실을 나가고 그 뒤를 힐라리아의 나비가 뒤쫓았다. 온실 밖에서 대기하고 있던 기사들이 첼로스테에게 우산을 씌워주는 것까지 확인한 힐라리아가 관심을 베아트리체에게로 돌렸다.

"네가 데려온 것과 관련이 있는 것 같은데. 대체 뭘 데려온 거야?"

"보면 알아. 그것보다……. 나비를 쫓아 다녀온 곳 말야."

힐라리아가 몸을 곧게 세웠다.

"프로이턴 외교 대사관이던데. 프로이턴이라."

"그래서 어제 최근 5년간 프로이턴을 오간 배들을 조사해봤어."

"그랬는데?"

"재밌는 게 나왔지 뭐야?"

베아트리체가 검지를 치켜세웠다. 금안을 반짝거리며 마치 비밀을 토해 놓는 어린아이처럼 속삭였다.

"3년 전에 황족이 비밀리에 입국했어. 처음엔 유람이 목적이라 했으니 그냥 지나쳤지."

"그런데? 아하. 그 황족이 출국하지 않았군."

베아트리체가 고개를 끄덕였다.

"그것에 대한 보고를 받은 게 누군지 알아? 이게 가장 재미있는 대목이야, 힐."

"설마……."

힐라리아가 눈을 가늘게 떴다. 일단 손꼽을 수 있는 인물이 몇 있었다. 에벤에셀과 클라리넷 공작, 외교장관직을 맡은 에라스모 백작.

'에벤에셀…….'

힐라리아가 옅은 신음을 흘렸다. 에벤에셀이든 아니든, 황궁의 인사가 관련된 문제라면 먹으면 탈이 날 가능성이 높은 그림의 떡이 된다.

"에라스모 백작이 마지막으로 보고 받았어. 하지만, 그는 모른 척했지."

"프로이턴 황족이 무기를 밀수해서 팔고 있고……. 그것을 에라스모 백작이 모른 척했다라. 그렇다면 황태후가 이번 일로 인해 이득을 얻고 있을 가능성이 높은데……. 베베, 이 일을 황제가 알고 있을까?"

"황제가?"

"그걸 모르겠단 말이야. 황제의 왼팔인 클라리넷 공작이 관련 경매에 참가하고 황제는 모른 척하고 있지. 그런데 그 성격에 제집에서 일어나는 일을 모르겠어?"

힐라리아가 미간을 매만졌다. 황제를 만나야 할 이유가 하나 더 없어지는 기분이었다. 힐라리아가 입술을 깨물려다가 톡 터져나가는 느낌에 이를 떼어냈다.

"대체 뭘 얼마나 어떻게 했길래!"

베아트리체가 부루퉁히 말하고는 힐라리아에게 손수건을 건넸다. 힐라리아가 눈가를 찌푸리고는 입술을 손수건으로 꾹 눌렀다.

이윽고 힐라리아가 생각에 잠겼다. 프로이턴과 윈프리드는 손을 잡고 대륙전쟁을 승리로 이끈다. 에벤에셀은 프로이턴의 원조에 대한 대가로 메일린을 황후로 들임과 동시에 되찾은 땅의 일부를 내어준다. 한데 프로이턴의 황족이 윈프리드에서 무기 밀수에 개입했다. 프로이턴의 황제는 수많은 자식을 가지고 있다.

"들어온 게 여자야, 남자야?"

힐라리아의 눈부신 미소를 보며 베아트리체가 눈을 가렸다. 무엇을 추론

해낸 것인지 힐라리아가 세상에서 가장 행복한 표정을 하고 있었다.

“여자. 황녀라고 적혀 있었거든. 그 이상 알아내는 건 무리였어.”

“충분해, 베베. 잘했어.”

힐라리아가 베아트리체의 머리를 쓰다듬어주고는 초코 푸딩을 하나 더 잘라서 접시를 바꿔주었다. 그것을 먹는 베아트리체를 보며 힐라리아가 입술을 가린 손수건을 떼어냈다.

‘하하하하. 일이 이렇게 풀릴 수가 있나.’

아마도 무기 밀매에 개입한 인물은 메일린 프로이턴일 가능성이 높았다. 그녀는 이상할 정도로 윈프리드를 사랑했다. 프로이턴엔 더 이상 미련이 없는 사람처럼. 평범한 사람들은 메일린 프로이턴이 에벤에셀을 진심으로 사랑해서 그랬을 것이라 생각했을 가능성이 높았다.

하지만, 두 사람 사이에 다른 무엇인가가 있다면? 애초에 황녀인 메일린이 무기 밀매라는 위험한 일에 손을 뻗어서 큰돈을 벌어야 할 이유가 무엇일까.

프로이턴 황실 내부의 움직임도 알아봐야 정확해지겠지만…… 3년간 프로이턴 황실에서는 황녀의 부재를 몰랐을 가능성이 높았다. 원래 많은 돈은 사람을 모으는 데 요긴하게 쓰이는 법이었다.

간단하게 생각하면 답이 나왔다. 황위다. 메일린은 프로이턴의 황제가 되고 싶었던 것이고……. 에벤에셀은 메일린이 무기밀매에 관여한 일을 미끼로 프로이턴에 대가를 요구했고 프로이턴이 그것에 결혼으로 응한 거라면?

‘이거 손 안 대고 코 풀 수도 있겠는데?’

중요한 건 이 사실을 에벤에셀이 알고 있느냐, 모르고 있느냐였다. 에벤에셀이 은밀한 계략가라면 힐라리아는 진취적인 개척자다. 에벤에셀을 설득해 직접 프로이턴의 황위 싸움에 개입하는 거다. 오히려 메일린 프로이턴이 황제가 되는 데 협조한다면 더 큰 대가를 얻어낼 수 있지 않을까?

거기에 만약 또 다른 결혼 동맹이 필요하다고 한다면 얼마든지. 요컨대 프로이턴에는 윈프리드의 황후가 될 황녀는 많다는 것이다.

힐라리아는 에벤에셀을 또 다른 결혼 동맹에 팔아치울 생각을 서슴지 않고 했다. 조금……. 아주 약간 가슴이 울렁이긴 했지만.

'너무 많이 먹어서 그래.'

힐라리아가 그렇게 단정 짓고는 케이티에게 손짓했다.

"황제 폐하께 점심 식사를 청하도록 해."

"네, 황비 마마님."

케이티마저 빠져나간 온실엔 힐라리아와 베아트리체 두 사람만이 남았다. 베아트리체가 깨끗해진 접시를 내려놓고 탄식을 흘렸다.

"아……. 너한테 보여줄 게 하나 더 있었는데."

"뭔데?"

"안 그래도 올 때가……. 엇, 저기 온다!"

금발과 녹안을 가진 청년이 어벙한 표정으로 기사의 인도를 받아 온실로 오고 있었다.

"누군데?"

베아트리체가 환하게 웃으며 말했다.

"네 정부! 네가 이 유리온실에서 키우게 될 애완동물이랄까?"

힐라리아가 들고 있던 손수건을 툭 하고 떨어뜨렸다. 그녀의 주변을 맴돌고 있던 나비들도 정적인 자세로 멈춰 섰다. 베아트리체가 팔랑거리는 걸음걸이로 온실 입구에 가서 청년을 데리고 들어왔다. 직접 온실의 문도 꽁꽁 닫아걸었다.

"무슨 소리를 하는 거야, 베베."

힐라리아의 물음에 베아트리체가 청년을 끌고 와 그녀의 곁에 세웠다.

"일리. 자기소개 해야지?"

"제 이름은 일리입니다, 황비 마마님."

"자, 힐라리아? 네 정부에게 손을 내밀어 인사를 받아야지?"

힐라리아가 베아트리체의 종용에 기계적으로 움직여 손을 내밀었다. 그녀가 무슨 꿍꿍이인진 모르겠지만 일단은 어울려주겠다는 몸짓이었다.

힐라리아가 그런 관습을 정말 싫어한다는 걸 알면서 베아트리체가 이렇게까지 일을 벌였을 때는 이유가 있을 테니까.

일리가 천천히 몸을 수그렸다. 바닥에 무릎을 꿇고 앉은 일리가 힐라리아의 손을 맞잡곤 입을 맞췄다. 그리고 그 순간.

[힐라리아…….]

힐라리아의 동공이 확장되었다.

"어머니!"

힐라리아가 몸을 벌떡 일으켰다. 정령이 모습을 드러냈다. 힐라리아의 힘과 감응한 정령은 나비가 아닌 본신의 모습이었다. 새파란 날개를 파르르 떨고 있는 작은 정령이 입술을 벌렸다.

[힐라리아, 나의 힐. 잘 지내고 있었니?]

힐라리아가 고개를 끄덕였다. 머릿속이 새하얘지는 기분이었다.

그녀는 이미 어른이 되었다고 생각했는데 어머니 앞에만 서면 어린애가 되어버리고 만다. 힐라리아가 어쩔 줄 몰라 하며 치맛자락을 움켜쥐었다.

"어머니는요?"

[나야 늘 평탄하지. 아버지나, 오빠들도 잘 있단다. 너만 잘 있으면 돼.]

일리의 작은 손바닥이 힐라리아의 머리를 쓰다듬었다. 그게 마치 어머니의 손길 같아 힐라리아가 수줍게 웃었다. 헬레나미아는 유일하게 힐라리아를 어린양처럼 만들 수 있는 존재였다.

"이렇게라도 뵐 수 있어서 너무 좋아요, 어머니."

[나도 그렇단다. 힐……. 더 이야기하면 좋겠지만, 지금은 시간이 없어. 이 아이는 네가 보냈던 아이란다. 세바스찬의 마지막 핏줄이지. 우리는 카르탈을 너를

위해서 쓰기로 결정했단다. 너의 방패막이가 되어줄 거야. 그러니 곁에 두렴.]

일리의 말에 힐라리아가 고개를 저으며 말했다.

"하지만, 카르탈 세바스찬은 충성심이 강한 인물이 아니에요. 저를 언제든지 배신할 텐데."

[그건 일리가 알아서 할 거란다. 걱정하지 않아도 돼. 이런, 시간이 별로 없구나. 누군가가 오고 있어.]

"어머니……!"

하지만, 힐라리아의 부름도 듣지 못한 일리가 다급하게 다시 청년의 몸으로 파고들었다. 카르탈 세바스찬은 다시 일리가 되었다. 눈가를 곱게 접은 일리가 힐라리아의 손에 볼을 비볐다.

갑작스러운 만남에 힐라리아가 마음을 가다듬느라 차마 그것을 밀어내지 못했다. 베아트리체가 그런 힐라리아의 어깨를 토닥였다.

그녀들 주변을 맴돌고 있던 나비들도 갑작스러운 거대한 정령의 힘에 해롱거리고 있는 상태였다. 한참은 우위에 있는 힘에 압도당한 것이다. 힐라리아가 간헐적인 숨을 내뱉었다.

너무 짧았다. 대체 누가 오고 있길래!! 힐라리아가 얼굴을 한껏 일그러뜨리던 그때였다. 문이 열리고 새하얀 귀신 같은 얼굴의 에벤에셀이 들어왔다.

힐라리아와 베아트리체의 시선이 그쪽으로 향한 그 순간.

"저는……. 저는, 황비 마마님의 사랑스러운 정부랍니다."

일리가 힐라리아의 손바닥에 얼굴을 비비며 달콤한 목소리로 속삭였다.

***

힐라리아가 호흡을 가다듬으며 생각했다. 그녀를 압박해오는 에벤에셀의 기세가 심상치 않았다. 그의 뒤쪽으로 발을 동동 구르고 있는 케이티와 심부름을 마치고 돌아온 첼로스테가 보였다.

안개비 속에서, 옷자락이 조금 젖을 법도 했는데 싸늘한 기세 탓일까. 에벤에셀 주위로는 비조차 내리지 않는 것처럼 보였다. 그에게 우산을 씌우고 있던 기사가 고개를 조아리고는 뒤로 물러섰다. 에벤에셀의 차가운 표정과 무거운 걸음걸이, 날카로운 눈매까지.

'지금 이게 무슨 상황이지?'

일리가 좀 더 힐라리아에게 들러붙었다. 사실 그건 그의 몸에 기생하고 있는 정령이 힐라리아에게 호감을 가지고 있기 때문이었다.

하지만, 그런 단순한 설명은 에벤에셀이 '사랑스러운 정부'를 듣기 직전의 이야기였다. 힐을 통해 정부에 대한 이야기를 듣기 무섭게 힐라리아와 베아트리체가 만나고 있는 이곳으로 달려왔다. 이미 어디 있는지 알고 있으니 물을 필요도 없어 에벤에셀은 최단 시간 안에 정원에 도착할 수 있었다.

스틸로즈 궁에 애완동물을 키우던 유리온실이 있다는 사실은 알고 있었다. 하지만, 힐라리아가 유리온실에 애완동물을 키울 거라고는 조금도 생각 못 했다.

그것도, 정부라 불리는 발칙한 인간 남자를. 그가 천천히 기세를 누그러뜨렸다. 힐라리아의 일렁이는 눈을 마주하니 어느 정도 진정이 되었달까.

'힐라리아가 의도한 일이 아니야.'

에벤에셀이 팔짱을 끼고 유리온실 문에 기대섰다. 그의 입술이 부드럽게 호선을 그리며 속삭이듯 입을 열었다.

"힐라리아 황비. 이곳은 애완동물을 키우던 곳이 맞습니다."

나지막한 그의 목소리가 유리온실을 가득 채우니 일리가 파드득 떨며 아예 힐라리아에게 달라붙었다.

"네, 그렇다더군요."

힐라리아가 억눌린 목소리로 대답했다.

"하지만, 어떤 애완동물을 키우실지에 대해선 짐의 허락이 필요합니다."

얼음이 버석거리며 떨어질 것 같은 에벤에셀의 눈이 일리를 훑었다. 그의 기세에 몰려 일리가 힐라리아의 뒤로 몸을 숨겼다. 이 일을 벌인 베아트리체도 힐라리아를 방패로 내세운 채 뒤로 물러선 탓에 에벤에셀 앞에 그대로 스스로를 드러낸 것은 오직 힐라리아뿐이었다. 힐라리아가 어색하게 웃으며 말했다.

"저는 애완동물을 키울 생각이 없습니다, 폐하."

"그러면? 그 금덩어리는 무엇일까요."

에벤에셀은 일리를 애초에 사람 취급을 안 하고 있었다. 금덩어리라니. 힐라리아가 일리를 힐끗 보았다. 에벤에셀의 말대로 금처럼 반짝이는 금발을 가지고 있으니 그럴 만도 했다. 에벤에셀이 느긋한 제왕의 걸음으로 힐라리아를 향해 걸어왔다.

"황비."

낮게 떨어지는 목소리에 힐라리아가 에벤에셀을 향해 고개를 들어 올렸다. 에벤에셀의 목소리에 정령의 힘이 가득 담겨진 게 느껴졌다. 에벤에셀과 무력으로 충돌할 경우 힐라리아는 10에 8의 확률로 패배할 것이다. 힐라리아의 붉은 입술이 파르르 떨렸다. 이런 모욕감은 처음이다. 힐라리아는 단 한 번도 그녀를 무릎 꿇리는 힘을 맛본 적이 없었다.

"……왜 화가 나신 겁니까?"

힐라리아가 물었다. 그녀가 앉아 있는 의자로 허리를 굽힌 에벤에셀이 그녀의 머리카락을 섬세하게 매만졌다. 평소와 다름없이 나른한 몸짓인데 에벤에셀이 화가 났다는 걸 여실히 알아차릴 수 있었다.

"짐이 화가 났다니……. 짐은 화가 나지 않았습니다. 그저 궁금할 뿐이지요. 저 금덩어리는 무엇입니까?"

에벤에셀의 눈길이 다시금 일리에게 닿았다. 당돌하게 정부라고 말할 때는 언제고 웅크리고 에벤에셀을 노려보는 것밖에 하지 못하는 하룻강아지였다.

"신경 쓰실 필요 없는 일입니다. 그저……."

대체 일리를 뭐라고 소개한단 말인가. 베아트리체가 왜 일리를 정부로 소개했는지 알 수 있을 만큼 쓸모없는 생김새다. 근육이 연해 기사가 될 수도 없고 매끈하고 앳된 얼굴과 굳은살 하나 없는 손가락을 보자니 차마 부관이라고 소개할 수도 없었다. 힐라리아가 천천히 일리를 훑어보았다.

"그저?"

에벤에셀이 힐라리아의 대답을 기다리며 답을 재촉했다. 힐라리아의 등받이를 짚은 손에 힘이 가해지고 에벤에셀의 얼굴이 그녀에게 조금 더 가까워졌다.

"그저 뭐랍니까?"

진짜 처음이다. 진짜, 진짜. 힐라리아를 당혹스럽게 만들고 변명거리를 찾게 만드는 남자는. 힐라리아가 이 상황을 타개할 말을 찾기 위해 고심할 무렵 에벤에셀과 그녀의 거리는 점점 더 가까워지고 있었다.

"그저……. 금덩어리?"

"짐이 들은 건 그게 아니었는데."

"정부로……."

힐라리아가 숨을 크게 들이쉬었다. 고개를 돌리니 에벤에셀의 얼굴이 바짝 다가와 있었기 때문이었다. 자꾸 그녀의 치맛자락을 잡아당기는 일리는 완전히 잊힐 만큼 가까운 거리였다. 에벤에셀이 나른한 눈길로 힐라리아의 눈을 주시했다. 그의 새파란 눈이 얼음 같은 귀기를 내뿜고 있는 게 여실하게 느껴졌다.

"정부……? 짐이 황비에게 무언갈 부족하게 했습니까?"

"폐하께서 제게 부족하셨다니. 늘 넘치는 분이십니다."

이미 의자 등받이에 몸을 기댄 상태라 물러설 곳도 없었다. 힐라리아는 말할 때마다 서로의 숨결과 입술이 스치는 걸 애써 감내해야 했다.

"정부는 보통 남편이 부족할 때 들이는 법인데 말입니다. 황비께서는 짐이 침실의 문턱을 넘는 걸 한 번도 허락하지 않으셨지요. 제가 넘치는지, 부족한지 아직 모르시지 않습니까?"

힐라리아는 차라리 기절하는 게 나을 것 같다는 유약한 생각을 태어나 처음으로 해보았다.

이 상황을 만든 베아트리체는 보이지도 않는다. 영악하고 상황 파악이 빠른 친구니 분명 이 유리온실 어디엔가 몸을 숨긴 채로 이 상황을 지켜보고 있겠지.

에벤에셀이 대답을 종용하듯 미소 지었다. 그가 손을 뻗어 힐라리아의 손가락에 자신의 손가락을 얽었다.

"황비. 그대가 원한다면 짐이 무엇이든 해드린다 했었지요? 기억하십니까?"

힐라리아가 눈을 깜빡였다. 왠지 그가 원하는 대답이 무엇인지 알 것 같았다. 에벤에셀이 일리에게 깃든 정령의 힘을 모를 리 없다.

"하지만, 그것엔 그만한 대가가 따르는 법이지요. 저 금덩어리를 이곳에 두는 대신에 황비께서는 제게 무엇을 내어주시렵니까?"

힐라리아의 입술이 떨리는 것이 에벤에셀의 입술에 그대로 전해졌다. 그녀의 거칠어진 숨결도. 에벤에셀은 그것을 빠짐없이 들이마셨다.

"……제 침대를……. 황제 폐하를, 제 침실로 초대하겠습니다."

힐라리아가 이를 악물고 말했다. 에벤에셀이 웃는 것 같았다. 정확히는 알지 못하겠다. 에벤에셀이 너무나 가까워 힐라리아가 그의 표정을 식별할 수 없었던 까닭이었다.

힐라리아의 입술 위로 에벤에셀의 입술이 가볍게 내려앉았다가…… 힐라리아의 입술 위의 피딱지를 콰득, 떼어냈다. 그 위를 촉촉하고 물컹한 무언가가 훑고 지나갔다.

뜨거운 호흡이 힐라리아의 입술 위로 쏟아졌다. 집요하게 힐라리아의 입술을 핥아 올리는 행위에 얼굴이 홧홧하게 달아올랐다. 예상치 못한 진한 스킨십에 귀까지 빨개졌다. 저도 모르게 붙들 것을 찾아 에벤에셀과 맞잡은 손에 힘이 들어갔다. 다른 손으로는 부채와 함께 의자의 팔걸이를 움켜쥐었다.

"흡."

힐라리아가 숨을 들이쉬었다. 물컹한 무언가가 힐라리아의 입술을 벌리고 치아를 훑고 지나갔다. 그 사이를 파고들까 말까, 고민하는 것처럼 진득하고 느리게.

왜 밀어내지 못하는 걸까, 왜!

힐라리아가 스스로를 타박하며 부르르 떨리는 손가락을 들어 올렸다.

부채를 쥔 힐라리아의 손가락이 에벤에셀의 어깨 위에 턱하고 얹어졌을 때였다. 그제야 에벤에셀이 힐라리아를 놓아주었다.

그녀의 손가락을 스륵 스치고 빠져나가는 긴 손가락의 체온이 잔상처럼 남았다. 물론 힐라리아의 입술 위에도 뜨겁게 남았다.

에벤에셀의 시선이 다시 높아졌다. 그가 일리를 억누르고 있었던 정령의 기운도 일순 거두어졌다.

"좋습니다. 이로써 황비에게 짐은 부족하지 않은 남편이 된 것 같네요."

에벤에셀의 미소는 부드러웠으나 그 속에 잠겨 있는 냉기는 여전했다.

"힐라리아 황비. 그 금덩어리를 이곳에 두는 걸 허락하겠습니다."

힐라리아가 입술을 감쳐물었다. 뜨거운 인두로 지진 것 같은 입술이 쓰라렸다. 비명이라도 지르고 싶었다. 이렇게 무력하게 끌려다니다니!

"반드시, 반드시……. 이 모든 걸 갚아드릴 날이 있을 겁니다."

힐라리아의 눈이 성난 파도가 몰아치는 바다처럼 새파랗게 번뜩였다.

"기대하고 있겠습니다, 황비."

"저는 절대로 허세를 부리는 사람이 아닙니다, 황제 폐하."

"예, 기대하겠습니다."

힐라리아가 분노에 차서 파르르 떠는 것을 에벤에셀이 웃는 얼굴로 응시했다. 그의 시선이 집요하게 힐라리아의 입술을 좇았다.

그가 남긴 달콤한 낙인을.

'귀여운 내 황비.'

힐라리아가 들었다면 그에게 폭력을 행사했을 말이었다.

Chapter 5.

힐라리아가 열어준 문

그 시각, 제이나의 궁.

그녀는 힐라리아가 보내준다는 선물을 기다리며 이상하게 가슴이 두근거려, 잠도 제대로 자지 못했다. 제이나가 거뭇한 눈을 한 번 문지르고는 힐라리아의 선물 위에 손가락을 얹었다. 힐라리아라면 절대로 시시한 선물은 하지 않았을 것이다.

가장 맛있는 것은 가장 마지막에 열어보는 법. 제이나가 힐라리아의 선물을 제쳐두고 선물과 함께 온 쪽지를 펼쳤다.

<나는 그대를 위해 문을 살짝 열어주는 것뿐이에요.

모든 선택은 제이나에게 달렸다는 걸 잊지 말아요.

아. 내가 항상 제이나에게 손을 내밀 준비가 되어 있다는 것도요.>

우아하고 고상한 서체였다. 쪽지의 발신인은 적혀 있지 않았지만, 누구인지 그냥 알 수 있었다. 제이나의 긴 속눈썹이 파르르 떨렸다.

여태껏 자신이 할 수 있는 일, 하고 싶은 일은 한 번도 입 밖으로 내어본 적이 없었다.

엄한 아버지, 과보호하는 오빠들……. 그녀를 휘두르지 못해 안달이던 황태후와 황제까지.

제이나는 그 사이에서 중심을 잡는 것만으로도 힘들었다.

그런 제이나에게 처음으로 하고 싶은 것을 하라고 말해준 사람이, 힐라리아였다. 게다가 힐라리아는 제이나가 원하는 걸 하게 해줄 힘이 있는 사람이기도 했다. 심장이 두근, 두근 큰 소리를 내며 뛰었다.

"황비 마마님……. 행복해 보이세요. 그렇게 웃고 계신 모습은 처음이네요."

시녀장의 중얼거림에 제이나가 얼굴을 매만졌다.

'내가 웃고 있다고?'

웃는 방법을 까먹었다고 생각했다. 하지만, 아니었나 보다. 제이나가 입술을 이로 꾹 물었다가 놓고는 빠르게 포장지를 풀었다. 바스락거리는 포장지가 제이나의 발치로 떨어졌다.

"하……."

제이나가 입술을 벌려 낮은 탄식을 내뱉었다. 힐라리아가 선물한 것은 검이었다. 검. 그녀가 살면서 단 한 번도 받아보지 못했던 선물. 그토록 바랐으나 가져보지 못했던 것. 손잡이의 밑부분에는 제이나의 이름이 금실로 수놓아져 있었다. 제이나가 느리게 검의 손잡이를 잡았다. 고급 가죽으로 만든 듯 부드럽게 착 감기는 검 손잡이가 마음에 쏙 들었다.

"황비 마마, 만약 아버님께서 아신다면……!"

"나는 어린애가 아니야, 카롤리나."

제이나가 엄숙하게 말했다. 그녀의 부드러운 눈빛이 날카롭게 벼려졌다. 검을 살피는 눈과 검을 매만지는 손길 모두가 익숙했다.

'나의 검…….'

모든 걸 가질 수 있었던 제이나 로마노프 영애가 유일하게 가지지 못했던 한 가지. 제이나가 떨리는 숨을 내뱉었다. 아무도 몰래 무기 창고에서 검을 빼돌려 아버지 몰래 검을 배웠다. 그때의 열정과 흥분이 되살아나는 것 같았다.

'그 전에.'

제이나에겐 풀어야 할 숙제가 하나 남아 있었다. 제이나가 고개를 들어 올려 카롤리나를 주시했다. 검을 잡은 제이나는 평소와는 달리 기사처럼 날카롭고 예리한 분위기를 풍기고 있었다. 카롤리나는 목덜미가 쭈뼛 서는 것을 느꼈다. 뒤로 주춤주춤 물러서는 그녀에게 제이나가 낮은 목소리로 물었다.

"카롤리나, 이번에도……. 내가 한 선택을 아버지께 고해바칠 거니? 줄리안을 알렸던 것처럼 말이야."

카롤리나의 얼굴이 희게 탈색되었다. 그녀가 바닥에 털썩 주저앉았다.

"아, 황비 마마……. 알고 계셨……."

"몰랐을 리가 없잖아. 내 비밀을 알고 있었던 건 너뿐이었는데."

제이나가 검을 놓을 수밖에 없었던 이유, 모든 걸 포기하고 주저앉을 수밖에 없었던 이유는 친구였다. 평민기사의 꿈을 이루기 위해 로마노프까지 왔던 친구. 그 애의 이름은 줄리안이었다. 제이나에게 검과 말을 가르쳐주었다는 이유로 꿈을 빼앗기고 변방으로 내쫓긴 소년의 이름은.

줄리안을 살리는 대가로 제이나는 자신의 꿈을 포기해야 했다. 제이나가 천천히 자리에서 일어나 카롤리나를 향해 검을 겨눴다.

"선택해, 카롤리나. 이번에도 아버지의 편에 설 것인지, 내 편에 설 것인지."

더 이상은 포기하지 않을 거다. 그녀를 위해 희생한 줄리안을 위해서. 그리고 제이나에게 손을 내밀어준 힐라리아를 놓치지 않기 위해서라도!

***

에벤에셀은 그녀에게서 만족스러운 대답을 들은 뒤에 지체 없이 돌아갔다. 힐라리아가 부채로 얼굴을 가린 채로 주변을 둘러보았다. 힐라리아와 에벤에셀이 연출한 장면을 모두 본 게 분명했다. 첼로스테는 환희에 찬 얼굴을 하고 있었고 케이티는 믿을 수 없다는 듯 입술을 벌리고 있었다.

아직도 내리고 있는 빗줄기가 힐라리아의 마음을 두드리는 것만 같다. 짙푸른 녹음 위로 내리는 빗방울과 유리를 두드리는 빗방울의 소리들이 뒤섞여 힐라리아를 술렁이게 만들었다.

톡. 톡, 툭툭. 힐라리아의 마음을 두드리는 것 같다. 유리온실의 실내 온도가 아까보다 더 높게 느껴졌다.

힐라리아가 숨을 크게 들이쉬었다가 내쉬었다. 곧 어떤 소문이 이 커다란 성에 퍼질지 눈에 훤했다. 그리고 베아트리체는…….

"힐! 힐! 힐!"

빙그르르 돌아 힐라리아의 앞에 착지했다. 귀족 영애의 품위는 다 던져버린 것인지 힐라리아의 앞에 쪼그리고 앉아 고개를 들이밀었다. 힐라리아가 탄식을 흘리며 베아트리체의 이마에 손가락을 얹었다.

"무슨 생각을 하는지 알겠는데 그런 거 아니야."

"뭐가 아닌데? 뭐가? 입술이 완전 터져버릴 것 같아! 힐의 고양이는 황제였구나? 황제가 할퀸 거였어!"

"베베……."

힐라리아가 조잘조잘 떠들려고 하는 베아트리체의 입술을 부채로 가렸다. 하필이면 그런 모습을 보여도 베아트리체에게……. 어쩌면 이걸 노리고 정부라는 소리를 떠들어댄 것일 수도 있고. 힐라리아가 일리를 힐끗 노려보았다. 한껏 몸을 웅크린 채로 눈만 깜빡이는 게 정말 고양이 같다.

'어머니…….'

어쩌자고 이런 애물단지들을 제게 보내신 건가요.

"베베, 정신 차려."

힐라리아가 부채로 베아트리체의 이마를 꾹 눌렀다. 그사이로 드러난 핏물이 번진 입술을 보며 베아트리체가 배시시 웃었다. 그녀가 예상했던 것 이상으로 반응해준 에벤에셀에게 박수갈채를 보내고 싶었다.

힐라리아를 이렇게 동요하게 하다니! 입이 근질거렸지만 더 이상 했다가는 힐라리아가 에벤에셀을 살해할지도 모른다는 생각에 몸을 일으켰다. 그녀는 생각 이상으로 친구를 잘 파악하고 있었다.

"그래서 침실에선 뭘 할 건데? 드디어 황제를 초대한 거야? 아무나가 아니라, 황제를?"

마지막 한마디를 던지는 건 잊지 않았지만. 힐라리아 주변으로 나비가 파드득 소리를 내며 동시에 날아올랐다. 그녀의 주변으로 범람하는 나비들을 보면서 베아트리체가 양손을 귀엽게 들어 보였다.

"항복! 그만할게, 정말로!"

한술 더 떠, 파르르 떨리는 힐라리아의 손등에 일리가 고개를 기댔다.

"화내지 마세요. 무서워요."

힐라리아가 퍼뜩 놀라서는 일리를 내려다보았다. 마치 버림받은 강아지처럼 올려보는 눈빛에 힐라리아의 눈썹이 꿈틀했다.

"상태가 많이 이상한데."

"일리는 힐라리아 황비 마마님께 복종해요. 일리는 힐라리아 황비 마마님의 정부예요. 마마님이 원하시는 건 무엇이든 할 수 있어요."

힐라리아가 이마를 짚었다.

'어머니가 얼마나 강력한 주술을 걸어두셨길래…….'

애 상태가 이런 것인지.

"얘는 어디에 둘 거야?"

"……여기가 딱 좋겠네. 하는 짓이 고양이 같잖아."

"좋은 생각이야. 침실에 데리고 들어갔다가는 황제가……."

"베베!"

힐라리아가 이를 갈며 베아트리체의 이름을 부르자 베아트리체가 혀를 빼꼼 내밀며 웃었다. 일리의 집은 유리온실로 낙점되었다.

"어디 갈 일이 있으면 꼭 데리고 다녀. 그래도 검을 쓸 줄 아니까. 이건 일리의 몫이었거든."

베아트리체가 미리 준비해왔던 또 다른 검을 꺼내 일리에게 내밀었다. 그제야 바르게 몸을 일으킨 일리가 검을 챙겨 허리에 찼다. 또 저런 모습을 보니 멀쩡해 보이는 것 같은데…….

"황비 마마님."

고양이처럼 갸릉 대며 엉겨오는 것을 보면 절대 제정신은 아니다. 힐라리아가 일리를 밀어내려 그의 머리에 손을 얹었다. 머리카락이 그녀의 손끝에 감겼다. 흠칫.

'……부드러워.'

힐라리아가 놀란 얼굴로 일리를 보았다. 실크를 쓰다듬는 것처럼 부드럽고 촉촉한 감촉에 자신도 모르게 빠져들었다. 일리가 힐라리아와 눈을 마주치며 배시시 웃었다.

"……데리고 다니도록 노력해볼게."

일리의 쓸모가 머리카락에 있다면 데리고 다닐만할 것 같았다.

"좋아. 프로이턴 쪽은 어떻게 할 거야?"

베아트리체가 빙글빙글 웃으며 화두를 돌렸다.

"프로이턴의 외교 대사관에 머물고 있는 황녀가 메일린 프로이턴이라면……."

아주 즐거운 일이 아닐 수 없다. 힐라리아가 매혹적인 미소를 머금었다. 꿀이 떨어질 것처럼 농후해진 목소리에 베아트리체가 귀를 기울였다.

"나는 메일린의 꿈을 응원해줄 사람이야."

"대체 무슨 꿍꿍이를 꾸미는 거야?"

힐라리아가 고개를 갸웃했다.

"무슨 꿍꿍이를 꾸미다니. 나는 그런 음습한 사람이 아니야."

"그러면?"

"꿈을 이루어주는 착한 마녀지."

힐라리아가 베아트리체에게만 들리도록 나긋한 목소리로 속삭였다. 꿈을 가진 이들은 약간 부추겨주는 것만으로도 스스로의 길을 찾아간다. 제이나에게 그랬듯이 메일린을 자극해볼 생각이었다. 그녀에게도 아주 살짝 문을 열어주는 것이다. 베아트리체가 몸을 바르르 떨고는 물었다.

"뭘 할 생각인지 얼른 말해."

못 들은 척, 힐라리아가 베아트리체의 머리를 쓰다듬었다. 어차피 메일린 황녀가 꿈꾸는 미래나 원하는 것에 대해서는 힐라리아밖에 알지 못한다.

아마도 황제는 장담할 수 없지만.

"씁."

힐라리아는 입술을 혀로 쓸다가 쓰라림에 눈살을 찌푸렸다.

'망할 에벤에셀.'

마음속으로 욕을 뱉은 힐라리아가 다시 달콤한 목소리로 말을 이었다.

"프로이턴의 황제는 메일린의 부재를 모르고 있을 가능성이 커."

수많은 자식들 중 하나를 필요에 의해 가장 아끼는 자식으로 둔갑시키는 건 어려운 일이 아니었을 것이다. 그리고 메일린 프로이턴과 윈프리드 주재 프로이턴 외교 대사는 같은 편일 가능성이 높다.

힐라리아가 베아트리체의 머리카락을 귀 뒤로 넘겨주며 흥미로운 말을 속삭였다.

"프로이턴의 황제가 되어봐, 베베."

무슨 말인지 알아들은 베아트리체가 악동 같은 미소를 지었다.

***

집무실로 돌아와 의자에 소리 나게 앉은 에벤에셀이 숨을 골랐다. 이렇게 감정적으로 행동할 줄이야. 모든 건 그의 계산속에 있는 줄 알았는데 어째서 항상 힐라리아만이…….

"폐하?"

반에이크의 부름에 에벤에셀이 상념에서 깨어났다. 회의 도중에 무슨 생각인지 밖에 다녀온 에벤에셀의 표정이 한껏 굳어 있었다.

“어딜 다녀오셨길래 그런 얼굴을 하십니까? 사람 무섭게.”

“힐라리아 황비에게 잠시 다녀왔지.”

“……이렇게 비가 오는데 갑자기 왜.”

반에이크가 주먹을 움켜쥐었다. 힐라리아, 힐라리아라니. 지난 만남에서 비롯된 힐라리아의 잔상은 오래도록 남아 반에이크를 술렁이게 하고 있었다. 겨우 몇 시간 함께 보냈을 뿐인데, 여름처럼 뜨겁고 강렬하다. 그녀의 푸른 눈동자에 홀려 힐라리아의 포로가 된 것만 같았다.

힐라리아는 다른 영애들과는 달리 다른 시각을 가지고 있었다. 그녀를 기쁘게 할 수 있는 건 보석이나 꽃이 아니라 무기 밀매, 복지 사업 같은 것들이다. 반에이크와 동등하게 이야기를 나눌 수 있는 사람이었다.

힐라리아에겐 무엇을 털어놓아도 괜찮을 것 같다는 생각이 들 정도였다. 힐라리아의 시야는 넓고 계속해서 이야기를 나누고 싶을 정도로 속내가 깊다. 반에이크의 목소리가 살짝 어긋난 것을 알아차린 에벤에셀이 살짝 눈가를 찌푸렸다.

“무슨 문제가 있는 건가? 짐과 후궁의 일인데.”

“아닙니다. 그저……. 황비 마마님께서 차를 마시러 들러주십사 하신 일이 떠올라서요.”

이건 분명히 일부러였다. 에벤에셀이 힐라리아로부터 스틸로즈 궁에 드나드는 것을 허락받지 못했다는 것을 아니까.

‘유치하긴.’

반에이크가 자조하기 무섭게 에벤에셀이 툭하고 말을 던졌다.

“안 그래도 그것 때문에 황비를 만나고 왔지. 힐라리아 황비가 짐을 침실로 초대했거든.”

그 말에 반에이크가 주먹을 꾹 움켜쥐는 것이 보인다.

에벤에셀이 부드럽게 미소 지었다.

'정말, 안심할 수 없군.'

왜 이렇게 힐라리아에게 홀려드는 이들이 수두룩한 건지 모르겠다. 일단 실로테 황비도 그렇고 첼로스테라든가 스베인조차도. 마침, 스베인은 반에이크와 에벤에셀의 대화를 곱씹어보며 이해하려 노력하던 중이었다.

'대체……. 뭐 하는 거지?'

스베인이 이해 못 할 상황에 두 사람을 번갈아보다가 어깨를 으쓱했다. 유치하게 왜들 저러는지. 하긴, 그가 에벤에셀과 반에이크를 이해했던 날이 있었던가. 스베인이 다시 하던 일을 하기 시작했다.

***

힐라리아가 심호흡을 했다.

'동요하지 마, 힐라리아.'

에벤에셀과의 점심 식사 자리에 도착한 힐라리아가 스스로를 다잡았다. 이번엔 무슨 일이 있어도 아까처럼 휘둘리지 않으리라. 힐라리아가 수만 번의 다짐을 끝내고 동관의 식당에 들어섰다. 에벤에셀이 먼저 와서 기다리고 있었던 듯 힐라리아를 맞이했다.

"늦지 않고 왔군요, 황비."

"폐하께서는 일찍 오셨나 봅니다."

"설레서 앉아 있을 수가 있어야지요."

에벤에셀이 고개를 천천히 기울였다. 그는 상석에 앉아 있는 그의 곁으로 앉는 힐라리아의 모습을 처음부터 끝까지 좇았다.

"무엇에 설레셨길래."

힐라리아가 가벼운 질문을 던졌다. 그녀는 여전히 부채로 입술을 가린 채였다. 절대로 틈을 내보이지 않겠다는 강인한 의지가 엿보이는 행동이었다.

에벤에셀이 입술을 비죽이 끌어 올렸다.

"황비가 함께 식사를 하자, 청해준 건 처음이라서요."

힐라리아가 입술을 의미 없이 벌렸다가 닫았다. 요사스럽다. 사람을 홀릴 것 같다. 에벤에셀이 내비친 것은 그런 수식어들이 붙을 것 같은 웃음이었다.

'이거 완전 여우 아냐!'

힐라리아가 혀를 내둘렀다. 정말로 설레는 사람처럼 말한다, 꼭. 새파란 불길이 일렁이는 것 같은 눈으로 힐라리아가 에벤에셀을 노려보았다. 그런데도 힐라리아의 사나운 눈빛을 마치 귀여운 새끼고양이 보듯이 본다. 에벤에셀은 매번 힐라리아의 예상을 빗나가고 있었다. 차라리 빨리 이 자리를 빠져나가는 게 나을 것 같았다. 힐라리아가 도전적인 시선을 거두지 않은 채로 입술을 열었다.

"……잠시나마 기쁨이 되어드렸다니 저도 좋습니다, 폐하. 하지만, 맛있는 식사를 하기 위해선 먼저 제 용건을 꺼내는 게 나을 것 같아요."

"무엇이든."

에벤에셀이 어깨를 으쓱했다. 힐라리아가 부채를 거두곤 붉은 입술을 휘어 올렸다. 장미꽃처럼 흐드러진 미소를 피운 채로 힐라리아가 낮은 목소리로 말했다.

"제 것을 돌려받고 싶습니다, 폐하."

"황비의 것?"

"예. 제가 키우던 아주 귀여운 나비를 잃어버렸답니다. 폐하께서는 제 나비가 어디에 있는지 아실 것 같아서요."

에벤에셀이 덩달아 자세를 낮추고는 속삭였다.

"길 잃은 나비 한 마리를 보관 중이지요."

역시. 나비 도둑을 잡았다.

"하지만, 황비에게는 나비가 매우 많지 않습니까? 한 마리쯤은 내게 양보

해도 괜찮을 겁니다."

이 멍청한 정령 나부랭이 같으니. 힐라리아가 농밀한 미소를 지으며 에벤에셀을 향해 몸을 기울였다. 하지만, 분노가 일렁이는 푸른 눈은 폭풍우가 치는 바다와 같이 위협적이었다.

"가장 아끼는 나비라서요."

힐라리아의 위협에도 그저 귀엽기만 하다는 듯 에벤에셀이 그녀의 머리카락을 쓸어 넘겼다. 그 행동에 오히려 힐라리아가 깜짝 놀라서 몸을 뒤로 물려야 했다.

"폐하, 아침에 있었던 일로 충분했습니다. 지금도 사람들은 제 입술만 힐끔거려요. 다들 저와 황제 폐하에 대해서 떠들고 있겠지요. 폐하께서 사람들의 관심을 돌려 하시려는 일이 무엇인지는 모르겠습니다. 하지만, 충분한 것 같다는 생각이 듭니다."

에벤에셀이 속 모를 미소를 지으며 부드럽게 물었다.

"입술에 약은 발랐습니까? 쉽게 낫진 않을 것 같은데."

"네. 제가 생각해도 그렇습니다. 가끔은 말하는 것도 따갑습니다."

힐라리아가 에벤에셀을 짜증스럽게 노려보았다. 거리낄 것 없이 날것 그대로의 감정을 표출하는 힐라리아를 보며 에벤에셀이 고개를 갸웃했다.

"그런데 왜 아직도 못 알아들으실까. 황비는 영민한 사람이라는 걸 짐도 알고 있는데."

에벤에셀이 손을 뻗어 힐라리아의 입술을 쓸었다.

"흣……!"

오싹할 정도의 쓰라림에 힐라리아가 저도 모르게 몸을 뒤로 물리며 입술을 손으로 가렸다.

"짐이 그대에게 관심이 있다고……. 이렇게 몇 번이고 가르쳐준 것 같은데."

에벤에셀이 손을 거둬들이며 눈가를 곱게 접어 웃었다.

"황비. 아무것도 하지 않아도 된다고 했지만, 부정하라고는 하지 않았습니다."

"황제 폐하."

"쉬이. 아무 일도 없을 테니까."

결국 말을 잇지 못한 힐라리아가 옅은 한숨을 내쉬었다. 이것에 대한 이야기는 다음에 해야겠다. 메일린 프로이턴과의 관계마저 허울뿐이었을지도 모른다는 사실을 알게 되었다. 그에게 진심이 있긴 한 걸까? 거짓된 감정에 속아 기름을 지고 불 속으로 뛰어들고 싶지는 않다.

힐라리아가 입술을 손가락으로 꾹 눌렀다가 떼어냈다. 홧홧한 열감이 입술을 바르르 떨리게 만들었다. 곤란한 남자다. 여러 가지로. 힐라리아가 하는 모양새를 지켜보고 있던 에벤에셀이 가볍게 화제를 전환시켰다.

"나비 이야기를 하고 있었지요. 미안합니다, 황비. 그 나비를 이제는 짐도 아끼게 되어서요."

도둑 주제에 말이 많은 황제를 보는 힐라리아의 낯빛은 당연히 곱지 않았다.

"이름도 붙여주었답니다."

"……."

"힐이라고 부르고 있지요. 이름이 참, 예쁘지 않습니까?"

동요하지 않겠다고 했는데! 힐라리아가 주먹을 부들부들 떨며 자신도 모르게 테이블을 내리쳤다.

"제 나비예요. 돌려주세요!"

"황비께서 그렇게 애타게 원하신다니, 제안을 하나 하지요."

에벤에셀이 의자를 가깝게 당겨 앉았다.

"나비를 짐에게 양보해준다면 황비가 궁금해하는 세 가지 질문에 답해드리겠습니다. 그대를 걸고 진실된 마음으로."

"……저는 걸지 마시고요."

이건 꽤 괜찮은 거래 조건인 것 같았다. 안 그래도 궁금한 것이 많아 어떻게 대답을 얻어야 할지 고민이었는데. 고민은 짧고 대답은 더 짧았다. 멍청한 정령 나부랭이, 좀 더 고생해라.

"좋습니다. 제가 질문하는 게 무엇이든 대답해주시는 거겠죠?"

"물론."

"그럼, 첫 번째 질문입니다. 에라스모 백작과 무기 밀매, 황태후 사이의 관계를 알고 싶습니다. 황제 폐하께서는 어디까지 알고 계신 건가요?"

"질문이 여러 개인 것 같은데."

힐라리아가 입술을 가린 채로 눈을 무지개처럼 예쁘게 휘었다. 그리곤 속삭이는 듯이 상냥한 목소리로 나긋나긋하게 말했다.

"보통 남자는 관심이 있는 여자에게 관대해진다던데."

에벤에셀이 얕은 웃음을 터뜨리며 머리카락을 쓸어 넘겼다.

"믿지도 않으시면서 관대함을 바라시는군요."

"그 또한 황제 폐하의 관대함이시기에."

"짐의 마음을 이용하시는 겁니까?"

"네. 원하는 것을 얻기 위해서라면 무엇이든."

"힐라리아 황비가 원하신다니 짐의 관대함을 발휘해보지요. 무엇을 얻어가실지는 모르겠으나 짐의 관심도 함께 얻어가시길."

절대 져주질 않는다. 조금도 당황한 모습을 보이지 않는 에벤에셀 때문에 힐라리아가 입술을 삐죽였다.

"에라스모 백작은 프로이턴 외교 대사관에게 뇌물을 받습니다. 하지만, 황녀의 체류를 눈감아 주는 것일 뿐 에라스모 백작과 황태후는 무기 밀매의 실체에 대해선 모르고 있습니다. 하지만, 짐은 모든 것을 알고 있지요."

"어떻게?"

"그 또한 질문인 것 같은데."

"관대해지세요, 폐하."

에벤에셀이 힐라리아를 향해 손을 내밀었다.

"짐의 관대함에 약간의 대가가 필요할 것 같은데."

힐라리아가 고개를 갸웃했다. 에벤에셀이 힐라리아의 눈을 직시한 채로, 봄바람처럼 속삭였다. 귀 기울여 듣지 않으면 들리지 않을 정도로 작고 나지막한 목소리였다.

"손을 잡아주세요, 황비."

"……."

"고작 그것입니다."

열린 창문으로 스며든 초록의 향기가 두 사람 사이를 파고들었다. 그리고 이내 잎사귀가 떨리는 소리마저 들릴 것 같은 정적이 내려앉았다. 테이블을 장식한 여름 꽃들이 모른 척 유혹적인 향을 뽐내며 장소에 화려함을 더했다. 스베인을 비롯한 시종들이 동분서주한 보람이 있는 순간이었다.

손을 잡는다는 것, 고작 그것. 하지만, 어쩔 땐 내밀한 접촉보다 더 사람을 설레게 하는 행위였다. 힐라리아가 천천히 손을 내밀었다.

'이것쯤이야.'

절대로 그녀는 에벤에셀에게 홀리지 않는다. 에벤에셀이 은은하게 미소 지으며 힐라리아의 손을 맞잡았다. 그녀의 손가락 사이로 손가락을 끼워 넣어 완전히 겹쳐 잡았다. 아침에 유리온실에서 그랬던 것처럼. 힐라리아는 그녀의 손바닥에 스며드는 감각을 감내해야 했다. 아무렇지도 않은 척하며.

"대답해주세요."

"황비에겐 나비가 있듯이 짐에겐 사람이 있습니다. 짐은 정령 대신 사람을 부립니다. 하지만, 그것이 반에이크 공작은 아닙니다."

"……좋은 사람들을 많이 알고 계시는군요."

에벤에셀의 자세가 좀 더 흐트러졌다. 고상한 황족답지 않게 테이블 위에 팔꿈치를 얹고는 턱을 괬다. 힐라리아와 에벤에셀이 대화를 나누는 걸 기다리느라 아직 테이블이 텅 비어 있어 다행이었다. 그 모습도 꽤 괜찮아

보였으니까.

"다음 질문을 하세요, 황비."

"왜 무기 밀매를 방관하십니까?"

"짐은 무기가 어디로 팔려나가고 있는지 누구의 창고를 채우고 있는지 알고 있습니다. 그래서 짐은 발상을 전환하기로 했지요."

"어떻게?"

진짜 알면 알수록 속이 지옥보다 깊은 남자다.

"짐은 그들의 창고에 전쟁을 대비한 무기를 저장하는 중입니다. 물론, 그들은 모르게요. 무기를 사서 애국을 하겠다는데 짐이 막을 수는 없지요."

세상에. 눈 뜨고 코 베인다는 게 이런 거구나! 이래서 수도 가면 사람을 조심해야 한다고……. 힐라리아가 혀를 내둘렀다. 그녀보다 더한 능구렁이가 황궁에 도사리고 있을 줄이야! 그렇다면 나르탄 백작이나 다른 이들의 무기를 집어삼키려던 힐라리아의 계획은 수포가 되는 것이다. 이미 황제가 눈독 들이고 있는 먹잇감이라면…… 아쉽게 됐다. 그녀의 아쉬움을 알아차린 것일까. 에벤에셀이 한마디 덧붙였다.

"짐은 관대하니까 한 가지 더 알려드리지요."

한 가지 더? 흥미가 생긴 힐라리아가 눈을 빛내며 계속해보라는 듯 그의 손을 잡아당겼다.

"무기는 프로이턴이 아닌 고틀리프 제국에서 흘러 들어와서 오스발트 왕국까지 흘러 들어갑니다."

오스발트 왕국이라면……! 생각이 갑자기 많아졌다. 국내에 체류되고 있는 무기는 이미 에벤에셀의 것이다. 힐라리아보다 더한 능구렁이가 찜하고 있는 물건은 탐을 내지 않는 게 낫다.

하지만, 주인 없이 해외로 흘러 들어가고 있는 무기들이라면? 얼마든지 힐라리아가 꿀꺽해도 탈이 나지 않을 것이다.

"자, 이제 마지막 질문을 하실 시간입니다."

힐라리아가 잠시 생각은 접어두고 입술을 달싹였다.

'메일린 프로이턴과도 교류를…….'

무심코 다음 질문을 하려던 힐라리아가 속으로 혀를 찼다. 이건 무슨 구질구질한 구시대적 질문이야? 이렇게 쓸모없는 질문을 왜 해? 힐라리아가 침을 삼키고는 얼른 다른 질문을 꺼냈다.

"네이선 황자는 왜 돌아오는 겁니까?"

"흐음."

에벤에셀이 눈을 가늘게 떴다. 그건 아무도 모르게 극비로 진행되고 있는 일이었다. 아는 이라곤 해봐야 스베인이나 반에이크, 황태후 정도일까? 의심이 깃든 황제의 눈초리를 느꼈지만 힐라리아는 꿋꿋했다. 이건 힐라리아가 미래에서도 궁금했던 일이었다. 대체 어째서 에벤에셀은 네이선 황자를 돌아오게 해서 내전과 외전을 겹으로 치룬 것일까? 그냥 유배지에서 죽였다면 훨씬 쉬웠을 일인데. 아무리 고민해보아도 오리무중이었기에 좋은 기회였다.

"대체 어느 입이 그런 사실을 황비에게 흘렸는지는 모르겠지만……."

"제게는 나비가 있습니다, 폐하."

힐라리아가 천연덕스럽게 말했다. 네이선 황자가 돌아오는 건 그녀의 기억이 맞다면 황태후의 생일 전후일 것이다. 바로 다음 주 주말. 에벤에셀이 힐라리아의 손바닥을 손가락으로 쓱 쓸었다. 소름이 돋을 만큼 가벼우나 진득하게.

"이런. 짐이 위험한 나비를 황궁에 들였군요. 약속이니 대답은 해드리지요. 네이선이 돌아오는 이유는 단 하나입니다. 그래야 황태후가 위험한 희망에 휩싸여 스스로를 불태울 테니까."

에벤에셀의 표정이 일순 잔혹해졌다. 힐라리아조차 긴장할 만큼. 당황하여 멈칫한 힐라리아가 에벤에셀을 멍하니 쳐다보았다.

'저런 표정도 할 줄 안단 말이야?'

겉으로는 매번 빙글빙글 웃는 사람이라 진심을 드러내는 법을 모르는 줄 알았다. 하지만, 여태까지는 장난이었다는 듯이 이를 드러낸다. 평소에 온화한 사람이 한 번 화내면 무섭다더니.

'아니지. 에벤에셀은 평소에도 위험하잖아!'

힐라리아가 놀란 모습을 본 에벤에셀이 표정을 가다듬었다.

"짐이 황비를 너무 놀라게 해드렸나 봅니다."

그리곤 맞잡지 않은 손으로 힐라리아의 볼을 쓸었다. 그의 손이 점점 아래로 내려가는 것을 알아차린 힐라리아가 에벤에셀의 손을 낚아챘다. 내밀한 접촉을 해오는 에벤에셀 덕분에 두 사람 사이의 긴장감이 짙어졌다. 에벤에셀이 힐라리아에게 잡힌 상태로 눈을 곱게 접으며 웃었다.

"황비. 언제 짐을 초대해주실 겁니까?"

힐라리아가 입술을 일그러뜨렸다. 생각에 잠겨 있느라 오전에 있었던 일은 까맣게 잊고 있었는데 에벤에셀 덕분에 다시 떠올라버렸다.

"글쎄요."

한정적인 시간을 두고 약속한 것이 아니기에, 힐라리아가 애매하게 대답하며 그의 손을 떼어냈다. 하지만, 다른 쪽 손은 맞잡고 있는 상태라 에벤에셀과의 거리는 조금도 멀어지지 않았다.

"약속은 지키라고 있는 겁니다, 황비. 게다가 황제와의 약속은 좀 더 무겁지요."

에벤에셀이 다시금 힐라리아의 손바닥을 손가락으로 긁작였다. 마치 그녀의 신경을 긁작이는 것처럼.

"왜 하필 저인가요?"

"음?"

"이 성에는 다른 황비들도 수없이 많은데 왜 하필 저인가요?"

에벤에셀이 짧게 웃었다.

"지금 질투하는 겁니까? 블라디슬라프에 거주하는 황비는 수없이 많지 않습니다. 황비를 포함해 4명이지."

질투라니! 무슨 말을 못 하겠다. 힐라리아가 짜증스럽게 그와 맞잡은 손을 털어냈지만, 에벤에셀의 손은 떨어지지 않았다. 힐라리아가 몇 번 시도하다가 한숨을 내쉬곤 포기했다. 다정하고 상냥한 척하지만 근본적으론 제멋대로인 남자다. 힐라리아가 에벤에셀을 노려보며 톡 쏘아붙였다.

"제멋대로 생각하시는군요. 저는 그런 치졸한 감정은 품지 않습니다!"

"힐라리아 황비가 질투한다면 치졸한 게 아니라 귀여운 감정이겠지요."

에벤에셀의 말에 힐라리아가 입술을 삐끔거렸다.

그러다가 정신을 차리곤 고개를 작게 저었다.

"지금 말을 돌리신 건가요? 굳이 저일 필요는 없었으니 하실 말씀이 없으셔서. 그렇지요?"

그러면 다른 황비를 불러다 이 자리에 앉히라고 말할 작정이었다. 하지만, 에벤에셀이 힐라리아에게만 들릴 낮은 목소리로 말했다.

"짐을 농락하시는군요, 황비. 분명 네가 궁금하다고 말했는데. 몇 번이나 주지시켜도 받아들여 주질 않아."

에벤에셀의 검푸른 눈이 힐라리아의 부풀어 오른 입술을 훑었다. 힐라리아가 반사적으로 입술을 가렸다.

"귀여운 황비의 투정이니 다시 한번 말하지. 잘 들어, 힐."

힐이라니. 이제는 너무 자연스럽게 그녀의 애칭을 부르는 게 아닌가? 게다가 자연스럽게 말을 놓는 건 뭔데? 힐라리아는 에벤에셀을 새초롬히 노려보는 눈길을 거두지 않았다. 그 눈길을 응시하며 에벤에셀이 말했다.

"내가 궁금한 건 너뿐이야. 다른 이들은 아무래도 상관없이."

으. 왜 이렇게 저돌적으로 나오는 거야? 힐라리아가 잇새로 한숨을 삼켰다. 에벤에셀의 진심이 그렇게 달갑지만은 않았다. 사랑도 정치적인 이유로 이용할 수 있는 남자라면 더욱더.

"……."

그런데 이상하다. 뭐라도 잘못 먹은 것처럼 가슴이 답답했다. 아직 점심 식사는 시작도 하지 않았는데 목 끝까지 꽉 틀어 막힌 것 같았다.

"이런. 너무 놀라지 마세요, 황비."

에벤에셀이 위로하듯 그녀의 손바닥에 자신의 손바닥을 꾹 맞붙이며 부드럽게 미소 지었다. 다시 평소의 에벤에셀로 돌아왔다. 방금 전 날것 그대로의 감정을 드러냈던 에벤에셀은 사라지고 다시 황제 에벤에셀이 눈앞에 앉아 있었다.

"짐은 아직은 황비에게 아무것도 바라는 게 없으니."

"……저도 드릴 게 하나도 없습니다."

힐라리아의 대꾸에 에벤에셀이 고개를 끄덕였다.

"네. 황비는 그저 가만히. 이제 원점으로 돌아갈까요? 황비, 짐을 언제 초대해줄 건지 말해주세요. 자꾸 안달 나려고 하니."

에벤에셀이 턱을 괸 채로 힐라리아를 지그시 응시했다. 이렇게 재촉하면 생각을 할 수가 없잖아. 힐라리아가 숨을 참았다가 다시금 길게 내쉬었다. 그리곤 짧게 대답했다.

"오늘. 오늘 밤 오세요, 폐하."

하기 싫은 숙제를 해결하듯이, 힐라리아가 성급히 날짜를 정했다. 에벤에셀이 잘했다는 듯이 그녀의 손을 문지르고는 속삭였다.

"짐이 부족한 남편이 되지 않게 해줘서 고맙습니다, 황비."

그리곤 장난은 이제 그만이라는 듯이 에벤에셀이 힐라리아에게서 깔끔하게 손을 거둬갔다. 에벤에셀이 시계를 힐끗 보고는 덧붙였다.

"너무 지체되었군요. 식사를 시작하죠."

에벤에셀이 대기하고 있던 이들을 향해 손짓했다. 다시금 속 모를, 얼굴로.

***

올리비아는 볼일을 마치자마자 허둥지둥 입궁했는데 황성은 그녀에겐 관심도 없는 것 같았다. 그녀의 궁에서 일하는 사용인들 말고는 아무도 올리비아를 찾지 않았다. 황제의 총애가 힐라리아에게 쏠린 게 확실해진 이후 그녀의 문턱은 닳아 없어질 지경이라던데 올리비아에겐 아부하기 위해 오는 아첨꾼들 하나 없다. 물론, 에벤에셀도 마찬가지였다. 올리비아가 이를 뿌드득 갈며 주먹을 말아 쥐었다.

"망할 년."

가만히 시골 촌구석에 처박혀 있을 것이지 뭐 한다고 여기까지 기어 올라오는 것인지. 말이 좋아 기네비어 공국이지 수도의 발끝도 좇아오지 못하는 곳이었다. 그런데 왜 에벤에셀은 힐라리아 따위에게 관심을 기울이는 것일까? 게다가 힐라리아 황비와 제이나 황비가 같이 경마에 참가한다고 들었다.

'그게 뭐야, 품위 없이!'

그런 여자가 뭐가 좋다고! 올리비아가 방 안을 서성였다. 분명 그런 들풀 같은 여자는 처음이니까 에벤에셀이 잠시 홀린 것뿐이다. 힐라리아는 마녀니까! 그녀가 마녀가 아니라면 마녀로 만들면 그뿐.

힐라리아를 모함하기 위한 준비는 이미 끝났다. 힐라리아가 마녀라는 소문을 퍼뜨릴 말 잘하는 이야기꾼들도 섭외해두었고 그녀가 마녀라는 증거물들도 조작해두었다. 이참에 기네비어 공국도 무너뜨려 힐라리아에게 본때를 보여줄 생각이었다. 마녀를 낳고 마녀를 길렀으니 당연히 벌을 받아야 하지 않겠는가?

어차피 미개한 자카리족과 가까이 사는 사이이니 올리비아처럼 우아하게 머리를 쓰는 법은 모를 것이다. 힐라리아가 황궁 사람들을 하나, 둘씩 포섭해나가고 있다고는 하나 그건 힐라리아가 마녀이기 때문이다. 힐라리아가 똑똑해서가 아니라.

그렇게 생각을 이어가다 보니 힐라리아가 정말 마녀인 것처럼 느껴지기 시작했다. 이제 마지막으로 힐라리아의 사람들을 매수하는 일만 남아 있었다. 현재 힐라리아와 가장 가깝게 지내는 시녀는 단둘뿐이다. 배운 건 경계심밖에 없는지 다른 시녀들이나 하녀들은 가까이 하지 않았다.

'첼로스테가 시녀장이라고 했었지.'

일처리가 꼼꼼한 대신 자존심도 대단하고 콧대 높은 여자였다. 그녀가 힐라리아에게 굽히고 들어갔다는 소식에 올리비아도 약간은 놀랐던 기억이 있었다. 첼로스테는 아마도 지금 모욕감과 분노에 부들부들 떨고 있을 것이다. 누군가에게 그런 취급을 받으면서 참을 사람이 아니니까. 올리비아는 첼로스테를 첫 번째 매수 대상자로 점찍었다.

그녀 말고 케이티는……. 케이티에 대한 정보는 별로 없었다. 힐라리아가 공국에서부터 데려온 데다가 궁에도 잘 돌아다니질 않았다. 게다가 주인을 닮아 괴짜인 것인지 다른 시녀들과는 대화도 잘 나누지 않는 듯했다. 그런 케이티가 어느 정도 마음을 터놓고 지내는 유일한 상대가 첼로스테라고 들었다.

'첼로스테가 어려우면 그쪽을 노려봐도 괜찮겠군.'

그렇게 마음먹은 올리비아가 종을 흔들었다. 멀리서도 올리비아의 부름을 알아들은 시녀들이 방 안으로 빠르게 들어왔다.

"부르셨습니까?"

올리비아가 시녀들을 천천히 살펴보았다. 힐라리아 쪽과 접촉하기 위해선 몸집이 날래고 눈치 빠른 아이가 필요했다. 올리비아가 침대 옆 협탁에 달린 서랍에서 붉은 벨벳 주머니를 꺼냈다. 이번 일을 수행하는 데 적합해 보이는 시녀에게 주머니를 내밀며 올리비아가 살풋 웃었다.

"내가 부탁할 게 있는데 말이야. 일단 주머니를 열어보겠어?"

시녀가 주머니를 열어보았다. 그 안에는 골드와 보석류 몇 가지가 수북하게 들어 있었다.

"이……. 이건!"

먹으면 위험할 금단의 사과라는 건 알겠다. 하지만, 눈이 멀 정도로 눈부셔서 차마 거절하지는 못할 것 같았다. 지목받은 시녀가 올리비아와 주머니를 번갈아보았다.

"어때, 마음에 드니?"

시녀에게 충분한 시간을 준 뒤 올리비아가 물었다.

"네. 마음에 쏙 들어요, 황비 마마님."

올리비아가 씨익 웃고는 나머지 시녀들에게 손짓했다. 그것을 알아들은 시녀들이 고개를 조아리고는 올리비아의 침실에서 나갔다. 평소라면 한곳에 모여 올리비아가 이번엔 무슨 일을 하려 하는지 추측하며 삼삼오오 떠들어댔을 테지만, 그녀들은 일사불란하게 흩어졌다.

안쪽에서 무슨 이야기가 오가고 있는지 궁금했다. 하지만, 저만한 대가가 오가는 것을 보아서는 그냥 모르는 게 낫다는 판단이었다. 오히려 저 주머니를 받아 든 시녀가 불쌍할 따름이었다. 들어온 지 얼마 되지 않아서 커다란 대가에는 그것보다 더 큰일이 따라올 수 있다는 사실을 알려주지 못했다. 올리비아의 뒤에서 득의양양하게 웃고 있던 시녀장의 모습을 보아 더 불안했다. 시녀들은 동시에 생각했다.

'궁에 또 무슨 일이 일어나겠구나.'

일전에 한참 베니체 황비가 황제의 총애를 독차지하면서 올리비아의 기분이 하향곡선을 그린 일이 있었다. 그때 베니체 황비는 죽었다. 베니체 황비도 고작 황제와 몇 번 찻잔을 나누었을 뿐이니 황제와 입 맞췄다는 소문이 자자한 힐라리아 황비는…….

"하아."

동시에 터진 한숨에 시녀들이 놀란 얼굴로 뒤를 돌아보았다가 다 똑같은 생각을 하고 있다는 걸 알아차리곤 어색하게 웃었다.

"오늘 스틸로즈 궁에서 있었던 일은 비밀이야. 알지?"

힐라리아 황비 마마와 황제 폐하 사이에 있었던 일 말이야. 그들 중 한 명이 나서서 한 말에 나머지가 수긍했다. 잠시나마 궁의 평화를 위해서 벌어진 결탁이었다.

***

황태후의 느른한 시선이 그녀의 앞에 앉은 제이나를 살폈다.

'볼수록 마음에 든단 말이야.'

제이나는 로마노프의 외동딸이다. 험악한 제 오빠들과는 다르게 곱고 예쁘게 자랐다. 그래서 네이선의 약혼자로 점찍었더니, 에벤에셀이 가로챘다. 로마노프의 해상 병력을 그대로 집어삼킨 것이다. 그래도 제이나는 똑똑한 아이라 황태후가 원하는 대로 잘 움직여주곤 했다. 황태후가 생각을 가다듬으며 제이나가 차를 마시는 모습을 지켜보았다.

'역시 아까워.'

에벤에셀이 죽고 나면 제이나를 네이선의 후궁으로 들여도 괜찮을 것 같다. 유순하고 부드러운 인상이 네이선 옆에 세워놔도 빠지지 않을 테니. 하지만 그렇다고 에벤에셀의 후궁이었던 제이나를 황후로 추대하기에는 흠이 너무 크다.

"제이나."

한참을 제이나를 지켜보던 황태후가 부드럽게 입술을 열었다.

"네, 황태후 마마."

"얼마 전에 힐라리아 황비가 너를 초대했다고 들었단다. 나는 그 애를 한 번도 보질 못해서 어떤 아이인지 궁금하구나."

그날 있었던 일을 전부 말하라는 우아한 재촉이었다. 제이나가 찻잔을 테이블 위에 내려놓았다. 그녀의 손가락을 스치고 지나간 찻잔의 따뜻한 촉감이 그날, 힐라리아와 실로테, 에벤에셀과 차를 마셨던 날을 떠올리게 했다. 제이나가 생각에 잠겼다. 그녀가 남긴 붉은 찻물이 잔잔한 파동을 그렸다. 잠시 침묵에 잠긴 제이나를 기다리며 황태후는 그 적적함을 차로 달랬다.

예전부터 느렸던 아이였다. 제이나는 황태후가 질문을 하거나, 무언가를 명령했을 때 항상 대답하는 데 시간이 걸렸다. 하지만, 침묵의 끝에는 언제나 상냥한 어조로 '네.'라고 대답하곤 했다. 이번에도 다르지 않을 것이다.

하지만, 제이나는 황태후의 예상과는 달리 다른 생각을 하고 있었다.

'선택은 제이나 황비가 하는 거예요.'

힐라리아의 달콤한 목소리가 귀를 맴돌았다. 경마에 참가하기로 한 것도, 선물을 받아들인 것도. 모두 제이나의 선택이었다. 힐라리아는 강요하지 않는다. 그저 그녀의 등을 살짝 떠밀었고 제이나는 모르는 척하며 그 힘에 편승했다. 제이나의 고민이 길어진다 싶었는지 황태후가 한 마디 더 보탰다.

"경마에 참가한다지? 이 이야기를 로마노프 백작은 알고 있니?"

제이나가 멈칫했다.

로마노프 백작. 로마노프는 해적들을 소탕하며 명성과 부를 쌓은 사람이었다. 거친 뱃사람보다 어쩌면 더 거칠다. 제이나가 로마노프 백작의 뜻에 반하는 선택을 했다는 걸 알면 그 거친 성정에 욕을 내뱉으며 테이블을 엎어버릴지도 모른다. 예전에 줄리안을 기사단에서 내쫓아 멀리 보냈던 것처럼 제이나에게서…….

'빼앗을 게 없네.'

제이나가 온순한 눈을 깜빡였다. 이번에 로마노프 백작이 상대해야 할 사람은 약하고 가진 것 없는 평민 소년이 아니라 기네비어 공국의 공주이자 황제의 후궁이었다.

힐라리아는 절대로 로마노프 백작에게 져줄 사람이 아니었다. 오히려 로마노프 백작이 말려 들어가면 모를까.

'걱정할 게 없잖아, 제이나.'

제이나가 황태후를 힐끗 보았다. 그녀가 여태껏 황태후나 황제의 뜻에 휘둘려 온 건 의욕이 없었기 때문이었다. 단 한 번 염원했던 걸 아프게 잃은 이후로 제이나는 무력하게 살아왔다. 하기 싫은 일도 잠시간 숨을 고르고 심호흡을 하면 아무렇지도 않게 된다. 제이나가 대답하기 전에 숨을 고르는 시간은 하기 싫은 일을 아무렇지도 않은 일로 받아들이기 위함이었다. 황태후나 황제는 관심이 없겠지만.

하지만, 이젠 그럴 필요가 있을까? 제이나에게는 하고 싶은 것이 생겼다. 다시 검을 잡고, 말을 타는 거다. 그리고 할 수만 있다면, 어딘가를 배회하고 있을 줄리안에 대해서 수소문해보는 것도 나쁘지 않다. 제이나가 상냥하게 미소 지었다.

"예. 저도 하고 싶은 게 생겨서 해보려 합니다, 마마."

"그렇구나. 소일거리로 삼는 것도 나쁘지 않겠지. 수도의 귀족들은……."

황태후가 경멸의 눈빛을 감췄다.

"그래. 수도의 고매한 영애들은 경마 같은 천박한 일에 끼어들진 않지만, 제이나는 제이나잖니. 로마노프의 분위기는 다를 수도 있다는 걸 이해한단다."

결국 시골뜨기라는 비난이었다.

"이해해주셔서 감사합니다. 그리고."

"그리고? 아, 힐라리아 황비에 대해서 이야기해주려는 게지? 그래, 말해보렴. 어떤 아이였니? 무엇을 생각하는 것 같았지? 황제가 힐라리아 황비를 총애하고 있다는구나. 같이 밤을 보낸 것 같았니? 입을 맞추는 장면을 모두가 봤다던데. 어떤 대화가 오갔었니?"

황태후가 느린 제이나의 속도에 맞춰 참고 있었던 질문을 쏟아냈다.

그러나 제이나는 고개를 저었다.

"말씀드리고 싶지 않습니다."

"……뭐?"

황태후의 손에 우아하게 들려 있던 찻잔이 어긋난 소리를 내며 받침 위로 내려앉았다.

"힐라리아 황비에 대한 어떤 것도 이야기하고 싶지 않습니다, 마마. 저는 거기에서 아무것도 보지도, 듣지도 못한 사람이라."

황태후는 왠지 제이나의 미소가 온순한 게 아니라 고집스러워 보인다고 생각했다.

"궁금하시면 힐라리아 황비를 직접 불러 만나보시는 게 좋을 듯합니다. 괜찮은 이였거든요."

제이나가 흠, 하고는 말을 덧붙였다.

"앞으로는 황태후 마마께서 부르셔도 오지 못할 것 같습니다."

황태후가 생경한 눈으로 제이나를 응시했다. 너무 당황해서 무슨 말을 해야 할지 갈피를 잡을 수가 없었다.

"해야 할 것이 생겨서요. 죄송합니다, 황태후 마마."

제이나가 완벽한 궁중 예법을 구사하고는 황태후의 응접실을 나갔다. 그녀가 남긴 차가 차갑게 식어 내렸다. 황태후는 꽤 오랜 시간 가만히 앉아서 자리를 지켰다.

"하……."

그녀의 손이 제이나의 찻잔을 움켜쥐었다. 쨍그랑-! 바닥에 내던져진 찻잔이 산산조각이 났다.

힐라리아, 힐라리아. 황태후가 잇새로 이름을 되뇌었다. 요새 들어 그 이름이 너무 거슬린다. 고상함 따위는 내던질 정도로.

***

톡, 톡, 톡. 에벤에셀을 만나고 돌아오니 한가해졌다. 다시 말해, 힐라리아에겐 생각할 시간이 아주 많아진 것이다. 그녀의 새파란 시선이 창밖을 향했다.

에벤에셀은 힐라리아의 손에 오스발트를 쥐여주었다. 윈프리드에서 오스발트로 넘어가기 전에 무기들을 가로채는 거다. 사실 이건 고민할 필요도 없었다. 황태후의 세력을 추적해 그들이 무기를 숨긴 곳을 찾아내기만

하면 된다.

그렇다면 메일린 프로이턴은? 일단 메일린 프로이턴의 존재를 확인하는 게 먼저였다. 베아트리체가 메일린 프로이턴을 밖으로 끌어내고 나면, 그다음이다. 결국 지금 당장 급한 건……. 에벤에셀뿐이었다.

머리가 과열되어 터질 것 같다. 에벤에셀이 대체 무슨 조화를 부린 것인지 힐라리아는 그에게 휘둘리고 있었다. 이런 경험은 난생처음이었다. 힐라리아는 지금껏 누군가를 휘두르기만 하면서 살았다.

'대체 왜 이렇게 맥을 못 추는 거야, 힐라리아.'

그래서 힐라리아는 여러 가지 가설을 세워보았다.

첫 번째, 에벤에셀이 힘에 압도된 것이다. 에벤에셀은 힐라리아보다 강한 힘을 가지고 있었고 정령들은 계급 질서에 철저한 편이었다. 에벤에셀이 정체를 감추고 있을 때야 모르겠지만, 지금은 알고 있지 않은가. 분명 힐라리아의 정령들이 주눅 든 것이다. 하지만 이건, 어떻게 극복할 방법이 없었다. 태생적 차이를 어떻게 바꾸겠는가. 그러니 에벤에셀의 힘에 압도당해서…….

'하지만 에벤에셀은 평소에 자신의 힘을 감추고 다니는 편인데.'

힐라리아도 그를 눈치채지 못할 만큼 은밀하게. 물론 힐라리아가 에벤에셀의 힘을 동경할 수도 있다. 그녀가 헬레나미아를 동경하고 사랑하듯이.

하지만, 동경한다고 해서 그렇게 미련하게 된다고? 그럴 리가 없다. 힐라리아가 입술을 매만지다가 인상을 찌푸렸다. 손가락에 케이티가 듬뿍 얹어준 연고가 묻어났다. 힐라리아가 손수건에 손가락을 닦아내고는 다음 가설을 생각했다.

'음식에 약이라도 탄 건가?'

힐라리아의 정신을 흐려놓는 약 같은 거. 힐라리아가 자신의 찻잔을 노려보다가 냄새를 맡았다. 하지만, 향기로운 차향에 이질적인 흔적은 느껴지지 않는다. 게다가 힐라리아는 마녀다. 고작 약 따위에 휘둘릴 리가 없다. 정령이 가장 자연에 가까운 존재다 보니 마녀도 자연스럽게 자연의 자정능력을 가지게 되었다. 마녀들의 피는 오염되지 않은 채로 맑다. 그들은 독약에 잠식되지 않으며, 술에도 잘 취하지 않는다.

'그러고 보니…….'

고작 와인 3병에 취할 리가 없는데. 힐라리아가 눈을 가늘게 떴다.

'이거야말로 이유를 찾았군.'

에벤에셀의 힘에 겁먹은 정령들이 전부 자취를 감춘 덕에 힐라리아가 위험에 노출되었던 것이다. 술이라는 강력한 위험에! 지금도 드문드문, 그날의 일이 떠오르곤 했다.

'황비, 눈을 감고 잠을 자는 겁니다.'

'잠이 안 오는걸. 이렇게 나란히 누워 있으니 옛날 생각이 나요.'

'옛날 생각? 다른 남자와 한 침대에 누워본 일이 있다는 겁니까?'

'그랬었지요. 오빠 팔베개를 하고 하루 종일 낮잠을 잔 적이 있는데…….'

'오빠……. 기네비어의 식솔들은 사이가 좋은가 보군요.'

'네. 아주 좋답니다. 나도 우리 오빠들이 좋아요.'

'부럽군요, 황비. 정말로 부럽습니다. 하지만 이제 오빠가 팔베개 해주는 일은 없겠군요. 참 다행이게도.'

'다행? 이런 건 슬픈 거라고 하는 겁니다. 추억을 잃어버렸잖아요.'

'슬픈가요?'

'네. 그래서 말인데요, 폐하.'

아, 왜 또 떠오르는 건데! 힐라리아가 얼굴을 박박 문질렀다. 술기운에 왜 에벤에셀에게 쓸데없는 소리를 늘어놓은 것인지 모르겠다. 그녀의 손에서 떨어진 찻잔이 테이블 위를 뒹굴었다.

그만 기억해, 그만! 다시는 에벤에셀이 있는 자리에서 술을 마시나 봐라. 힐라리아가 이를 아드득 갈았다. 하지만, 포문이 열린 기억은 끝을 모르고 쏟아져 나왔다.

'왜 그런 눈으로 보시는 건가요?'

'어떤 눈으로 보는데요?'

'음……. 짐을 꿀꺽 하고 싶은 표정이군요.'

'꿀꺽? 그런 거 아닌데……. 팔베개 해주세요. 저는 그리 해주시지 않으시면 잠들지 않을 겁니다.'

힐라리아가 멈칫했다. 팔베개? 미친 거야, 힐라리아! 그 뒤는 기억이…….

기억이, 난다. 에벤에셀은 언제부터 그렇게 친절했다고 힐라리아에게 한 팔을 내어준 채로 그녀가 잠들 때까지 기다려주었다. 그녀가 주절주절 떠들어대는 말들을 들어주며……. 잠깐.

힐라리아가 고개를 갸웃했다. 왠지…… 그녀가 에벤에셀에게 휘둘리는 이유를 알 것만 같았다. 힐라리아가 주먹을 움켜쥔 채로 비장한 표정으로 몸을 일으켰다.

"케이티!"

"네, 마마님."

뒤에서 대기한 채로 힐라리아가 겪는 내면의 격동을 지켜보고 있던 케이티가 아무렇지도 않은 표정으로 대답했다. 첼로스테는 힐라리아가 움직일 때마다 심장을 움켜쥐었지만, 케이티는 이미 단련된 지 오래였다.

저건 힐라리아가 풀리지 않는 일이 있을 때 겪는 방황이었는데 오늘은 양호한 편이었다. 가끔 테이블이 부서지기도 했었는걸. 힐라리아가 케이티를 이글이글 타오르는 눈으로 쳐다보며 씩씩하게 말했다.

"목욕을 해야겠어."

"아직 저녁을 드시기 전입니다, 마마님."

케이티가 부드럽게 타일렀다. 이런 반응을 보이는 힐라리아는 항상 위험한 일을 저지르곤 했다. 오늘은 또 어떤 문을 열려고 저러시는 거야. 케이티의 입술이 바르르 떨렸다. 그녀의 말에 이성을 되찾은 힐라리아가 멈칫했다.

"아."

"저녁을 드신 후에 목욕을 하시는 건 어떨까요?"

"좋아. 그렇게 하도록 하지."

힐라리아가 안도의 한숨을 내쉬는 케이티를 뒤로하고 다시 의자에 털썩 주저앉았다.

***

약속한 건 오늘 밤이었지, 저녁이 아니었는데. 힐라리아가 미간을 찌푸린 채로 그녀를 느른한 눈으로 응시하는 에벤에셀의 눈빛을 받아쳤다. 쌉싸름한 여름밤의 공기가 방 안에 스며들었다.

결국 에벤에셀은 힐라리아의 침실로 들어왔다. 당당히 침실로 입성한 그가 힐라리아의 침실을 천천히 훑어보았다.

"이런 곳이었군요."

"네. 이렇게 살고 있습니다. 구경은 다 하신 겁니까?"

"글쎄요. 아직 제대로 살펴보지 못한 게 남아 있어서."

에벤에셀의 갸름한 시선이 힐라리아를 향했다.

"기분이 영 안 좋아 보이시는군요."

"황제 폐하께서 제게 관대하지 않으셔서 그런가 봅니다."

힐라리아가 차갑게 받아쳤다. 그들 사이에는 냉랭함이 흐를 뿐 그 어떤 낭만도 존재하지 않았다. 에벤에셀이 화가 난 것처럼 보이는 힐라리아를 보며 팔짱을 꼈다.

"하고 싶은 말이 많아 보이시는 얼굴이군요."

"오늘 하루 종일 생각했습니다. 제가 왜 황제 폐하께 휘둘리는 것인지."

"어떤 결론을 내리셨습니까?"

에벤에셀이 흥미롭다는 듯이 물었다. 사실 휘둘리고 있는 쪽은 에벤에셀이었는데 저 귀여운 힐라리아는 아무것도 모른다.

앞만 보고 달려가던 에벤에셀이 멈춰 서서 그녀를 돌아보고, 일상엔 힐라리아가 스며들어 문득 그녀를 떠올리며 시간을 보내곤 하는데도. 이미 그녀의 의미가 에벤에셀에겐 무거워지기 시작했는데도. 사랑하지 않겠다고 단언한 주제에 그 감정의 수렁에 발을 들였는데도.

힐라리아가 심호흡을 하고는 입술을 달싹였다. 하고 싶은 말이 무엇인지 고르고 고르는 모양새였다. 그녀가 말을 할 때마다 연고를 듬뿍 얹은 붉은 입술이 에벤에셀을 자극했다. 그의 흔적이다. 힐라리아에게 그를 남긴 것이다. 에벤에셀이 무슨 생각을 하는지 모를 힐라리아가 말을 이었다.

"정말 많이 생각을 해보았습니다. 그리고 저는 낭만적인 결론을 내렸지요."

힐라리아의 푸른 눈이 바다처럼 일렁였다.

"저는 22살, 청춘을 가로질러 걷고 있는 한창때의 여자입니다."

에벤에셀의 자세가 일순 흐트러졌다. 지금……. 뭐? 정말로 상상도 하지 못한 말이었다. 당황한 기색에 아랑곳하지 않고 힐라리아가 숨을 골랐다. 에벤에셀도 말하지 않았던가. 한입에 꿀꺽할 것 같은 표정이라고. 힐라리아는 아무것도 모르는 순진한 어린애가 아니었다.

"황제 폐하께서는 미색이 뛰어나시지요. 게다가 제가 홀릴 만큼 유혹적이고 매력이 넘치시는 분입니다. 제가 탐할 만큼 강한 힘도 가지셨지요. 그래서 생각하건데, 아마도 제가 욕구불만인가 봅니다."

에벤에셀의 팔에서 힘이 풀렸다. 팔짱을 끼고 있던 그의 팔이 천천히 아래로 떨어졌다. 지금 무슨 말을 들은 것인지 믿지 못하는 표정이었다. 힐라리아가 생긋 웃으며 대못을 박았다.

"이건 분명 성욕입니다."

담백하고 달콤한 선언이었다.

***

'프로이턴의 황제가 되어봐.'

그 말이 베아트리체를 설레게 했다. 설명까지 듣고 난 힐라리아의 계획은 완벽했다. 약간의 범죄와 약간의 용기만 있으면 충분한 일이었다. 프로이턴 황제가 연초마다 발행하는 복권에 들어가는 황제의 친필 축사가 이번 일의 핵심 재료였다. 그리고 제너시스가 그것을 구하는 건 어렵지 않았다.

윈프리드에 이주한 이들 중에 한 명쯤은 기념 삼아 황제의 복권을 갖고 있기 마련이었고 아무리 기념이라고 하나 제너시스에서 지불하는 대가를 대신하긴 힘들었다. 베아트리체는 저녁이 채 되기도 전에 복권을 손에 넣었다. 베아트리체가 경건한 마음으로 안경을 추켜올렸다.

프로이턴 황실에서 사용하는 고급 종이와 황실의 문양이 새겨진 서간이 복권의 옆에 나란히 놓여 있었다. 황실의 서간은 황제가 아닌 총리대신이 발행한 거였다. 이거는……. 힐라리아의 정령들을 빌려다가 슬쩍했다.

베아트리체가 서간을 톡톡 두드리자 힐라리아의 나비들이 서간을 뚫고 솟아올랐다. 베아트리체가 뭘 하려는지가 궁금한 듯 나비들이 그녀의 주변을 돌며 서간 위에 앉았다가 날아오르길 반복했다.

“재밌는 일을 할 거야. 얘들아, 나한테 힘을 빌려주겠어?”

베아트리체가 생긋 웃으며 나비들을 희롱했다. 그러자 힐라리아의 힘이 그녀에게로 스며드는 것이 느껴졌다. 힐라리아를 닮아 짜릿하면서도 따뜻하다. 베아트리체의 금안 위로 힐라리아의 금빛이 덧씌워졌다. 금빛으로 번뜩이는 베아트리체의 손이 서간 위를 천천히 쓸어내렸다. 정령의 힘이 서간의 잉크를 타다닥, 태우기 시작했다. 그 덕에 텅 빈 종이만이 남았다.

베아트리체는 직접 정령을 다루진 못하지만, 정령의 힘을 섬세하게 사용할 수 있었다. 콧잔등을 찡긋거리며 집중해 텅 빈 종이 위에 글자를 입힌다. 한참을 집중한 끝에 베아트리체가 정령의 힘을 빌려 새로운 서간을 완성했다. 봉투에 서간을 넣고 봉한 베아트리체가 서간에서 발췌해두었던 황실의 씰 도장을 다시 정성스럽게 부착했다. 겉면에는 ‘메일린 프로이턴.’이라고 적혔다.

“다 됐다.”

서간은 내일 아침쯤에 프로이턴 대사관에 도착할 것이다. 메일린 프로이턴을 꾀어낼 아주 훌륭한 미끼로써.

***

성욕? 못 들을 말을 들은 것처럼 에벤에셀이 눈을 깜빡였다. 지금 이 순간 힐라리아밖에 보이지 않았다.

"그래서 제가 한 가지 제안을……."

놀라움에 질려 힐라리아의 말도 들리지 않을 지경이었다. 스스로가 무슨 말을 한 건지 알고 있는 건가? 분명 자각은 하고 있는 것 같은데.

"하하하하……."

에벤에셀이 작은 웃음을 터뜨렸다. 그 덕에 하던 말을 잠시 멈춘 힐라리아가 고개를 갸웃했다. 왜 저런 반응이지? 힐라리아는 자신의 생각을 소신 있게 밝혔고 이제 생각해둔 제안을 할 차례였다. 그런데 에벤에셀의 반응이 너무 이상했다.

"폐하……?"

에벤에셀이 왠지 모르게 의자에 축 늘어진 채로 얼굴을 손으로 쓸었다. 복합적인 감정이 그의 얼굴 위로 떠올랐다. 힐라리아의 명료한 푸른 눈에 그의 모습이 비쳤다.

"무슨 말을 하고 있는지 알고 계시는지."

"물론입니다. 저는 지금 제가 느낀 성……."

"그만."

에벤에셀이 힐라리아의 말을 막아섰다. 지금 그가 당황한 모습을 즐기고 있는 건가? 입술을 물어뜯은 벌을 주는 걸지도 모른다. 힐라리아의 입술을 저렇게 만든 건 에벤에셀이 할 수 있는 게 고작 그것이라서 그랬다.

첼로스테부터 시작해서 차례로 모두가 힐라리아의 포로가 되어가고 있는데 그들에게 힐라리아가 에벤에셀의 곁에 있는 사람이라는 걸 보여주고 싶었다. 누가 보아도 힐라리아에게 사나운 반려가 있다는 사실을 알아차렸으면 해서.

물론 약간의 가학심도 있었다. 힐라리아가 찡그리거나 우는 모습을 보고 싶었다. 상상만 해도 심장이 뛰어댔다. 힐라리아가 그런 표정을 하게 만드는 게 에벤에셀 본인이라는 게 퍽 좋았다. 무감하게 굳어 있던 그의 심장이 봄날의 얼음처럼 녹아내리는 것 같았다.

그동안 에벤에셀은 하나밖에 모르고 살았다. 이 제국을 제패하고 잃어버린 땅을 되찾아 윈프리드 백성들을 지키고 위업을 완수하는 것.

선황의 인정을 받지 못했던 황자가 보란 듯이 성공해서 그의 위패 앞에 서는 것이다. 그게 마지막까지 장자인 에벤에셀을 두고 네이선을 후계로 삼으려 했던 황제를 향한 최선의 복수일 것이다. 에벤에셀은 정령이었기에 그의 자리를 지켜낼 수 있었다. 황제의 정신을 정령술로 조종해 에벤에셀이 원하는 말을 하게 만들었다. 그게 선황이 죽던 마지막 날 밤의 비밀이었다.

그런데 힐라리아가 나타났다.

모든 것이 순조로웠는데…… 에벤에셀의 푸릇한 시선이 힐라리아의 말간 얼굴을 훑었다. 사랑받고 자란 공주님. 그게 힐라리아의 첫 인상이었다.

햇살에 물들어 뚱한 얼굴로 고상하지 못하게 음식을 뒤적이면서도 힐라리아는 본연의 우아함과 사랑스러움을 잃지 않고 있었다. 기네비어 공왕에게 힐라리아의 입궁을 요청했을 때 그가 내보인 분노가 이해될 지경이었다.

힐라리아는 따뜻한 태양이었다. 그녀가 품고 있는 불이 에벤에셀에게 전염되는 것 같았다. 그 불은 차갑게 얼어붙어 있던 그에게 생기를 돌게 했다. 그러니 해를 쫓는 해바라기처럼 힐라리아의 빛을 좇는 것이 당연하지 않겠는가. 그러다 보니 궁금해졌다.

에벤에셀은 그제야 힐라리아가 그의 마음 안에서 한 움큼 더 무거워졌다는 사실을 깨달았다. 힐라리아가 뾰로통한 표정으로 에벤에셀을 주시했다.

"……제가 여자로서 매력이 없습니까?"

분명 호감이 있는 것 같았는데. 큰맘 먹고 좋은 제안을 하려고 하는데 어째서 말을 막아서는 거지? 게다가 손으로 얼굴을 쓸어내리는 품새가 꽤 곤란해 보였다.

힐라리아는 뻔뻔하고 에벤에셀은 수줍어하는 이 상황은 당연히 감정의 차이로 인해 발생했다. 힐라리아는 그녀가 하는 말들의 무게는 알고 있지만, 감정이 옅었기에 무감각하게 내뱉을 수 있었고 에벤에셀은 힐라리아의 말 한 마디에 수만 가지의 상상을 했기에 부끄러웠다.

그녀가 성욕이라는 단어를 발음했을 때 이미 에벤에셀은 침대로 끌려가는 상상을 하고 있었다. 그런데 여자로 보이질 않느냐고?

"황비. 입술의 고통이 금세 아물었나 봅니다. 짐은 충분히 의사를 표현한 것 같은데."

에벤에셀이 낮게 갈라진 목소리로 말했다. 지금 이 기회를 놓칠 순 없었다. 힐라리아가 먼저 에벤에셀에게 다가오려 하지 않는가. 에벤에셀은 지금의 대화에 완벽한 종지부를 찍기 위해 마음을 가다듬고 힐라리아의 다음 말을 기다렸다.

"입술은……. 정말 왜 그러신 겁니까? 아무리 황제 폐하이시라고는 하나 무례하신 일이었습니다. 세상에는 수많은 입맞춤 방법이 있다고 들었는데 하필 이런 방법을 택하시다니."

에벤에셀은 그의 마음을 알아달라는 뜻이었는데 힐라리아는 다른 쪽으로 이해한 모양이었다. 힐라리아가 입술을 이죽이며 말을 이었다.

"체신머리없는 황비가 되었습니다. 그러니 제게 대가를 지불하세요."

오만하게 말하며 턱을 치켜드는 힐라리아를 에벤에셀이 고요한 눈으로 쳐다보았다. 대가? 이미 그의 영혼을 다해 지불하고 있는 것 같은데.

힐라리아가 에벤에셀의 속도 모르고 눈치를 살폈다. 사실 지금 이 이야기를 하려고 한 건 아니었는데 마음이 급해졌다. 게다가 지금은 밤이고 아무도 없는 침실이다. 첼로스테가 공을 들여 피워놓은 불꽃의 일렁임이 힐라리아마저 울렁거리게 만들었다. 기분이 묘해지는 순간이었다. 힐라리아는 지금이 무거운 이야기를 가장 부드럽게 꺼낼 수 있는 시간이라는 걸 알아차렸다. 그녀는 잠자코 에벤에셀이 입술을 열기를 기다렸다.

"그런 말씀을 꺼내실 때는 원하시는 바가 이미 있기 때문이겠지요. 무엇을 원하십니까?"

힐라리아가 긴장감을 가슴속 깊은 곳에 감춘 채로 입술을 열었다.

"제가 한 가지 흥미로운 일을 하려고 합니다."

"흥미로운 일?"

에벤에셀이 눈을 가늘게 뜨고 힐라리아의 작은 얼굴을 살폈다. 그녀와 눈을 마주치고 있는 것만으로도 귀가 홧홧한데 아무렇지 않은 척 팔짱을 도로 끼며.

"네."

좀 전까지의 뜨거운 대화는 잊은 듯이 힐라리아가 심호흡을 했다.

힐라리아는 끝을 봤다. 윈프리드는 기네비어 공국의 멸망 후 70년도 채 되지 않아 역사의 뒤안길로 사라졌다.

거대한 제국의 멸망은 내부로부터 비롯되었다. 에벤에셀은 후계를 남기지 않고 갑작스럽게 타계했고 메일린은 시골 촌부로 살아가던 황실의 먼 방계를 어린 남편으로 맞이했다. 사실상 메일린 프로이턴이 윈프리드의 황제가 된 것이다. 메일린은 윈프리드의 명운을 자신의 손으로 틀어쥐었다.

메일린이 대체 무슨 생각을 했는지는 모르겠다. 그러나 그 목표는 분명하고 확실했다. 그녀는 천천히 윈프리드를 무너뜨렸다. 속에서부터 곪아가도록 교묘하게. 힐라리아는 에벤에셀을 사랑했던 메일린이 그를 잃고 미쳐버렸다고 짐작했었다.

'그게 아니었지만.'

메일린마저 죽고 또다시 황제의 자리가 공석이 되었을 때 프로이턴이 쳐

들어왔다. 그게 윈프리드의 마지막이었다.

너무 먼 미래까지 다녀온 탓에 죽을 위기에 처하면서도 힐라리아가 쉽사리 발걸음을 돌리지 못했던 이유였다. 거대한 제국이 비명을 지르고 있었다. 마녀들이 사랑했던, 버림받아 놓고도 끝끝내 떠나지 못했던 윈프리드의 땅이 말발굽에 짓밟혀 죽어가고 있었다.

힐라리아가 메일린 프로이턴의 속내를 어렵지 않게 짐작할 수 있었던 건 그 미래를 보았기 때문이었다. 프로이턴의 황제가 되지 못했으니 윈프리드의 황제가 되었다. 에벤에셀에게 확인한 결과 그는 프로이턴 대사관이 숨기고 있는 비밀을 전부 알고 있는 듯했다. 그는 그것을 빌미삼아 프로이턴의 황제와의 협약 끝에 메일린과 혼약을 결정지었다.

아마도 메일린은 할 수 있는 복수를 했을 것이다. 에벤에셀이 사랑했던 윈프리드를 부수는 것으로. 힐라리아는 그것을 막고 싶었다.

그녀가 목이 졸린 것 같은 목소리로 속삭였다.

"프로이턴을 손에 넣고 싶습니다, 폐하."

에벤에셀이 눈을 찌푸렸다. 그들 사이를 감돌고 있던 성적 긴장감이 한순간에 흩어졌다. 힐라리아가 진심이라는 건 한눈에 알 수 있었다.

윈프리드도 아니라 프로이턴이라니.

"……그런 원대한 포부는 침대에 누워서 하는 게 더 나을 텐데요."

"농이 아닙니다, 폐하. 프로이턴의 황제를 제 손으로 추대하고 황제를 휘두르고 싶습니다."

"짐으로는 모자라서?"

에벤에셀이 분위기를 환기시켰다. 힐라리아가 저런 어두운 얼굴을 하는 건 별로였다. 그녀는 풍부한 감정을 드러낼 때가 가장 매력적이었다.

생각이 복잡해졌다. 프로이턴, 프로이턴이라. 힐라리아가 그에 대해 언급한 데에는 이유가 있을 것인데. 비밀스러운 그의 고양이는 절대로 털어놓지 않을 테지. 힐라리아의 행보를 주시하기 위해서라도 그녀의 부탁을 들어주는 게 나을 것이다. 여차하면 힐라리아를 구해낼 수 있어야 하니까.
"예. 한참은 모자라서."
힐라리아가 모든 감정을 갈무리한 뒤에 평소와 같이 생긋 웃었다. 심호흡을 한 힐라리아가 에벤에셀에게 손을 내밀었다.
"손을 주세요, 폐하."
에벤에셀이 고개를 기울였다.
"손을 잡아달라고 하셨지요? 이번에도 잡아드리겠습니다."
어쩌다가 이렇게 된 거지. 에벤에셀이 얼굴을 다시 한번 쓸어내리고는 그녀의 손을 잡았다. 힐라리아의 손이 품은 온기를 알고 있는데 잡지 않을 수가 없었다.
"짐이 무엇을 해드리면 되겠습니까?"
"제 편이 되어주세요. 제가 원하는 일은 묵묵히 도와주시면 됩니다. 혹여 위험하더라도. 그건 위험한 만큼 매혹적인 일일 거거든요."
이게 바로 그 유명한 베갯머리송사구나 싶었다. 침실에서 고작 손 하나 잡아주면서 힐라리아는 윈프리드의 황제를 치마폭에 쓸어 담으려 하고 있었다.
"……언제는 짐이 황비의 편이 아니었다고."
"저는 나쁜 여자가 될 거거든요. 많은 사람들이 저를 두고 악녀라고, 마녀라고 손가락질할 겁니다. 그럼에도 제 손을 놓지 마세요."
힐라리아가 에벤에셀을 잡은 손에 힘을 주었다.
"제가 되었다고 할 때까지."
이게 바로 힐라리아가 이 궁에 들어온 또 다른 목적이었다. 힐라리아가 하는 모든 일엔 거대한 권력이 필요하게 될 테니까. 처음엔 황제를 정령의 꼭두각시로 만들려고 했는데 그게 요원한 일이 되었으니 진심을 터놓고 이야기하는 것이다.
"황비가 원하는 대로."

에벤에셀이 무겁게 수긍했다. 힐라리아가 활짝 웃으며 에벤에셀의 손등에 입술을 꾹 눌렀다. 뜻대로 되었다는 생각에 기분이 들떠버렸다.

"착한 미인에게는 손등 키스가 퍽 잘 어울리지요."

이건……. 짐작하지 못했는데. 에벤에셀의 귓가가 다시 홧홧하게 달아올랐다. 정말 요물이 따로 없다. 힐라리아는 이 방 안의 분위기를 멋대로 조종하고 있었다. 다시 두 사람 사이에 뜨거운 분위기가 피어올랐다.

"그러면, 처음 하던 이야기로 돌아갈까요?"

힐라리아가 에벤에셀의 손을 놓고는 테이블에서 일어났다. 에벤에셀이 먹이를 노리는 맹수처럼 그녀의 사뿐사뿐한 걸음걸이를 응시했다. 힐라리아가 보란 듯 에벤에셀 가까이 다가가서 테이블에 엉덩이를 가볍게 걸치고 앉았다. 귀족적이지 않은 파격이었으나 힐라리아가 하니 잘 어울렸다.

"무슨 이야기?"

"성욕에 대한 이야기요. 황제 폐하가 아닌 제 것."

힐라리아가 붉은 입술을 끌어 올렸다.

"제가 무슨 제안을 하려고 했느냐면."

힐라리아가 에벤에셀의 셔츠 단추에 손을 뻗었다. 에벤에셀이 차마 그녀를 밀어내지 못한 채로 포로가 되어 그녀를 올려다보았다. 분명 그녀를 밀어낼 수 있는데 언젠가의 힐라리아처럼 그녀를 밀어낼 수가 없었다.

"어차피 우리는 부부니까."

힐라리아의 손끝에서 피어오른 작은 불이 에벤에셀의 셔츠를 검은 재로 만들었다. 그것에 놀라기도 전에 힐라리아가 대담하게 자리를 옮겼다.

바로 에벤에셀의 다리 위로.

힐라리아가 에벤에셀의 뺨에 두 손을 얹었다. 이번에 먼저 입을 맞춘 건 힐라리아였다. 에벤에셀처럼 거친 키스가 아니었다. 힐라리아는 부드럽게 에벤에셀을 잠식해나갔다. 나붓하게 내려앉는 입술 사이로 뜨거운 숨결이 새어 나왔다. 에벤에셀은 옴짝달싹 못 하고 얼음처럼 굳어진 채였다. 힐라리아가 에벤에셀의 볼을 손가락으로 가만가만 매만졌다.

"하아."

입술을 떼어낸 힐라리아가 에벤에셀로부터 고개를 들었다.

그리곤 아직 하지 못한 말을 끝맺었다.

"우리, 잘래요?"

에벤에셀의 심장이 쿵 하고 떨어졌다. 힐라리아가 지금 뭐라고 한 것이지? 내가 제대로 들은 것이 맞나? 자자고? 아, 그래. 피곤할 땐 잠을 자야지. 피곤하다 보니 별소리가 다 들린다. 지금 이 순간도 꿈임이 틀림없다. 그의 맨가슴을 더듬고 있는 힐라리아의 가는 손가락도, 그에게 쏟아지고 있는 힐라리아의 숨결도. 꿈꿔본 적은 있지만, 쉽게 이루어질 거라곤 생각지도 않은 장면이었다.

하지만, 현실이었다. 오감으로 쏟아져 들어오는 감각들이 너무 생생했다. 그녀의 주변에 불빛처럼 반짝이는 나비들마저도. 에벤에셀이 숨쉬기 힘든 사람처럼 입술을 달싹였다.

힐라리아의 나긋한 손가락이 맨가슴을 타고 아래로 내려갔다. 차가운 살결에 와 닿은 뜨거운 손가락이 그의 체온을 덥혔다. 배 속에 나비가 날아다니는 것 같다. 에벤에셀의 단전에 단단하게 힘이 들어갔다.

힐라리아가 고개를 숙였다. 장막처럼 에벤에셀에게로 쏟아진 붉은 머리카락 사이로 힐라리아의 매혹적인 눈이 호선을 그린다. 에벤에셀이 저도 모르게 입술을 벌려 나지막한 탄식을 내뱉었다.

"힐……."

"귀여운 사람 같으니라고. 누가 나를 그렇게 부르도록 허락했나요?"

작게 투덜거린 힐라리아가 에벤에셀의 대리석 같은 볼에 입술을 얹었다. 가만가만 움직이는 붉은 입술이 에벤에셀의 볼에 흔적 없는 화인을 남겼다. 에벤에셀이 팔걸이를 붙든 손에 힘을 주었다. 반박해야 하는데 입이 벌어지질 않는다. 에벤에셀이 이를 악문 채로 눈마저 감았다.

그의 아랫배 위를 맴도는 힐라리아의 손이 감질나 안타까웠다. 힐라리아가 에벤에셀의 코를 잘근 씹고는 고개를 들어 올렸다. 이 밤을 밝히는 샹들리에의 불빛이 꼭, 힐라리아의 뒤로 비치는 후광처럼 보였다.

힐라리아가 에벤에셀의 붉은 입술을 할짝 소리가 나게 핥았다. 참다못한 에벤에셀이 천천히 눈을 뜨니 요염한 고양이처럼 웃고 있는 힐라리아가 보였다. 촉촉하고 물컹한 살덩이가 다시 에벤에셀의 입술을 스치고 지나갔다. 마치 입술을 벌리라고 재촉하듯이 사랑스러운 몸짓이었다.

"입술을 열어주세요, 폐하. 여태까진 폐하 마음대로 했잖아요. 나를 놀리고 아프게 하고."

힐라리아가 입술로 입술을 덮었다가 속삭였다.

"이젠 내 차례야."

에벤에셀이 저도 모르게 입술을 벌린 순간 힐라리아가 그 사이를 파고들었다. 촉촉하고 달고……. 뜨겁다. 입 안이 더운 공기로 부풀어 터질 것 같았다. 그녀의 손바닥이 에벤에셀의 볼을 덮었다. 에벤에셀은 아래위로 쏟아지는 감각에 머리가 핑글핑글 도는 것 같았다. 보편적인 사람들보다 체온이 낮은 에벤에셀을 보편적인 사람들보다 체온이 높은 힐라리아가 탐하고 있었다. 두 사람의 체온이 섞였다.

"흡……."

힐라리아의 손가락이 어디에 닿았는지 에벤에셀이 나지막한 탄식을 흘렸다. 에벤에셀이 무기력하게 늘어져 있던 손을 들어 올려 힐라리아의 어깨를 붙들곤 밀어냈다.

"폐하?"

그의 무릎에 요정처럼 앉아 있던 힐라리아가 고개를 갸웃했다. 에벤에셀이 막 물에서 건져진 사람처럼 헐떡이며 숨을 골랐다. 여전히 그의 허벅지에 앉아 바르작거리는 힐라리아의 무게에 질식당할 것만 같았다. 힐라리아가 다시금 고개를 갸웃 기울였다.

"싫을 리가 없는데."
에벤에셀이 헛웃음을 지었다.
"괜찮아요. 나는 내 욕망에 굴복했으니 폐하도 한번 해봐요. 꽤 후련한 기분인데. 머리가 빙글빙글 돌고 몸이 붕 뜨는 것 같아서."
힐라리아가 붉은 입술을 씨익 늘어뜨리곤 마저 말했다.
"좋아."
눈앞이 아찔했다. 하지만, 이렇게는 아니다. 힐라리아는 이 밤이 끝나면 미련 없이 침실을 나가버릴 것처럼 담백한 얼굴을 하고 있었다. 이대로 같이 침대에 눕는다고 한들 욕망을 털어내고 나면 끝이다.
'그래선 안 되지.'
그렇게 쉽게 물러서려고 힐라리아에게 공들이고 있는 게 아니다. 에벤에셀이 힐라리아의 양손을 포박했다. 그 힘에 순순히 잡혀주며 힐라리아가 의아한 얼굴을 했다.
"오늘은 말고, 다음에."
"왜?"
힐라리아가 고개를 또 갸웃했다. 이해할 수 없다는 반응이었다. 에벤에셀이 힐라리아의 어깨에 고개를 묻었다. 폐부에 그녀의 향이 파고들었지만, 못 견딜 정도는 아니었다. 사실 그도 왜 힐라리아를 밀어내고 있는 건지 모르겠다. 이대로 힐라리아의 뜻에 편승해도 될 텐데 이러면 안 될 것 같은 묘한 불안감이 들었다. 힐라리아가 작게 들썩이는 에벤에셀의 등을 눈을 가늘게 뜨고 응시했다.
"떨려요?"
"하."
"심장이 터질 것 같다거나."
정말이지, 이 도발은 어떻게 받아들여야 하는 건지.
"다들 그렇게 얘기하던데."

힐라리아가 에벤에셀의 속박으로부터 손을 빼냈다. 그의 등을 토닥이며 에벤에셀의 머리칼에 볼을 기댔다.

"폐하, 당신."

그 목소리는 달짝지근하게 에벤에셀의 귓가에 들러붙었다.

"나 정말 좋아하는구나?"

아, 정말 마녀가 따로 없다. 에벤에셀이 낮게 갈라진 목소리로 내뱉었다.

"그렇다고 했잖아."

"내가 원하지 않으면 사랑까진 하지 않겠다며."

힐라리아가 그렇게 읊조리며 허공을 직시했다. 그들 주위를 맴돌고 있던 나비들이 누그러진 에벤에셀의 기세에 가까이 다가왔다. 허망한 불빛처럼 사그라지지 않고 맹렬하게 불타오르고 있었다.

에벤에셀의 사랑은 위험하다. 그는 필요하다면 언제든 그녀와의 신뢰를 저버릴 수 있는 사람이다. 사람을 이용하고 버리는 데 천부적이니 언제 그녀가 그 꼴이 날지 모른다. 다 알고 있다. 전부 다 숙지하고 여태껏 조심하겠다고 맹세했는데도. 힐라리아가 눈을 깜빡였다. 나비들의 반짝임 때문인지, 침실을 밝힌 촛불들의 일렁임 때문인지 몽롱한 기분이었다. 여전히 마음에 걸리는 건 산재해 있는데도…….

"허락해줄게. 나를 사랑해도 좋아."

힐라리아의 오만한 말에 에벤에셀이 숨을 들이켰다.

"황제를 이렇게 대하는 건 너뿐일 거야."

"내가 사랑해도 좋다고 허락한 것도 당신뿐이야."

에벤에셀이 힐라리아의 허리를 끌어안았다. 분명 달콤한 밀담을 나누고 있는데 여전히 두 사람 사이엔 차가운 벽이 놓여 있는 것 같았다. 서로를 향해 겨눈 칼날 또한 여전했다. 에벤에셀이 힐라리아의 목덜미에 잘게 입을 맞췄다.

"기특한 소리를 다 하네."

느릿하고 나지막한 말에 힐라리아가 웃음을 터뜨렸다.

"지금이라서 그런 거야. 내가 얘기했잖아, 욕구불만이라고."

에벤에셀이 한숨을 내쉬었다. 어떻게 그런 말을, 그것도 그의 앞에서 아무렇지도 않게 할 수 있는 건지.

"그래서 우린 언제 잘 수 있는 건데?"

힐라리아가 눈을 굴렸다.

"10분 뒤? 5분 뒤? 아니면, 지금?"

감당할 수 없을 정도로 저돌적으로 나오는 힐라리아 덕에 에벤에셀만 계속 어질어질하다.

"나중에."

"그러지 말고, 어서 가서 불 꺼요."

힐라리아가 에벤에셀의 귓가에 입술을 가져다 대곤 숨결을 불어넣었다.

"여보."

에벤에셀이 벌떡 일어났다. 더 이상 견딜 수가 없었다. 이대로 머물러 있다가는 힐라리아가 바라는 대로 될 것만 같았다. 에벤에셀의 품에 안긴 채로 허공에 떠오른 힐라리아의 엉덩이가 테이블에 닿았다. 에벤에셀이 힐라리아의 이마에 입 맞춘 채로 다 타버린 셔츠 대신에 재킷을 맨살 위에 걸쳤다.

"다시 생각해. 두 번 더 생각해, 힐. 네가 나를 정말 감당할 수 있을지."

힐라리아가 우묵한 에벤에셀의 눈에서 진한 욕망을 읽었다. 에벤에셀이 물러서는 이유 중에는 힐라리아도 있다는 걸 깨달았다. 에벤에셀은 황제고 힐라리아는 황비다. 두 사람의 잠자리엔 수많은 이해관계가 얽혀 있었다.

'내가 그런 것도 고려하지 않았을까.'

힐라리아가 거기까지 생각했을 때, 에벤에셀이 덧붙였다.

"나는 한 번 가진 건 절대 놓지 않습니다, 황비."

힐라리아의 동공이 부풀었다. 계산적이거나 차가운, 이성적인 이유가 아니었다. 에벤에셀은 그들을 불태울 감정에 대해서 이야기하고 있었다. 감정적 우위에 서 있는 힐라리아를 위해 약자인 에벤에셀이 물러서고 있는 것이다. 이렇게 멍청하고 착한 남자를 보았나. 위험한 줄로만 알았는데 이렇게 순정적인 면도 있을 줄이야.

'하지만, 당신은 진정한 사랑은 모르잖아.'

힐라리아가 그 말은 감춘 채로 에벤에셀의 볼을 손등으로 쓸었다.

"후회된다면 돌아와도 괜찮아요."

"지금도 후회하고 있지만, 짐은 괜찮습니다."

에벤에셀이 힐라리아에게서 몸을 일으켰다. 이제 정말 이 방을 떠나야 할 것 같았다. 한 번 넘은 문턱이니 다음에는 더 쉬울 것이다. 에벤에셀이 그렇게 만들 테니까. 테이블 위에 앉아 다리를 흔들며 손을 작게 까딱이는 힐라리아를 뒤로하고 에벤에셀이 문을 나섰다. 딸깍- 문이 닫히는 순간, 에벤에셀이 몸을 벽에 기댔다. 그의 여유는 딱 거기까지였다.

"하아."

"왜 그러십니까, 폐하? 대체 옷은……."

스베인이 눈살을 찌푸리다가 이내 방긋 웃었다.

"드디어 남자가 되신 겁니까?"

익살스러운 물음을 던지며 스베인이 에벤에셀을 요모조모 살폈다.

"황비께서 다행히 보내주시긴 하셨군요. 아니면, 도망쳐 나오신 겁니까?"

"스베인."

신이 나서 놀려대던 스베인이 에벤에셀의 서늘한 부름에 입을 꾹 다물었다. 사람은 물러설 때를 잘 파악해야 한다. 에벤에셀이 앞섶을 움켜쥔 채로 걸음을 빠르게 옮겼다.

사실 그는 도망쳐 나온 게 맞았다. 힐라리아로부터 도망친 거다. 이렇게 치욕스러운 일은 처음이었는데 전혀 치욕스럽지가 않았다. 그저 힐라리아가 닿았던 몸 여기저기가 뜨거울 뿐. 힐라리아의 유혹에 그대로 넘어갔어야 했나 수백 번 후회하면서도 잘했다고 스스로를 다독였다.

평범한 건 힐라리아에게 그 어떤 낙인도 남기지 못할 것이다. 오히려 오늘의 거절이 그녀에게 의미 있는 기억으로 남을 게 뻔했다.

'빌어먹을.'

성큼성큼 걸어가던 에벤에셀이 회랑의 기둥에 기대 숨을 골랐다. 곤란하다. 힐라리아가 무슨 짓을 해놓은 것인지 머리가 곤죽이었다.

"도망치신 거 맞죠? 에휴. 이렇게 여리셔서야."

스베인의 신난 목소리도 멀어졌다. 에벤에셀이 홧홧하게 달아오른 얼굴을 손바닥에 묻었다. 아, 진짜 빌어먹을이다.

***

힐라리아와 에벤에셀이 밤중, 꽤 긴 시간 한 침실에 머물렀으며, 밖으로 나온 에벤에셀의 행색이 영 야했다는 소문이 황성에 파다하게 퍼졌다. 사람들은 힐라리아가 곧 후계자를 낳을 거라고 떠들어대기 시작했다.

"음. 커피는 안 마시는 게 좋지 않을까요, 황비? 아기를 수태했을지도 모르잖아요."

"실로테 황비도 그 소문을 믿는 건가요?"

힐라리아가 커피잔을 내려놓으며 물었다. 풀어서 길게 늘어뜨린 머리카락 사이의 작은 얼굴이 실로테의 눈에 비쳤다. 실로테의 시선은 아직도 다 낫지 않은 힐라리아의 입술을 향해 있었다.

"……뭐. 황비께서 아니라면 아닌 거겠지요."

아니라고 믿는 얼굴이 아닌데. 힐라리아가 피식 웃고는 다시 커피잔을 들어 올렸다. 그것으로 대답은 충분했다고 생각한다.

"빈민굴 공사 착수는 언제 시작되는 건가요?"

"일단 거주자들이 머물 수 있는 공간이 필요해요. 최소 6개월은 머물러야 할 터인데. 힐라리아 황비, 좋은 생각 없어요?"

이제 실로테는 힐라리아의 궁을 아무렇지도 않게 드나들고 있었다. 연푸른 드레스를 갖춰 입은 실로테의 얼굴은 예전보다 훨씬 편안했고, 힐라리아를 보는 실로테의 눈에는 신뢰가 어려 있었다.

이제 내일이면 고대하던 티파티다. 수도의 내로라하는 귀부인들은 전부 모여들 것이다. 그들 사이에는 황태후와 올리비아도 속해 있었다. 기대가 된다. 가만히 앉아서 당하고 있을 힐라리아가 아니니, 황태후와 그녀의 첫 대면이 기대되는 것이다.

실로테가 그렇게 딴생각을 하고 있을 때 힐라리아는 답을 찾아냈다. 개혁에 필요한 자금, 자원은 전부 황실에서 지원하겠지만, 부족한 게 한 가지 있었다. 바로, 인재. 6개월이나 되는 긴 공사에 참여할 인부들이 몇이나 될까?

"실로테 황비."

"으, 음?"

황태후와 힐라리아의 첫 만남을 상상하던 실로테가 화들짝 놀라 대답했다.

"네?"

"빈민굴에 거주하는 사람들을 공사에 투입하는 건 어떨까요? 정당한 삯을 지불하고요. 어차피 다른 인부들을 사 온다고 하더라도 장기 체류할 숙소를 구해야 하는 건 매한가지예요."

"나쁘지 않은 생각이긴 한데……. 그들이 응할까요?"

"빈민굴에 산다는 이유로 일자리조차 구하지 못하는 이들이니 수락할 거라고 생각해요. 그들에게도 기회가 주어진다면 분명 달라질 거예요."

힐라리아가 씨익 웃었다. 이전 개혁 당시에는 빈민굴 사람들을 다른 곳으로 이주시켰다. 하지만, 그곳에서도 생활은 똑같았고 빈민굴 사람들이 저지르는 각종 범죄에 노출된 타지역 사람들의 불만이 솟구쳤다. 공사가 이루어지던 6개월은 황실과 수도 사람들의 전쟁이나 다름없었다.

차라리 그들에게 일이 주어진다면 상황이 달라질 게 뻔했다. 간절한 사람들은 주어진 기회를 절대로 놓지 못하니. 삯을 지불하고 식사를 제공하고. 정당하게 일해서 번 돈으로 그들은 옷을 사고 돈을 모아 더 많은 것들을 살 수 있을 것이다.

"빈민굴에 대한 제도 사람들의 인식 개선도 동시에 진행되어야 할 것 같군요."

힐라리아의 뜻을 알아들은 실로테가 탄성을 흘렸다. 늘 한발 앞서서 생각하는 사람이었다. 실로테는 차마 그 속도를 따라잡을 수가 없었다. 허덕이며 뒤따를 뿐.

"빈민굴에 거주하던 소매치기 아이들을 데려다가 교육시킨 후에 고용하세요."

"고용이라면……?"

"그들은 몸집이 작은 만큼 발이 빠르고 입도 빠르죠. 매일같이 팸플릿을 뿌리게 하고 새로 들어설 개혁도시에 대한 소문을 퍼뜨리는 겁니다. 사람들은 빈민굴이 아닌 개혁도시에 관심을 가지게 되겠죠. 황실의 전폭적인 지지 하에 개혁도시에 들어설 새로운 시설들에 대한 홍보도 시작하세요."

"……."

"새로운 바람이 불 겁니다. 이용할 수 있는 건 많아요. 우리가 간과하고 있을 뿐이지. 지금은 민심을 이용할 때인 것 같네요."

힐라리아의 덤덤한 선언에 실로테의 가슴이 술렁였다.

'잘했어, 실로테. 간만에 옳은 일을 한 거야.'

힐라리아는 멋있는 황후가 될 것이다. 누구나 기억할만한.

***

힐라리아가 스틸로즈 궁을 닫고서 누구도 들어오지 못하게 막았으나, 그녀가 불러일으킨 파란은 좀처럼 가라앉지 않았다. 그녀는 현재 사교계 최고의 핫이슈였다. 힐라리아가 입궁할 당시에는 기네비어의 공주가 버티면 얼마나 버티겠느냐고 떠들어댔는데 지금은 힐라리아에게 조금이라도 줄을 대기 위해 안달이었다. 그 덕에 힐라리아와 연관이 있는 사람들에게도 영향이 미치고 있었다. 대표적으로, 실로테와 제이나가 그 주인공이었다. 실로테와 힐라리아의 오찬에 끼어든 제이나가 어색하게 머리를 긁적였다.

"하도 사람이 많아서요. 응접실에 귀부인만 다섯이 들어 있다고 하길래 도망쳤습니다."

"잘 왔어요."

실로테가 마치 스틸로즈 궁의 주인처럼 제이나에게 자리를 권했다.

"내일 있을 티파티에 초대장을 받지 못한 귀족들이 몸 달아 있다고 하더군요. 힐라리아 황비, 이것도 노린 건가요?"

그걸 노린 건 에벤에셀이었지. 힐라리아가 냄새가 나지 않도록 레몬과 간 마늘을 얹어서 구운 양고기를 오물오물 씹었다. 고기가 마치 에벤에셀이라도 되는 것처럼.

어젯밤, 그녀의 침실에서 도망친 에벤에셀이 곱씹을수록 괘씸했다. 그의 말도 다 이해했고 왜 도망치는지도 알겠는데 그럼에도 섭섭하달까?

'내가 왜 섭섭해?'

흠칫 생각의 꼬리를 잡아챈 힐라리아가 고개를 비틀었다. 정신 차려, 힐라리아! 하지만 생각을 막을 순 없었다. 사실 테이블에 앉은 채로 에벤에셀이 돌아오길 기다렸다. 아주 약간. 하아, 사실은 한 20분 정도? 그리고 난 이후에야 인정했다. 에벤에셀이 멀리 도망가버렸다는 것을.

힐라리아가 입술을 삐죽였다. 부족하지 않은 남편이 되겠다더니 아주 부족했다. 힐라리아가 입 안의 음식을 전부 다 삼킨 후에야 대답했다.

"글쎄요. 의도한 것 같기도 하고 아닌 것 같기도 하고. 다음부터는 의도하는 걸로 하죠. 내일 티파티는 외부 정원에서 하잖아요?"

실로테가 고개를 끄덕였다.

"다음 티파티부터는 스틸로즈 궁에서 할 겁니다. 초대하는 자들을 선별하겠다는 이야기지요. 이번보다 더 엄격한 기준으로."

힐라리아가 생긋 웃었다. 굳이 그녀가 갈 필요가 있나. 힐라리아를 만나기 위해 사람들이 직접 찾아와 안달 내게 할 방법이 수십 가지는 있는데.

"초대장에 프리미엄이 붙어서 암시장에 돌지도 모르니 초대받은 자와 초대장에 적힌 이름이 일치해야 들어올 수 있도록. 초대장에는 스틸로즈 궁의 문양을 찍을 거예요. 그리고 우리가 주최하는 그 티파티는 윈프리드 제국의 모든 정보가 모여들고 빠져나가며, 새로운 유행을 주도하는 자리가 될 거예요."

"우리……."

'우리'라는 단어에 제이나가 볼을 붉혔다. 그녀는 투박한 로마노프 백작가에서 자라, 사교성 넘치고 상냥한 귀족 여성들과는 어울리기 힘들었다. 덕분에 제이나는 황태후나 황제의 명에 따라 움직일 뿐 다른 귀족 여성들과의 교류가 전무하다시피 했다. 게다가 그녀는 귀족 여성들이 관심을 가지는 드레스나 최신 유행에 둔감하기까지 했으니.

오히려 경마, 검, 기사에 대한 이야기에는 흥미가 있었지만……. 덕분에 '우리'라는 카테고리에 속해보는 게 처음이었다. 제이나가 수줍은 얼굴을 한 채 손가락으로 찻잔을 슥슥 문질렀다. 제이나의 반응을 알아차린 힐라리아가 농밀한 목소리로 물었다.

"싫은가요? 나는 제이나 황비가 마음에 드는데."

제이나가 토끼처럼 눈을 동그랗게 뜨고는 고개를 저었다. 힐라리아는 그녀에게서 투박한 기사들이 가지는 순진함을 읽었다. 세상에. 이런 보물이었을 줄이야. 로마노프가 딸 농사는 잘 지었다.

지금 로마노프 영지에서는 구호 작업이 한창이었다. 또한, 에벤에셀은 장담했던 대로 약속을 지켰다. 힐라리아의 서명이 새겨진 서류가 로마노프 영지에 하달되었고 그들은 깨끗한 식수를 공급받을 수 있게 되었다. 이제 열매를 수확하길 기다리면 그뿐. 귀여운 제이나를 위해 로마노프 백작의 속박을 수월하게 벗겨낼 수 있을 것 같았다.

힐라리아의 물음에 제이나가 귀까지 빨개진 채로 고개를 숙였다. 실로테가 힐라리아와 제이나의 모습을 번갈아 보다가 피식 웃음을 흘렸다.

사실 힐라리아는 체구가 그다지 큰 편은 아니었다. 기네비어에서 왔다길래 거인을 상상했더니, 키는 약간 클지 몰라도 그것뿐. 전체적으로 호리호리한 체형에 가까웠다. 하지만, 제이나는 딱 검을 잡기 좋은 체형이랄까?

굳이 이야기하자면 그랬다. 어쨌든 힐라리아보다 제이나가 좀 더 덩치가 커 보였다. 그런데 저런 표정으로 저렇게 부끄러워한다고? 아무래도 힐라리아는 사람을 길들이는 데 소질이 있어 보였다.

'위험한 재능인데.'

길들여진 사람 중에 한 명이 그녀라는 사실은 까맣게 모르는 얼굴이었다. 제이나는 한참이나 망설인 후에야 말을 꺼냈다.

"나도요. 나도 힐라리아 황비가 좋아요. 덕분에 나는 원하던 일을 할 수 있게 되었고 이렇게……."

제이나가 실로테와 힐라리아를 번갈아 보았다.

"같이 차를 마실 수 있는 친구도 얻게 되었는걸요."

힐라리아의 푸른 눈이 반짝였다. 이렇게 귀여운 사람이 다 있나. 속이 투명하게 다 보이는 것 같다. 힐라리아가 턱을 괸 채로 흐뭇한 표정을 지었다.

"그 말 참 괜찮네요. 친구라니. 우리는 좋은 친구가 될 수 있을 거예요. 그렇죠, 실로테 황비?"

"네. 저도 그렇게 생각해요. 다음에는 이런 차가 아니라, 술을 마시도록 하죠."

"술이요?"

"클라리넷은 오래된 가문이라 지하 저장고에 가면 좋은 술이 많거든요.

종류도 다양하죠. 각자 좋아하는 술이 어떻게 되나요?"

"아, 저는 맥주……. 사실 훈련을 마치고 돌아와서 아버님과 오빠들이 마시는 맥주가 정말 시원해 보였거든요. 저도 이제 그 맛을 느낄 수 있을 테니까."

제이나가 방긋 웃었다. 어이쿠. 이렇게 순진해 보여서야.

실로테의 시선이 힐라리아에게로 돌아갔다.

"음, 위스키 종류를 좋아해요. 기네비어에서는 위스키가 많이 생산되고 있는데 부모님께서 저는 술을 못 마시게 하셨거든요."

"술이 약한가요?"

"그게 아니라……. 아직 어려서 안 된다고 하셨었죠."

힐라리아가 어깨를 으쓱했다.

"제가 한참은 여리고 작은 편이라."

잠시 응접실에 침묵이 흘렀다. 제대로 들은 게 맞는 건가? 실로테가 멍하니 힐라리아를 쳐다보았다.

"그럼요. 우리 힐라리아가 작고 여리긴 하죠."

그들의 침묵을 깨뜨린 것은 케이티를 종용해 식당의 문을 열게 한 베아트리체였다. 베아트리체가 사뿐사뿐 뛰어와 힐라리아를 뒤에서 끌어안고는 인사를 전했다.

할 말이 있어서 찾아왔는데 이렇게 깜찍한 자리가 마련되어 있을 줄이야. 어떻게 나를 빼놓고? 베아트리체가 입술을 톡하고 내밀고는 허리를 폈다.

베아트리체가 오고 있다는 것을 나비를 통해 미리 듣고 있었던 힐라리아는 동요 없는 표정으로 자리를 권했다. 두 사람으로 시작되었던 오찬은 네 사람으로 늘어나면서 점점 길어지고 있었다.

"그 술자리에 저도 초대해주시는 거겠죠? 저는 힐라리아와 오래된 친구니까 자격이 있을 법도 한데. 실로테 황비, 내가 앉을 의자가 있을까요?"

"……물론이죠. 얼마든지요."

힐라리아가 침묵으로 긍정을 표했으니 실로테도 빠르게 고개를 끄덕였다. 세 사람의 시선이 제이나를 향했다.

"……좋아요."

제이나 또한 긍정을 표했다. 추진력이 좋은 베아트리체가 끼니 말로만 오갔던 약속이 정확한 날짜로 확정되었다. 황태후의 생일 파티가 있는 당일 날. 네 사람이 빨리 연회장에서 빠져나온다고 해서 무슨 문제가 있겠는가. 문제는 연회장에 있겠지. 사교계 최대의 관심사를 빼앗기게 되는 것이니.

하지만, 힐라리아는 그런 영양가 없는 친분을 맺는 것보다는 세 사람과의 친목 도모를 선택했다. 세 사람 모두 귀엽고 쓸모 많고 능력도 좋다. 힐라리아가 귀여운 고양이를 보는 눈빛으로 세 사람을 훑어보았다. 화기애애한 틈에 힐라리아의 옆에 앉은 베아트리체가 그녀의 손에 몰래 쪽지를 전해주었다.

<오늘 밤. 약속된 장소에서.>

힐라리아가 가시를 품은 장미처럼 화사한 미소를 피어 올렸다. 메일린 프로이턴. 프로이턴의 미래가 제 손으로 굴러 들어오려 하고 있었다.

"황제 폐하께 미리 윤허를 구해두도록 할게요. 사람을 들이는 건 제 권한이지만, 하룻밤을 머물게 해드리는 건 제 권한이 아니라. 안타깝게도 저도 이 궁을 빌려 쓰는 처지거든요."

이 기회를 놓치지 않고 실로테가 대꾸했다.

"좀 더 높은 곳으로 가면……. 예를 들어, 포인세티아 궁으로 간다면 그럴 필요가 없어지지요. 힐라리아 황비는 이 궁의 또 다른 주인이 되는 거니까."

식당에 남아 네 사람의 시중을 들고 있던 첼로스테가 실로테를 응원했다. 첼로스테는 힐라리아에게 영원한 충성을 맹세했다. 아, 물론 혼자. 그러니 힐라리아가 이 성에 남아 오래도록 군림해줬으면 좋겠다. 힐라리아에게 가장 잘 어울리는 자리는 더 높은 데 있다고 생각한다. 누군가의 응원을 받으며 실로테가 힐라리아를 눈빛으로 재촉했다.

"굳이 그런 곳에 있지 않아도 나는 충분히 빛나는 사람이라. 필요할 것 같으면 그때요. 지금은 아직 모르겠어서."

실로테가 속으로 힐라리아를 향한 찬탄을 보냈다. 황후의 자리를 놓고 저렇게 오만하게 말하는 데도 어울릴 건 뭐람.

네 사람의 긴 오찬은 오후 3시가 넘어서야 끝이 났다. 많은 소득이 있었던 자리였다. 힐라리아가 손에 남은 쪽지를 꾹 쥐었다.

특히 이것이. 힐라리아가 붉은 미소를 얼굴 위로 덧그렸다.

***

힐라리아는 무난하게 에벤에셀으로부터 외출 허락을 받아냈다. 이미 지난밤에 메일린 프로이턴에 관한 이야기를 나눴기 때문이었다. 약간의 문제가 있다면…….

'왜 따라 나온 걸까.'

힐라리아가 에벤에셀을 힐끗 보았다. 힐라리아의 시선을 받은 에벤에셀이 생긋 웃었다. 확실히 밤에 핀 장미만큼 예쁜 게 없……. 힐라리아가 목을 가다듬었다. 이건 베아트리체와 어릴 적에 몰래 읽었던 로맨스 소설에 나왔던 문구였다. 소설 표지에 그려져 있던 남자주인공과 에벤에셀이 많이 닮긴 했다. 검은 머리카락에 푸른 눈을 가진 것도 똑같다.

"왜 그렇게 보십니까, 황비?"

"제 시선이 어떤데요?"

"마치 꺾고 싶은 꽃을 보고 있는 시선이랄까."

힐라리아가 눈을 가늘게 뜨고 웃었다. 아주 적절하게 맞췄다.

'눈치는 빨라서는.'

힐라리아가 농밀한 목소리로 속삭였다.

"제가 원하면 꺾여주시려고요?"

"감당할 수 있는 말만 하라니까."

단호하게 말하긴 했지만 에벤에셀은 힐라리아에게서 시선을 떼지 못했다. 그 시선을 즐기며 힐라리아가 옅게 미소를 지었다.

"그게 어느 쪽이든 해봐야 아는 일인데. 폐하, 제 침실은 언제든 열려 있답니다."

"이제는 아무나에게 열어주는 모양입니다, 황비."

"상처받으셨어요? '아무나'라는 말에."

힐라리아가 재미있다는 듯이 웃었다. 그녀가 손가락을 살랑이자 그녀의 손끝에서 피어난 나비가 팔랑거리며 에벤에셀 주위를 맴돌았다.

"그러니 누가 엿들으라고 하던가요. 엿듣는 것도 아무나 하는 게 아니랍니다."

에벤에셀이 너털웃음을 터뜨렸다.

"하지만, 제 침실은 황제 폐하께만 열려 있답니다. 저는 황제 폐하께서 부족한 남편이 되는 것을 원치 않으니."

"부족하면 온실에 사는 그것을 찾아가실 겁니까?"

'아.'

힐라리아가 곤란한 얼굴을 했다. 사실 정원에 데려다 둔 일리에 대해선 그동안 아예 잊고 있었다. 오늘도 일리를 마부석에나마 태워온 것은 케이티가 일깨워준 덕분이었다. 일리는 아직 힐라리아에게 애물단지에 불과했다. 종종 에벤에셀을 자극하기엔 좋긴 하지만.

"일리는 침실에는 들어오지 못해요. 일리가 들어올 수 있는 건 응접실까지라."

"정말 정부로 들이신 건지 묻고 싶군요."

에벤에셀이 서늘한 목소리로 물었다. 그의 눈에서 마치 얼음이 서걱이며 떨어지는 것 같다. 힐라리아가 그 시선을 맞받아치며 웃음을 터뜨렸다.

"질투하시는 건가요?"

"짐에게도 그럴 자격이 있다고 생각합니다."

"물론이지요. 그래서, 질투하시는 게 맞다는 거네요?"

쉬운 게 없다. 그래서 힐라리아가 더 매력적이긴 하지만. 그의 대답을 종용하는 눈빛에 에벤에셀이 답했다.

"예. 짐은 그자를 질투합니다."

그리곤 보란 듯, 에벤에셀이 생긋 웃었다. 마치 사르르 얼음이 녹아내리는 것 같은 미소에 힐라리아가 멈칫하기도 잠시.

"그럴 리는 없겠지만. 그것의 용도를 몰라서 짐이 불안하군요. 해서 말인데."

에벤에셀이 나지막한 목소리로 폭탄을 던졌다.

"거세시키는 건 어떻습니까?"

정적이 흘렀다.

'와우.'

힐라리아가 속으로 탄성을 내뱉었다. 이래서 황제의 질투는 무서운 것이라고 하는 건가? 힐라리아가 잠시 고민했다. 이대로 황제의 뜻대로 해줘야 하나, 일리의 마지막 자존심이라도 지켜줘야 하나.

"망설이시는군요."

"아니, 신기해서요. 폐하께서는 그런 말씀을 쉽게 하시네요. 그래도 같은 남자이신데."

"같은 남자이기 이전에……. 짐은 질투하고 있는 치졸한 사내거든요."

힐라리아가 헛웃음을 지었다. 치졸하다고 말하면서 왜 저렇게 당당하지? 게다가 미소 짓고 있는 얼굴은 치졸하기보단 여유로운 자의 것이었다. 보기만 해도 빨려들어 갈 것 같은 매혹적인 미소를 짓는 주제에.

"……남의 집 귀한 아들에게 그러는 것 아닙니다, 폐하. 큰일 나세요. 손 잡아 드릴 테니 그건 단념하시는 게 어떨까요?"

에벤에셀이 순순히 손을 내밀었다. 힐라리아가 그 손에 자신의 손을 얹는 순간, 에벤에셀이 힐라리아를 잡아당겼다.

"곁에 와서 앉으시는 건 어떻습니까? 그래도 황비와 짐이 처음으로 함께 바깥 구경을 하는 참인데. 나란히 앉아서 가는 게 더 정답고 낭만적이라 생각합니다."

"진작에 말씀하시지."

힐라리아가 사르르 웃고는 몸을 살짝 일으켰다. 분위기와 장소, 할 일에 맞게 케이티와 첼로스테가 입혀준 검은 드레스 위에 드리워진 검은 박사가 사박거리는 소리를 냈다. 머리카락을 땋아서 틀어 올린 뒤에 살짝 씌운 베일과 모자가 흔들렸다.

에벤에셀이 힐라리아를 저지할 틈도 없이 그녀가 나비처럼 가볍게 움직였다. 힐라리아의 주변으로 날아오른 금빛의 나비들이 은은한 아우라를 뿌리며 분위기를 더했다. 그렇게 그녀가 냉큼 에벤에셀의 무릎 위에 앉았다. 에벤에셀이 눈을 동그랗게 떴다.

"이게 더 정답고, 좀 더 낭만적이지 않을까 해서요."

하. 에벤에셀이 낮은 탄성을 터뜨렸다.

"……항상 짐을 앞서가시는군요."

"네. 제가 잘 배우는 학생이라서. 폐하께서 주신 교훈을 허투루 듣지 않았답니다."

힐라리아가 손끝으로 입술의 상처를 톡톡 쳤다. 에벤에셀이 힐라리아의 허리를 붙들어 자세를 고정시켜주면서도 다른 손으론 얼굴을 가렸다.

"그대는 참 요사스럽습니다."

"음. 칭찬으로 들으면 될까요?"

"짐을 이렇게 매혹시킨 건 처음이라. 칭찬으로 들으셔도 됩니다."

힐라리아가 키득대며 고개를 숙였다. 에벤에셀과 여기까지 기대한 것은 아니었는데 날이 갈수록 그와 있는 시간이 즐거워지고 있었다.

'곤란한데.'

힐라리아가 눈썹을 찡긋한 채로 에벤에셀의 볼에 입술을 눌렀다. 은밀한 외출이라는 말을 찰떡같이 알아들었는지 케이티와 첼로스테가 화장을 거의 해주지 않은 덕에 볼에는 아무것도 묻어나지 않았다. 어둠 속에서도 에벤에셀의 놀란 얼굴이 한눈에 보였다.

"아, 위치가 틀렸을까요?"

힐라리아가 나른하게 속삭이고는 에벤에셀의 입술에 짧게 키스했다.

"이번엔 제대로 위치를 맞춘 것 같은데. 어떻게 생각하세요?"

"하아."

에벤에셀이 힐라리아의 어깨에 이마를 기댔다. 덜컹이며 움직이는 마차의 진동조차 느껴지지 않았다. 힐라리아의 달콤한 숨결이 그의 머리칼 위에서 흩어졌다.

힐라리아도 에벤에셀의 침묵을 지켜주었다.

'뭐가 그렇게 어렵다고.'

먼저 입 맞췄던 건 저였으면서.

"폐하께서 이러시니 제가 정말 나쁜 사람이 된 것 같군요."

힐라리아가 장난기 어린 어조로 속삭였다. 그녀보다 나이 많은 이 남자가 귀여워 보이기까지 한다. 에벤에셀의 숨결이 갈대처럼 흔들리고 있는데 귀엽지 않을 리가.

"……짐이 보기보다 보수적입니다, 황비."

"흐응?"

결혼을 몇 번씩이나 한 사람이 하는 말치고는 너무 단정하지 않은가. 황비들과 별다른 일이 없었다는 건 소문으로 들어서 알고 있었다. 그래서 다른 루트로 여자를 만나지 않을까 했는데. 윈프리드 제국 역사상 황제에게 여자가 없었던 적이 없었다.

'당신은 다르다는 거야?'

힐라리아가 에벤에셀의 머리카락을 가만가만 쓸었다.

"황비께서 그 이후를 약속해주시지 않는다면 짐은 절대로 황비를 안지 않을 겁니다."

어떻게 될 줄 알고 미래를 이야기하는 거지? 차라리 오늘 메일린 프로이턴을 만나는 자리에 에벤에셀을 데려가는 게 좋은 선택일지도 모른다는 생각이 들었다. 운명대로라면 메일린이 황후가 되어야 했다. 에벤에셀은 어떻게 반응할까? 또한, 메일린은?

아무 말도 없는 힐라리아의 허리를 꾹 끌어안은 채로 에벤에셀이 숨을 골랐다. 힐라리아에게서 나는 은은한 장미향이 폐부를 가득 채웠다.

"계속 쓰다듬으십시오."

"네?"

"머리카락 말입니다. 계속 쓰다듬어주세요. 그러면 짐이 좀 더 착해질 수 있을 것 같으니."

에벤에셀의 말에 힐라리아가 웃음을 터뜨렸다.

'뭐야. 뭔데 귀여워.'

덩치는 산만 한 남자가 머리를 쓰다듬어 달라 조르고 있다니. 이렇게 보니 마치 손바닥에 코를 비비는 고양이 같지 않은가.

"고양이는 제가 아니라 폐하였나 봅니다."

"무엄하십니다."

에벤에셀이 짧게 대꾸하고는 힐라리아의 몸을 좀 더 가까이 끌어당겼다. 힐라리아가 순순히 그의 손길에 응하며 에벤에셀이 원하는 대로 머리카락을 쓰다듬었다. 에벤에셀의 부드러운 머리카락이 손가락 사이로 빠져나갔다. 밖의 소리가 차단된 채로 시간이 흘러 지나갔다. 마차의 작은 창으로 보이는, 별이 뜬 밤하늘이 척 보기에도 아름다웠다.

"이렇게 밤에 외출하는 것도 괜찮네요, 폐하."

"짐이 없이는 안 되십니다. 위험합니다."

에벤에셀이 억눌린 목소리로 말했다. 힐라리아에게 쏠린 시선이 한둘이 아니다. 그중에서 힐라리아를 해칠 마음을 먹은 이가 없을 리가 있겠는가. 에라스모 백작가의 움직임도 심상찮았고 네이선 황자의 세력 또한 움직이고 있었다.

사실 때가 좋지 않았다. 네이선이 황태후의 생일에 맞춰서 수도로 돌아올 예정이니 권력을 조금이라도 잡고 있는 귀족들이 술렁이는 건 당연한 이치였다.

그 가운데에 힐라리아를 던져 넣었다. 처음에는 그럴 용도로 들였던 사람이니 당연하다고 생각했는데. 지금 와서 생각해보면 아주 멍청한 짓이었다. 한 치 앞도 생각지도 못하고.

"황제 폐하가 오히려 더 위험하실 것 같은데."

"저는 위험하지만, 강합니다."

힐라리아가 불만스럽게 볼을 부풀렸다. 에벤에셀이 강한 건 인정한다. 하지만, 힐라리아도 충분히 강하다고 생각하는데…….

"어머니도 같은 말씀을 하시곤 했는데. 그때도 지금도 저는 반박하지 못하는군요."

"공왕비께서?"

"어머니가 보시기엔 저는 언제나 아이 같으신가 봐요. 워낙 강한 분이시니…… 그런데 폐하께서도 저를 아이로 만드시네요."

미묘한 기분이었다. 불만스러운 것 같으면서도 마음이 따뜻해지는? 결국엔 지켜주겠다는 말이니까.

뭐든 하지 말라는 소리는 안 한다는 점이 이 남자의 좀 더 귀여운 점이었다.

"차라리 그러셨으면 제가 이리 애먹지는 않았겠지요."

"키스해드릴까요?"

말을 꺼내기 무섭게 마차가 멈춰 섰다.

에벤에셀이 피식 웃으며 고개를 들었다. 그가 스치듯 힐라리아의 입술에 키스하고는 떨어져 나갔다.

“다음에요. 아무래도 도착한 것 같습니다.”

두 사람의 마법 같은 시간은 깨어졌다. 마부가 도착했다는 의미로 마차 문을 두드렸다. 힐라리아가 문을 통해 내리고 에벤에셀도 모자를 눌러쓴 뒤에 힐라리아를 따라 내렸다.

그사이 힐라리아에게 바짝 붙어 있는 금발의 남자가 보였다. 일리였다. 대체 왜 데려온 것인지. 불만인데 일리에게서 묻어나는 헬레나미아의 기운에 아무 말도 하지 못했다. 에벤에셀이 경쟁하듯 힐라리아의 등 뒤에 바짝 따라붙었다.

“좀 더 떨어져서 걸으세요.”

“싫습니다. 일리는 힐라리아 황비 마마를 지킵니다!”

에벤에셀이 서늘한 시선을 흘렸다. 한주먹 거리도 안 되는 게. 시정잡배나 할 생각을 하며 일리를 서슬 퍼렇게 노려보았다. 일리가 몸을 움츠린 채로 힐라리아에게 치대기 전까지는.

“왜 이래?”

“무서워요, 주인님. 저 남자가 노려봐요, 주인님.”

저 덜떨어진 자식이. 에벤에셀이 다시 한번 시정잡배나 할만한 욕설을 입 안에서 짓씹었다. 사실 에벤에셀은 굴곡진 인생을 살아온 남자였고 고상한 척을 할 뿐 얼마든지 욕도 할 줄 알았다. 특히 이런 상황이라면! 그게 에벤에셀의 적나라한 속내였다. 그 기색을 읽었는지 힐라리아가 에벤에셀을 보곤 웃는 게 보였다. 웃는 건 좋은데…….

“하아.”

에벤에셀이 머리를 헝클어뜨리고는 다시 모자를 바르게 썼다. 상대할 필요 없다. 헬레나미아의 힘에 종속당한 한낱 인간일 뿐이다. 몇 번이나 스스로를 타이르고는 걸음을 옮겼다.

그들이 도착한 곳은 프로이턴 외교 관사였다. 숨어서 음지에서 행동하는 사람이 밖으로 나올 리는 없고. 베아트리체의 서신은 황제로 위장하여 외교 관사의 담장을 넘었고 메일린의 관심을 끄는데 성공했다.

대략적인 내용은 이러했다. 황위에 관심이 있다면 오늘 밤 관사를 비우고 기다리라고. 그리고 베아트리체는 긍정적인 답신을 받아왔다. 힐라리아의 추론이 다 맞아떨어진 것이다. 아무도 막지 않는 건물의 내부로 걸어 들어가는 힐라리아의 뒤를 에벤에셀과 일리가 쫓았다.

"……아버님이 아니실 거라고 예상은 했습니다만."

그들 일행을 맞이한 것은 로비에서 기다리고 있던 메일린 황녀였다.

"들켰네요."

힐라리아가 산뜻하게 웃었다. 들켜도 그만, 안 들켜도 그만. 그저 메일린의 주의만 끌면 된다고 생각했었다.

"그런데도 흥미를 끄는 내용이라서 용기를 냈지요. 힐라리아 황비, 맞지요?"

"본인은 메일린 황녀 맞으시고요."

메일린과 힐라리아의 시선이 맞부딪쳤다.

두 사람 사이에 보이지 않는 스파크가 튀는 것 같았다.

"고래 싸움에 새우등 터질 수도 있겠군."

에벤에셀이 즐거운 듯이 작은 목소리로 중얼거렸다. 그의 목소리를 들은 듯 힐라리아가 고개를 돌렸다. 당신은 누굴 보고 있지? 나? 아니면, 메일린 황녀? 왠지 긴장되는 것 같았다.

힐라리아의 동공이 확장되었다.

시선 끝에…… 에벤에셀은 그녀를 보고 있었다.

메일린은 보이지도 않는다는 듯이 오로지 그녀만. 에벤에셀의 푸른 홍채에는 힐라리아만이 가득 차 있었다.

운명은 깨졌다. 힐라리아가 이렇게 만든 것이다. 묘한 희열이 삽시간에 힐라리아를 뒤덮었다.

"일행을 데려오셨군요."

"신경 쓰지 않으셔도 됩니다. 아무리 그래도 치외법권 지역에 들어오는데 홀로 올 신분이 아니라서."

"물론 중한 이야기를 하러 오셨는데 그 정도는 이해해드려야지요. 이쪽으로."

메일린이 꼿꼿한 등을 돌려 계단을 올라갔다. 힐라리아는 이유를 알 수 없는 승리감에 도취되어 메일린을 뒤따랐다. 에벤에셀이 메일린을 보고서 어떤 생각을 했는지 궁금했다.

당장이라도 물어보고 싶은데……. 오늘 이 자리가 얼른 파하고 돌아가는 마차에 탔으면 좋겠다.

***

그 시각, 기네비어 성.

"어머니, 우리 힐이 잘 지내고 있는 거죠? 연약한 애가 거기 가서 따돌림이라도 당하는 건 아닌지……."

아들들의 닦달에 못 이긴 헬레나미아가 인상을 찌푸렸다.

"힐이 아기라도 되는 줄 아니? 그 애도 그 정도 앞가림은 할 줄 알아. 게다가 베아트리체가 어련히 잘 챙겨줄까."

"하아. 그렇겠죠? 힐라리아가 얼마나 수줍음을 타는데……. 몸이 약해서 걱정이에요. 수도는 춥다던데 거기서 적응은 잘 했을까요?"

"그리 걱정되면 네가 가면 되겠구나."

"그러고 싶긴 한데……. 그럴 수가 없으니."

위베르의 웅얼거림에 기네비어 가족들의 어깨가 우울하게 축 쳐졌다. 황제는 기네비어의 기사들은 절대로 기네비어를 벗어나지 말라는 명령을 내렸다.

"힐이 마음이 약하기는 하지만, 똑똑해서 괜찮을 게야. 그것보다 위베르, 자카리족의 동태는 어떻든? 그들이 오스발트하고 연락을 하는 것 같아?"

"아무래도요. 자카리족이 땅을 내어준 은혜를 배신으로 갚으려는 것 같아요. 힐이 얘기해준 대로 자카리족이 오스발트에게서 말을 받은 듯해요. 아, 우리 똑똑한 힐. 힐라리아는 정말 완벽한 것 같아요, 어머니. 그런 애에게 황제가 가당키나……."

"위베르?"

"큼큼."

위베르가 목을 가다듬고는 헬레나미아의 눈치를 살폈다. 그래도 힐라리아가 잘난 건 사실인데 어떡하라고. 이건 진짜 이 세상 사람들이 다 인정해야 한다.

한숨을 푹 내쉰 헬레나미아가 아들들을 달래기 위해 입을 열었다.

"힐라리아가 시킨 일이지 않니. 그 애는 완벽한 만큼 애국심도 깊어. 너희가 기네비어와 윈프리드를 잘 지켜야 기뻐할 거야."

"좀 더 신경 쓸게요. 대신 어머니, 다음에 힐에게 연락이 오면 저도……."

"저도……."

"어머니……."

아들들의 간청에 기네비어 공왕도 슬쩍 끼어들었다.

"여보, 나도……."

얼씨구. 헬레나미아가 고개를 내저었다. 기네비어에는 힐라리아라면 죽고 못 사는 사내가 너무 많았다. 물론 그녀도 보내고 나서, 이런저런 걱정이 많았으나 차차 안정되었다. 하지만 남자들은 아직도 이 모양 이 꼴이었다. 힐라리아가 귀찮아할 정도로. 저래서야 힐라리아가 아기라도 낳으면 어쩌려고.

"알았으니까. 다들 시킨 일 잘하면 생각해볼게요."

헬레나미아의 말에 기네비어의 남자들이 고개를 격하게 흔들었다. 힐라리아와 연락할 수 있는 건 헬레나미아뿐이라는 점이 그녀에겐 강력한 무기가 되었다.

***

힐라리아와 메일린의 담소는 꽤 오랜 시간 이어졌다. 자정이 다 되어서야 힐라리아가 외교 관사를 나왔으니까. 힐라리아가 지친 몸으로 터벅터벅 걷는데 에벤에셀이 슬쩍 말을 붙였다.

“짐이 안아서 마차에 데려다주는 건 어떻습니까?”

“일리도 할 수 있어요, 주인님.”

일리와 에벤에셀 사이에 스파크가 튀었다. 에벤에셀이 이를 드러내자 일리가 겁에 질려서 힐라리아에게 들러붙었다. 왜들 이럴까, 이 피곤한 밤에.

“두 사람 다 됐어요. 일리, 너도 얼른 마부석에 가서 타. 그러다가 폐하께서 너를 두고 가면 어쩌려고 그래?”

힐라리아의 말에 일리가 훌쩍이는 척하며 마부석 옆으로 기어 올라갔다. 그 모습을 고소하다는 눈으로 보는 에벤에셀에게 힐라리아가 말을 붙였다. 피곤해서 아무 말도 하고 싶지 않지만, 궁금한 건 물어야겠다.

“황제 폐하.”

에벤에셀이 그녀에게로 시선을 돌렸다.

모자 아래로 드러난 푸른 눈이 부드럽게 접혀 있었다.

“……메일린 황녀를 직접 보신 건 처음이었나요?”

“그렇습니다.”

“어땠어요?”

포괄적인 질문이었다. 에벤에셀이 힐라리아의 의도를 파헤치기 위해 눈을 가늘게 떴다. 힐라리아의 입매가 고집스럽게 굳어 있는 게 보였다.

메일린 황녀가 어땠냐고? 이거……. 질투인 건가? 어느 포인트에서? 문득 즐거워졌다. 에벤에셀이 힐라리아에게 한 걸음 다가간 후에 입을 열었다.

"제대로 보지 못해서 모르겠습니다."

"그럴 리가요. 분명 보시긴 했잖아요."

"짐이 보고 있었던 건 메일린 황녀가 아니라서."

"폐하. 그러지 마시고……."

에벤에셀이 힐라리아를 향해 고개를 숙였다. 왜 자꾸 이렇게 귀엽게 구는 거지? 힐라리아가 자꾸만 메일린에 대해서 묻는 게 질투면 좋겠다.

"질투하시는 겁니까?"

힐라리아가 어벙한 표정으로 입술을 벌렸다. 이게 왜 그렇게 해석되는 거지? 기가 막혀 대답하지 못하는 힐라리아 대신에 에벤에셀이 답을 찾았다.

"그런 걸로 해둡시다. 이거 가슴이 간질거리는 게……. 짐이 황비를 위해서 무엇이든 해줄 수 있을 것 같거든."

"……제대로 말씀이나 해보세요."

"진심입니다. 메일린 황녀를 보지 못했다는 건."

"왜요?"

"이유는 알고 계신 것 같은데."

힐라리아가 에벤에셀의 볼에 손을 얹었다. 대답을 종용하는 것처럼 손가락으로 그의 볼을 톡톡 두드렸다. 곱게 휘어진 눈에서 바다가 넘실거리고 있었다.

에벤에셀이 곧 닿을 것같이 가까워진 거리에 숨을 들이켰다. 항상 방심할 수 없게 만든다.

"말씀해보세요. 이 예쁜 입술로 하시는 말씀이 듣고 싶습니다."

에벤에셀이 힐라리아의 허리에 손을 얹고 그녀를 끌어당겼다. 이렇게 나온다면 말해주지 않을 수 없겠지. 귀엽게도.

"황비밖에 보이지 않았습니다. 누구보다 빛나고 계시길래."

"그것뿐인가요?"

"다른 여인을 눈에 담기에는 황비가 넘쳐서요. 짐의 눈을 가리고 계시니 짐이 무엇 하나 볼 수 있을까. 알면서 뭘 물어."

힐라리아가 나붓이 눈을 깜빡였다.

"직접 들으면 좋을 것 같았는데……. 정말 좋네요."

에벤에셀이 눈가를 일그러뜨렸다.

닿을 듯 말 듯 그를 애태우는 힐라리아 때문에 오늘도 편히 잠드는 건 망한 것 같았다.

Chapter 6.
도발

드디어 고대하던 티파티가 열렸다.

여러 사람이 공들인 덕분인지 멀리서 보기에도 화려하니 어디 가서든 자랑할만했다. 화사하게 핀 꽃들이 놓인 테이블 위에는, 오늘 날씨에 걸맞은 푸른 꽃이 아기자기하게 새겨진 티포트가 올려져 있었다. 약간 더운 날씨를 대비해서 차는 박하차로 골랐다. 어디서든 접할 수 있지만, 우리는 방법에 따라 우아하게도 느껴질 수 있는 차였다. 힐라리아가 옆에 앉아 있던 실로테에게 말했다.

"수고했어요, 황비."

"이런 건 제가 잘 하는 일이니 언제든지 맡겨줘요."

힐라리아가 고개를 끄덕였다. 실로테, 제이나, 베아트리체. 거기에 귀부인 두 명까지. 힐라리아가 배치된 테이블에 앉아 있는 사람들이었다. 이 테이블이 가장 편안하고 좋지만, 주최자가 가만히 앉아 있을 수만은 없었다. 이곳에 있는 테이블을 전부 돌면서 사람들과 대화를 나눠야 한다.

하지만, 아직 오지 않은 손님 두 명 때문에 티파티를 시작할 수가 없었다. 바로 힐라리아가 앉은 테이블에 배치된 황태후와 올리비아였다.

"무례하긴. 자기들이 주인공이라도 된 것처럼 보란 듯이 늦는 건 뭐야?"

베아트리체가 힐라리아에게만 들릴 정도로 속삭였다.

"나를 길들여보겠다는 의도 아니겠어?"

"어머. 야생 짐승을?"

힐라리아가 베아트리체를 새초롬하게 노려보았다. 그렇게 둘이 눈짓을 주고받는 사이, 사람들은 지금 수도에서 가장 유명한 여자들이 앉은 테이블을 목 빼고 쳐다보고 있었다. 한 번이라도 힐라리아에게 말을 붙여보고 싶은데 그리 쉬워 보이진 않았다. 사람들이 아쉬움을 달래며 차 한 잔을 전부 비웠을 때쯤, 황태후와 올리비아가 등장했다.

고고하고 우아한 자태였다. 물론 겉이 그렇다고 해서 속도 그런 건 아니었다. 올리비아가 정원을 둘러보고는 날카로운 목소리로 내뱉었다.

"기네비어 출신이 꾸며서 그런가. 황태후 마마, 마마께서 계시기에는 너무 천박한 곳이네요."

솜털이 삐죽이 설 정도로 날카로운 목소리였다. 올리비아가 힐라리아를 날이 선 시선으로 노려보았다. 물론 힐라리아는 살쾡이 같은 올리비아를 여유롭게 맞받아쳤다.

"처음 뵙겠습니다, 황태후 마마. 몸이 좋지 않아 여태껏 찾아뵙지도 못했습니다."

힐라리아가 선보인 건 간결하고 깨끗한 정석 같은 예법이었다. 사람들이 감탄을 내뱉었다. 황태후도 속내를 감추곤 부드럽게 대답했다.

"이해합니다, 황비. 먼 길을 오셨으니 당연한 일이지요."

"이해해주셔서 감사합니다. 그런데……."

그 분위기에 편승해 힐라리아가 올리비아를 저격했다.

"올리비아 황비께서는 아직 궁중 예법에 익숙지 않으신 듯합니다. 공식적인 자리에서, 손님으로 오셔서 황태후 마마보다 먼저 입을 여시다니요. 저야 같은 식구니 상관없지만, 남들이 뭐라고 생각하겠습니까?"

삽시간에 올리비아의 얼굴이 하얗게 질렸다가 붉어졌다. 부들부들 떠는 올리비아에게 힐라리아가 한 마디 더 덧붙였다.

"게다가 이곳은 실로테 황비의 추천을 받아 엘리제 부띠끄의 물품들로 꾸몄지요."

엘리제 부띠끄는 일 년을 기다려도 예약하기 힘들다는 숍이었다. 귀부인들이라면 누구나 좋아할만한 티포트나, 찻잔, 혹은 그릇, 테이블보 같은 것들을 팔았다. 거기 물건이라고? 원래도 좋아 보이던 것이 더 좋아 보였다. 아무 말도 하지 못하는 올리비아를 보며 힐라리아가 생긋 웃었다.

"그런데 천박하다니. 보는 안목도 키우셔야겠습니다."

탕-! 사람들은 힐라리아가 쏜 화살이 올리비아에게 꽂히는 걸 본 것 같다는 착각에 빠졌다. 힐라리아가 적당히 올리비아를 손봐주니 황태후가 힐라리아를 불렀다.

"올리비아가 질투가 났나 봅니다. 황비께서 이해해주시구려. 그나저나 요새 황비가 황제 폐하와 사이가 그렇게 좋다지요?"

흥미진진하다. 베아트리체가 흥분한 얼굴로 힐라리아의 치마를 꾹꾹 잡아당겼다. 재밌나 보지? 힐라리아가 보채는 베아트리체의 손을 부채로 쳐내고는 생긋 웃었다.

"그렇게 들으셨다면 그런 거겠지요."

사람들 사이에 소란이 일었다. 역시! 힐라리아가 황제의 총애를 독차지했다는 소문이 맞았나 보다. 지금 이 자리에 참석한 것이 영광이다. 힐라리아와 친분을 쌓아 나중에 미래를 도모한다면……. 그건 가문의 영광이 될 것이다.

"잘 되었구려. 황제가 외롭게 마음 둘 곳이 없었던 게 퍽 속상했다오. 그래서 내가 황비를 위해 좋은 선물을 준비했으니 받아주겠소?"

좋은 선물? 사람들이 목을 빼고 그들이 대치하고 있는 곳을 응시했다.

"감사할 따름입니다."

황태후가 뒤쪽을 향해 손짓하자 맨드라미 궁의 시녀장이 고개를 조아린 채로 상자를 들고 들어왔다. 붉은 벨벳 상자의 뚜껑이 열렸다.

"곧 태어날 아기를 위한 선물이오. 총애를 받은 후궁이 해야 할 일은 응당 후계자를 생산하는 일 아니겠소. 기네비어 여자들은 아기를 잘 낳지 못한다는 소문이 있던데. 설마 황비도 그런 것은 아닐 거라고 믿겠소. 아시다시피 이 황실엔 손이 귀해서."

탕-! 두 번째 화살은 황태후가 힐라리아를 향해 쏘았다. 바람결에 힐라리아의 치맛자락이 흔들렸다.

오늘을 위해 첼로스테와 케이티가 고심해서 고른 분홍 장미가 수놓아진 아이보리색 실크 드레스가 햇빛에 반짝였다. 분홍색 끈으로 허리를 묶어 마무리한 드레스의 디자인은 심플했지만, 세련미가 가미되어 오히려 화려해 보였다. 사람들은 힐라리아가 오늘 입은 드레스가 수도의 새로운 유행으로 떠오를 거란 걸 깨달았다. 그렇게 생각할 만큼 그녀의 백조처럼 우아한 자세와 드레스는 완벽하게 어울렸다. 특이하게 하나로 높게 묶어 흰 깃털로 장식한 머리도 한몫했다.

'절대로 황태후한테 밀리진 않을 것 같은데.'

그런 인상을 심어주는 치장이었다. 사람들의 예상은 맞아 들어갔다.

"그건 사실 기네비어 사람들을 질투한 자들이 퍼뜨린 헛소문이랍니다. 저를 보세요, 황태후 마마. 저는 기네비어 왕실의 4번째 아이랍니다. 어머니께서는 저를 포함해서 총 네 명의 아이를 낳으셨지요."

사실에 기반한 이야기를 늘어놓으며 힐라리아가 입술을 길게 늘여 웃었다. 고상한 황태후의 미소에 삐끗 금이 갔다.

"게다가 황태후 마마."

힐라리아가 부채를 펼쳤다. 드레스와 맞춰 아이보리색의 긴 장갑을 낀 힐라리아의 부채는 옅은 분홍색이었다.

"어쩜 저렇게 우아할까!"

저도 모르게 탄성을 터뜨린 귀부인이 입술을 틀어막았다. 지금 사람들이 힐라리아의 편에 서 있다는 건 분명해 보였다. 힐라리아가 말을 이었다.

"아이는 그렇게 쉽게 생기지 않습니다. 말씀하셨다시피 손이 귀한 황실로 시집와서요. 게다가, 저는 황실에 들어온 지 얼마 되지 않았습니다. 생물학적으로도 아기가 생기기엔 무리인 시간이지요."

탕-! 이번엔 힐라리아가 쏜 화살이 황태후에게 박혔다. 힐라리아는 말만으로 황태후를 기본적인 상식도 모르는 무식한 사람으로 만들었다. 힐라리아가 첼로스테를 향해 손짓했다.

"첼로스테, 황태후 마마께서 주신 선물을 잘 보관하도록 하세요. 훗날 요긴하게 쓰일 수도 있으니까."

"네, 마마님."

힐라리아가 부채를 접어 손에 쥐고는 치맛자락을 올려 나붓이 인사했다.

"선물은 감사히 받겠습니다, 황태후 마마. 이제 티파티를 즐겨주시길. 엘리제 부띠끄의 안목이 황태후 마마를 만족시켜드리면 기쁠 거예요."

힐라리아는 황태후와 올리비아가 더 이상 이 티파티를 흠잡지도 못하게 만들었다. 최신 유행을 선도하는 엘리제 부띠끄 아닌가. 모든 귀부인이 열광하는 그곳을 적으로 돌려서 좋을 게 없었다.

"……반겨줘서 고맙소."

백기를 든 황태후가 느리게 빈자리에 앉았다. 힐라리아가 돌처럼 굳어서서 있는 올리비아에게 말했다.

"올리비아 황비, 자리에 앉으세요. 그래야 기다린 사람들이 티파티를 시작하지 않겠어요?"

네가 늦어서 다 기다리고 있지 않느냐는 비꼼이었다. 힐라리아의 마지막 화살이 올리비아에게 푹 박혔다. 올리비아가 이를 갈며 자신의 자리에 털썩 앉았다. 그렇게 시작부터 즐거운 티파티의 막이 올랐다. 여기서 누가 무엇을 얻고 누가 무엇을 잃을 것인가. 힐라리아의 일거수일투족에 사람들의 이

목이 쏠렸다.

"베아트리체 영애."

실로테가 나지막한 목소리로 베아트리체를 불렀다.

"의상실 매수는 끝난 거예요? 분명 사람들이 저 드레스를 사기 위해 돈을 쥐고 달려올 텐데."

드레스를 직접 디자인한 건 의외로 베아트리체였다. 그 사실을 알게 된 건 어제 차를 마시던 자리에서였다. 베아트리체의 디자인을 한층 더 살린 것은 첼로스테의 감각이었다. 저 정도면 힐라리아가 유행의 선두에 서는 건 시간문제였다.

"당연히 했지요. 힐라리아가 황성에 들어오면서부터 생각했던 거였어요. 귀부인들 드레스만큼 돈을 떼로 벌 수 있는 사치품은 없다나."

"……항상 앞서가는 사람이군요."

"누가 따라가겠어요."

베아트리체가 어깨를 으쓱했다.

"드레스 디자인이 참 세련되고 예뻐요. 다음엔 나도 만들어줘요."

"물론이죠. 돈은 제대로 지불해줄 거죠?"

실로테가 밉지 않게 눈을 흘겼다. 이어 베아트리체와 실로테가 함께 작게 웃었다. 이런 분위기에 익숙하지 않은 제이나는 입을 꾹 다문 채로 너만 없앤다는 눈빛으로 케이크를 먹기 시작했다. 그사이, 힐라리아는 티파티를 주도하며 점점 분위기를 그녀에게로 끌어오고 있었다.

"나르탄 백작 부인. 고명한 부인의 이야기는 멀리서도 들어 알고 있답니다."

나르탄 백작가의 노부인이 힐라리아의 나긋한 말에 부드러운 미소를 지었다.

"이 늙은 사람 이야기를?"

"예. 아직은 제가 많이 부족하니 앞으로 많이 도와주세요."

"황비께서 그리 말씀하시니……. 큼, 큼. 몸 둘 바를 모르겠군요."
"어머. 말 편하게 하세요, 백작 부인."
힐라리아가 달콤한 어투로 말하며 백작 부인의 손등에 손을 얹었다. 나르탄 백작가가 개입한 무기 밀매가 사실은 에벤에셀의 먹잇감이라는 건 알고 있지만, 그들의 부유함까지 에벤에셀의 먹잇감은 아니었다. 힐라리아는 나르탄 백작가가 국외에서 수입하는 실크 천과 직조 레이스, 장신구 등에 지대한 관심을 가지고 있었다. 힐라리아와 베아트리체가 벌이려 하는 의상실 사업에 가장 필수적인 요건들이었다. 투자자 유치는 공들여 해야 하는 법이다.
"흠. 제가 감히……."
"당연히 그러셔도 된다고 생각해요, 부인. 부인께서 가지고 계신 넓은 식견을 제가 조금이라도 배우려면 당연히요."
"이렇게 탁 트인 젊은 사람이 제국의 황비라니. 제국의 앞날이 밝은 것 같소."
자연스럽게 말을 놓으며 백작 부인이 힐라리아의 손등을 토닥였다.
"정말 못하는 게 없으시구나."
첼로스테가 케이티의 옆구리를 찌르며 감탄했다.
"아냐. 못하시는 것도 있어."
"뭔데?"
"몸 사리시는 거, 도망가시는 거. 뭐 그런 것들을 못 하시지."
"아……."
결국 다른 건 다 잘한다는 소리잖아? 말속에 내포된 뜻을 금방 알아차린 첼로스테가 약간 기가 질린 얼굴로 고개를 내저었다.
물론 조용하기만 하면 힐라리아의 티파티라고 할 수 없었다. 힐라리아가 자리를 옮기는 찰나에 올리비아가 그녀의 드레스에 차를 질펀하게 쏟았다.
"어머, 정말 미안해요. 손이 미끄러졌나 봐. 어떡하죠?"

세상에. 첼로스테가 하얗게 질린 얼굴로 뒷걸음질 쳤다. 왜 저렇게 용감한 짓을 저지르는 거지? 그러지 않으면 중간이라도 갈 텐데…… 힐라리아가 화사하게 웃었다.

"괜찮아요, 황비. 그럴 수도 있는 거죠. 하지만, 아무 이유도 없이 손이 미끄러졌다면 문제가 있을 수도 있어요. 진찰을 꼭 받아보도록 해요. 걱정되니까."

올리비아는 한순간에 환자가 되었다. 힐라리아가 우아한 자태로 올리비아의 발등을 쿡 짓밟고는 스쳐 지나갔다. 올리비아가 윽, 소리를 내며 허리를 숙이자 힐라리아가 피식 웃었다.

"정말 몸이 안 좋은가 보네."

첼로스테가 고개를 내젓다가 힐라리아의 손짓에 빠르게 걸음을 옮겼다.

"첼로스테, 이런 일을 대비해서 준비해둔 게 있었죠?"

첼로스테가 고개를 조아리고는 한 켠에 준비해두었던 상자에서 무언가를 꺼내 가져왔다. 아이보리색보다는 약간 짙은 베이지색의 천이었다. 수다를 떨던 귀부인들의 시선이 다시 쏠렸다. 심지어 황태후조차도 호기심을 감추지 못하고 있었다.

첼로스테가 힐라리아의 허리끈을 풀어 팔에 걸친 채로 베이지색의 천을 펼쳤다. 이제 보니 붉은 장미가 수놓아진 치마였다. 첼로스테가 침착하게 새로운 치마를 힐라리아의 허리에 묶어 고정시켰다. 힐라리아가 살짝 움직이자 아까보다 더 풍성해진 치마가 차르르 움직였다.

'멍청하기는.'

힐라리아가 올리비아를 힐끗 보았다. 그 정도 움직임도 힐라리아가 읽지 못했으려고. 이 장면을 연출하기 위해서 일부러 당해준 것이다. 실제로, 올리비아가 하지 않으면 베아트리체나 실로테가 하기로 한 일이었다. 아예 새 드레스를 입은 것 같은 힐라리아의 모습에 귀부인들이 탄성을 내질렀다.

"어머! 저런 방법이 있었군요!"

"파티 중간에 저렇게 편하게 드레스를 바꿔 입을 수 있다니. 세상에, 저런 건 어디서 구할 수 있을까요?"

"처음 보는 디자인이라……. 나중에 시녀장에게 슬쩍 물어봐야겠어요."

힐라리아가 유유히 다른 테이블로 옮겨가 앉았다. 원하는 상황을 연출하지 못한 올리비아가 입술을 바르르 떨며 찻잔을 움켜쥐었다.

'마녀 같은 계집이!'

베아트리체와 실로테는 극적인 상황을 잘도 이용하는 힐라리아의 모습에 혀를 내둘렀다. 저런 사람이 같은 편이라 얼마나 다행인지. 하나서부터 열까지, 힐라리아가 안배하지 않은 것이 없었다. 베아트리체가 실로테에게 작게 말했다.

"돈 있어요?"

"음?"

"돈 있으면 내 의상실에 전부 투자해요. 최소한 10배는 불려 드릴게."

그녀를 위해서 준비된 초코 케이크를 입에 넣으며 베아트리체가 배시시 웃었다. 실로테는 왜 힐라리아와 베아트리체가 친구인지 알 것 같았다.

힐라리아는 이날 그녀가 필요로 했던 것들을 전부 얻었다. 그리고 실로테와 베아트리체는 다음 티파티에 초대할만한 이들을 엄선했다. 황태후와 올리비아는 완전히 뒷전으로 밀려났고 힐라리아는 홀로 주인공이 되었다. 이 소식을 전해들은 에벤에셀이 유쾌한 웃음을 터뜨리곤 힐라리아에게 좋은 활을 선물했다. 그녀만 한 명사수는 없다면서.

***

올리비아가 손바닥으로 테이블을 쾅쾅 내리쳤다. 이미 그녀의 방에 있던 조잡한 장식품들은 바닥을 뒹굴고 있었다. 숨을 몰아쉬며 분노를 표출할 방법을 찾아 헤매던 올리비아가 잇새로 저속한 욕설을 내뱉었다. 그녀의 고개가 옆으로 홱 돌아갔다.

"황태후께서 나를 부르시지 않던?"

"아직이십니다."

"그럼 내가 찾아가야지! 이런 수모를 당하고도 가만히 있어야 한단 말이야, 내가? 그 천한 기네비어 계집에게?"

올리비아가 발을 쿵쿵 구르는 것을 시녀들이 두려운 눈길로 쳐다보았다. 언제 튈지 모르는 불똥을 피하기 위해 시녀들이 몸을 웅크렸다. 날카로운 눈빛으로 그들을 훑어본 올리비아가 문을 열고 나갔다.

"치우고 있거라."

시녀장의 명령에 시녀들이 울먹이며 고개를 끄덕였다. 시녀장이 급하게 올리비아를 뒤쫓았다. 그 성정에 무슨 짓을 저지를지 모른다. 티파티장에서 힐라리아에게 묵사발이 났다는 소식은 성 곳곳으로 퍼져나갔다. 올리비아는 힐라리아의 건방진 짓거리를 벌해야 한다고 에벤에셀에게 탄원을 넣었으나 그대로 무시당했다. 그게 올리비아가 저녁까지 분을 가라앉히지 못하는 이유였다.

올리비아가 황태후 궁에 도착했을 때, 황태후는 편한 잠옷으로 갈아입고 느긋하게 책을 읽고 있던 와중이었다. 여유로운 얼굴로 올리비아를 맞이한 황태후가 부드럽게 미소 지었다.

"올리비아. 이 늦은 시간에 무슨 일이니."

"어머님! 저는 분해서 잠이 오지 않을 것 같아요. 어머님은 왜 가만히 계세요?"

우아함을 잃지 않은 채로 황태후가 시녀를 향해 손짓했다.

"올리비아가 마실 차를 준비해오렴."

"네, 황태후 마마."

"지금 차가 문제가……!"

"올리비아."

황태후의 나지막한 부름에 올리비아가 정신을 차렸다. 지금 그녀가 마주하고 있는 이는 황태후였다. 이 황성에서 가장 조심해야 할 존재. 아들은 유배지로 떠나보냈지만, 본인은 황성에 남았다. 그 당시에 황태후가 내보인 비정한 모습은 여전히 올리비아의 망막에 남아 있었다.

'네이선 홀로 저지른 짓입니다, 폐하. 저는 아무것도 몰랐어요. 이 제국에도 부모를 향한 마음은 남아 있을 것 아닙니까? 아무리 친모는 아니라 하나, 저는 폐하의 어미. 제국의 윤리를 저버리지 마소서.'

그때 황태후는 단 한 번도 네이선을 돌아보지 않았다. 온 귀족이 다 모인 가운데 네이선 황자는 친모에게 버림받았다. 그날을 떠올린 올리비아가 소름이 돋은 팔을 감싸 쥔 채로 몸을 의자 등받이로 물렸다.

"죄송해요, 어머님. 너무 흥분했나 봐요."

올리비아가 온순해진 짐승처럼 고개를 조아렸다.

"그럴 수 있지. 내가 보기에도 힐라리아 황비가 하는 짓은 못마땅했단다. 이 성이 제 앞마당인 양 굴었지."

"네, 어머님. 감히 어머님을 두고서 그렇게 건방지게 굴다니요."

황태후가 대답 없이 책을 덮고 쓰고 있던 안경을 벗어 테이블 한쪽에 올려두었다. 다행히 황태후가 힐라리아를 만나고 싶어서 에벤에셀에게까지 찾아갔었다는 체면 구기는 사실은 모르는 듯했다. 힐라리아와 단둘이 대화를 할 기회도 얻지 못했을 뿐더러 황태후는 그날 확인했다.

힐라리아를 한편으로 만들 수 없다는 것을. 같은 하늘에 태양이 둘일 수 없듯 아주 자연스러운 이치였다. 자신을 바라보던 힐라리아의 푸른 눈이 가슴을 선득하게 만들었다. 그대로 둬서는 안 될 아이다. 힐라리아가 에벤에셀의 편에 서길 마음먹었다면 더욱이 제거해야 할 대상이었다.

황태후가 허리를 펴고 우아하게 앉았다.

"네 말이 맞단다. 힐라리아는 세상 무서운 걸 너무 모르지. 게다가 남자들이나 한다는 경마에 참가한다지? 그 못된 망나니 같은 힐라리아는 얌전히 있던 제이나도 끌어들였지. 미꾸라지 한 마리가 맑은 물을 흐리는 게야."
"그러면 어떻게 하죠?"
"미꾸라지가 물을 흐리면 어떻게 하면 되는지 아니?"
올리비아가 고개를 저었다. 아직 힐라리아를 마녀로 몰아넣는 계략은 완성되지 못했다. 완벽한 타이밍에 터뜨려야 효력을 발휘할 수 있는 소문이었다. 일단 스틸로즈 궁에 제단을 만드는 게 중요한데 아무도 매수된 것 같지가 않았다.
'가서 시녀들을 닦달해야겠군.'
올리비아가 입술을 삐죽이는 걸 지켜보던 황태후가 은은한 미소와 함께 말을 덧붙였다.
"헤엄을 치지 못하게 만들면 된단다. 그러면 더 이상 맑은 물이 흐려지지 않겠지."
"그 말씀은……?"
올리비아가 눈을 동그랗게 떴다.
"잘 생각해보렴. 미꾸라지를 어떻게 해야 헤엄치지 못하게 만들 수 있을지. 이런 일엔 성에 먼저 들어온 네가 나서야 하는 거란다. 그리고 나는 네가 충분히 영특한 아이라고 믿고 있지. 올리비아, 내 말 무슨 뜻인지 알겠니?"
"네, 어머님."
올리비아가 비릿한 미소를 지으며 고개를 끄덕였다. 힐라리아가 더 이상 헤엄치지 못하게 만들라니. 그런 물리적인 방법은 얼마든지 많았다. 게다가 주제도 모르고 경마에 참가한다지 않나. 그것으로 에벤에셀의 시선을 끌었으니 벌을 받아 마땅했다. 올리비아가 들뜬 마음을 추슬렀다.
"제대로 보여주렴, 올리비아. 제이나도, 실로테도. 그들이 무엇을 잘못 생각하고 있는지 알아야 하지 않겠니?"
"물론이에요. 그 애들은 멍청한 선택을 했다니까요."
황태후의 허락도 떨어졌겠다 올리비아가 입술을 음험하게 끌어 올렸다.

생각대로 척척 맞아떨어지는 상황이 흡족스러웠다. 황태후도 올리비아의 웃음에 맞춰 미소를 지어주었다. 그녀의 예상 범위 내에서 벗어난 힐라리아는 눈앞에서 치우면 그만이다.

'쓸모가 없으면 폐기처분 해야지.'

기네비어의 공주를 후궁으로 들인다 했을 때 반대했어야 했다. 기네비어를 이쪽으로 끌어들이기 위해서 에벤에셀의 선택을 지지했더니 값어치 없는 패였다. 황태후가 새로운 판을 짜며 찻잔을 기울였다. 에라스모 백작 외에도 네이선을 위해 힘쓰고 있는 이들이 많았다. 그들과의 원만한 교류를 위해서 기네비어의 부와 광맥을 탐냈더니.

'쯧.'

시골뜨기라고 생각했던 기네비어 공주가 사납기가 이루 말할 수가 없었다. 어차피 올리비아가 단숨에 성공할 거라고는 생각지 않는다. 하지만, 단단한 돌도 물에 깨어지는 법. 올리비아가 만들어내는 수많은 기회들 중 한 번쯤은 성공할 수 있을지 않을까. 황태후가 제 손은 더럽히지 않고 힐라리아를 제거할 생각을 하며 눈을 내리깔았다.

***

티파티가 끝나고 힐라리아, 베아트리체, 제이나, 실로테 네 사람이 모였다. 본디 황태후 생일로 약속을 잡았으나 그때까지 기다릴 필요가 있을까 싶어 일정을 앞당기게 된 것이다. 실로테가 미리 하인을 보내 클라리넷 공작가에서 가져온 각양각색의 술병들이 쭉 늘어서 있었다. 이 성의 주인은 베아트리체를 비롯한 황비들이 힐라리아의 궁에 머무는 것을 허락했다.

허락을 구하려고 보냈던 첼로스테는 대답과 함께 하얀 상아로 만든 활과 날카로운 촉을 가진 화살들을 함께 들고 돌아왔다. 어처구니없어 하는 힐라리아와는 다르게 첼로스테는 설레는 얼굴로 벽에 있던 장식품을 활과 화살로 대체했다. 장식품으로 써도 아깝지 않을 정도로 화려한 모양새였다. 몸체는 섬세한 포도넝쿨이 양각되어 있었고, 실용성을 위해 크기는 작지만 값어치는 상당한 보석들이 박혀 있었다.

"황제께 힐라리아 황비는 여러 의미로 특별한가 보군요."

"그게 무슨 말인가요?"

실로테의 말에 힐라리아가 반문했다.

"저 활과 화살에 대해서 들은 적이 있어요. 선선대 황제께서 황후 마마께 내리신 거라죠? 그분께서는 소문난 명궁이셨는데, 사실 활보다 더 잘 쏘신 게 있다고 하세요."

모두의 시선이 실로테에게 쏠렸다.

"말이요."

"말?"

"네. 말 한 마디로 사람 여럿 쓰러뜨리셨다던데. 오늘 아주 알맞은 선물을 해주셨네요."

실로테의 말에 힐라리아를 제외한 이들이 동시에 웃음을 터뜨렸다. 케이티와 첼로스테마저도 한통속이었다. 에벤에셀의 선물이 흔들리던 케이티의 마음을 다잡게 하는 계기가 되었기 때문이었다.

힐라리아에게 에벤에셀은 꽤 다정하다. 그리고 에벤에셀은 명실상부 제국 최고의 사내다. 힐라리아에게 어울리려면 그 정도는 되어야 하지 않을까? 네이선과 황태후가 불안하긴 했지만, 힐라리아와 에벤에셀이라면 못할 게 없다는 판단이 들었다. 케이티가 첼로스테를 힐끗 보았다. 실로테가 오늘 두 사람을 몰래 불러 지시했던 일들이 머릿속을 맴돌았다.

'이러다 죽는 거 아니야?'

힐라리아 성격에 가만히 있진 않겠지만. 그래, 설마 죽이기야 하시겠어. 케이티가 몸을 떨고는 입술을 꾹 깨물었다. 마침내 케이티가 마음을 정했다. 그녀에게 일어난 심경의 변화를 모를 실로테가 신난 목소리로 외쳤다.

"시작해볼까요?"

실로테가 눈을 빛내며 말했다. 그제야 인상을 찌푸리고 있던 힐라리아가 활과 화살에서 시선을 돌렸다. 살짝 갈등하고 있는 중이었다. 저 활과 화살로 누구를 겨눠야 할지.

"마치 호기심에 아버지의 술을 몰래 훔쳐 마셨던 때처럼 설레요."

그녀의 속내도 모른 채 베아트리체가 고개를 끄덕이며 말했다. 그도 그럴 것이 어디서도 보기 힘든 귀한 술들만이 오늘의 자리를 빛내고 있었다. 제이나도 볼을 붉히며 긍정을 표했다.

"맞아요. 아버님은 아직도 제가 어리다고 생각하시거든요. 저는 성으로 올 때까지 한 번도 술을 마셔본 적이 없어요. 지금도 식사 중에 곁들이는 정도……."

"어머, 그러면 오늘 원 없이 마셔보면 되겠네요!"

제이나가 고개를 숙인 채로 볼을 붉혔다.

"힐라리아 황비는요?"

유심히 와인병을 보고 있던 힐라리아가 그린 듯이 생긋 웃었다.

"나도 아버지 술을 몰래 마시던 쪽이라. 오빠들하고 아버지 술을 몰래 훔쳐다 마시고 그 안에는 맥주를 부어놨었죠."

"오빠들하고……?"

제이나가 그게 가능한 일이냐는 듯 눈을 동그랗게 떴다.

"기네비어의 사람들은 술을 즐기는 편이에요. 아버지와 어머니, 오빠들도 주량이 꽤 되시는 편이었고."

"사실 힐라리아가 가장 주량이 좋았어요. 취하는 걸 본 적이 없어."

베아트리체가 혀를 내두르며 말했다. 힐라리아가 몰래 설핏 웃었다.

'얼마 전엔 취했지.'

그것도 에벤에셀의 침실에서. 힐라리아가 보고 있던 와인은 그날, 에벤에셀과 나눠 마셨던 와인이었다. 분명 특별할 것 없는 와인이었을 텐데. 그날 자리에 있었던 에벤에셀만 아니었다면 그렇게 취하진 않았을 것이다.

"오늘 그럼 힐라리아 황비의 주량을 확인하는 날이 되겠군요."

실로테가 다시금 눈을 빛냈다. 실로테의 눈짓을 받은 케이티와 첼로스테가 고개를 끄덕였다. 세 사람이 공모한 일은 아주 약소한 비밀이었다. 케이티는 처음엔 반대했지만, 첼로스테의 거듭된 설득에 결국 수락하고 말았다. 케이티와 첼로스테 사이에 미약한 긴장감이 맴돌았다.

뽁- 첫 술병이 열렸다.

바야흐로 두고두고 궁인들 사이에서 회자될 술 파티의 시작이었다.

***

가장 먼저 나가떨어진 건 베아트리체였다. 알아듣지 못할 말을 웅얼거리며 정원을 뛰어다니는 베아트리체를 시녀들이 간신히 붙잡아다 재웠다. 시녀들은 오늘을 잊지 못할 거라고 말했다. 제너시스 후작 영애의 기행을 당직 서던 이들이 모두 목격했다. 아마 베아트리체도 잊지 못할 날이 될 것이다.

그다음에 나가떨어진 건 실로테였다. 완전히 만취해서 반에이크 공작을 불러오라고 고래고래 소리를 지르다가 잠이 들었다. 휘황찬란한 욕설을 쏟아내며 반에이크에 대한 저주를 퍼부었는데 이상하게 반에이크의 이름을 발음할 때만 정신이 또렷한 것 같아서 사람들 간담을 서늘하게 만들었다.

'정말 반에이크 공작을 불러와야 하는 거 아냐?'

'그건 아니지……. 지금 공께 연락을 드리는 건 무례한 일이라고.'

'그거야 그렇지만. 아직 폐하의 집무실에 계실 수도 있어.'

때 아닌 소란에 궁 바깥에서 당직을 서던 궁인들이 스틸로즈 궁으로 시선을 돌렸다. 대체 안에서 무슨 일이 일어나고 있길래 저렇게 소란스러운 거지? 평소에 엄숙하고 조용하던 힐라리아의 궁 같지 않게. 사람들이 호기심 어린 눈으로 스틸로즈 궁 주변을 맴돌았다.

그다음 차례는 힐라리아였다. 끝없을 것 같았던 힐라리아에게도 한계는 있었다. 붉게 달아오른 얼굴로 뭐라고 웅얼거리고는 고개를 박고 잠이 들었다. 그나마 가장 조용하게 끝났달까. 사실 힐라리아의 문제는 그다음에 있었다. 케이티와 첼로스테가 눈빛을 교환했다.

"어? 어디 가?"

제이나가 살짝 풀린 눈으로 물었다. 오늘의 승리자는 제이나였다. 발음이 어눌하긴 했지만, 많이 취한 것 같진 않았다. 힐라리아를 업는 첼로스테를 보고 제이나가 고개를 갸웃했다.

"음……. 힐라리아 황비 마마님도 침실로 옮기려고요."

"아하! 그렇구나."

제이나가 순박하게 웃으며 고개를 끄덕였다.

"그러면, 나도 자야지. 힐라리아가 자면 나도 잘 거야."

어눌하게 말하고는 제이나가 비척거리며 몸을 일으켰다.

케이티와 첼로스테가 눈빛을 주고받았다.

'내가 제이나 황비 마마를 맡을게.'

'잘 부탁해, 케이티.'

결연한 장수들의 눈빛이었다. 첼로스테가 힐라리아를 업은 채로 조심스럽게 걸음을 옮겼다. 실로테가 계획하고 두 사람이 실행에 옮기는 것이다. 아직 에벤에셀이 침실로 돌아오지 않았다는 정보는 입수했다. 내일 외교 사절단 방문을 코앞에 두고 밤늦게까지 회의를 진행하고 있는 중이라고 들었다.

"좋았어."

첼로스테가 힐라리아를 추슬러 업고는 아주 조심스럽게 걸음을 옮겼다. 첼로스테의 뒤를 스틸로즈 궁의 시녀들이 종종걸음으로 뒤따랐다.

"옷은 챙겼지?"

"네. 세안 도구들도요."

그리고 스베인을 비롯한 본궁의 시종, 시녀들도 그들의 기행을 모른 척했다. 사실은 한통속이었다. 실로테로부터 은밀한 명령을 받은 건 케이티와 첼로스테뿐만이 아니었으니까.

황제의 침실을 열 수 있는 권한을 가진 것은 스베인뿐이었으므로 그는 잠시 회의가 벌어지고 있는 집무실 앞을 비웠다. 그리곤 아무것도 모른다는 듯이 슬쩍, 에벤에셀의 침실을 열어주었다. 힐라리아는 그렇게 모두의 공모로 준비된 타의적인 방법으로 에벤에셀의 침대에 눕게 되었다. 위치가 바뀐 탓에 힐라리아가 잠시 깨어나 눈을 깜빡였다.

"여기가 어디야?"

느리게 묻는 힐라리아를 차마 속일 수 없었던 첼로스테가 대답했다.

"……황제 폐하의 궁이요."

여러 해석의 여지를 가지고 있지만, 그것은 사실이었으므로 첼로스테의 목소리는 천연덕스러웠다. 그렇구나, 에벤에셀의 궁이구나…….

힐라리아가 까무룩 잠에 빠져들었다.

***

피곤한 하루였다. 힐라리아가 황태후와 올리비아를 한 방 먹였다는 소식을 듣지 못했더라면 조금도 웃지 못했을 하루였다. 황태후의 생일 연회를 축하하기 위해 방문하기로 한 외교 사절단은 오스발트 왕국, 사리프 왕국, 프로이턴 제국, 고틀리프 제국, 허미즈 제국에서 올 예정이었다.

그리고 내일 방문하는 이들은 오스발트 왕국의 사절단이었다. 오스발트 왕국은 황태후와 친분이 깊었다. 황태후는 오스발트 왕국의 피가 섞여 있었고 오스발트 왕국은 윈프리드 제국에 한 발이라도 걸치기 위해 황태후에게 줄을 대고 있었다.

오스발트 왕국과 사리프 왕국은 윈프리드 제국으로부터 200년 전 독립한 나라들이었다. 그리고 지금, 그들은 연합을 형성해 윈프리드 제국을 호시탐탐 노리고 있었다. 거기까지 생각이 미친 에벤에셀이 피곤한 눈두덩을 문질렀다. 손을 얹자 서늘한 기운이 퍼져나갔다.

'활은 잘 받았겠지?'

아마도 힐라리아가 그 활을 공격용으로 사용하게 된다면 제일 먼저 에벤에셀을 겨누지 않을까? 오늘 저녁 만찬에는 베아트리체와 실로테, 제이나가 함께한다고 들었다. 스틸로즈 궁에서 하룻밤을 보낸다나? 힐라리아가 스틸로즈 궁에 완전히 녹아든 것 같아 꽤 기분이 좋아졌다. 지금 자정이 넘었으니 이미 그 자리는 끝났을지도 모른다.

힐라리아라도 볼 수 있다면 피곤함도 다 잊을 것 같은데. 에벤에셀이 설핏 웃고는 미간을 문질렀다. 지금쯤 힐라리아가 무엇을 하고 있을지 궁금했다. 그녀가 또래 여성들과 어울릴 때 어떤 모습을 보이는지도 궁금하고 그들의 대화도…….

'별걸 다 알고 싶어 하는군.'

스스로가 어처구니없을 지경이었다. 그 자리에 힐라리아의 온실에 사는 남자는 참석하지 않는다는 걸 두 번이나 확인했다. 그런 스스로가 낯설었다. 침실 앞에 도착한 에벤에셀이 머리를 쓸어 넘겼다. 고단한 하루를 이제 마무리할 시간이었다. 스베인이 에벤에셀에게 침실의 문을 열어주며 말했다.

"먼저 씻으실 것 같아서 물을 받아두었습니다."

에벤에셀이 고개를 끄덕이고는 바로 욕실로 향했다. 휘장이 내려져 있는 침대 쪽으로는 시선도 주지 않은 채였다. 스베인이 콩닥거리는 심장을 움켜쥐고는 침실에서 대기하고 있던 시녀들에게 고갯짓하자 그들이 알아들었다는 듯이 고개를 끄덕였다. 시종들이 먼저 자리를 비우면 에벤에셀이 침실로 오는 시간에 맞춰 휘장을 걷기로 한 것이다. 간단한 일이었는데도 이상하게 그들의 심장이 뛰었다.

사실 실로테도, 오늘의 계획에 한 손 보탠 이들도 오늘 어떤 역사가 써질 거라고는 생각지 않았다. 그저 사소한 것을 바랄 뿐이다. 힐라리아와 에벤에셀 사이에 돈독한 무언가가 생기기를. 그래서 오늘을 기획했다. 그래도 부분데 같은 침대도 쓰고 함께 잠도 자고 해야 사랑이 싹트지 않겠는가. 스베인이 흐뭇한 얼굴로 휘장이 쳐진 침대를 보며 고개를 끄덕였다.

'실로테 황비 마마께서 아주 좋은 계획을 세우셨군.'

에벤에셀은 듣지 못했겠지만, 스베인은 스틸로즈 궁에서 일어난 소란에 대해서 전부 전해 들었다. 지금쯤 곯아 떨어져 있을 실로테를 향해 스베인이 감사의 마음을 표했다. 에벤에셀의 피곤한 하루가 그나마 행복하게 마무리되었으면 좋겠다. 이게 바로 참된 시종의 자세 아니겠는가!

스베인이 허리를 곧게 펴고 침실을 빠져나갔다.

***

"하."

에벤에셀이 물기 어린 머리카락 위에 덮인 수건을 잡아당기며 침실로 들어섰다. 뽀얀 수증기가 그의 주변을 덮었다. 그 모습을 확인한 시종들이 빠르게 자리를 비켰다. 침실을 정리하고 있었던 시녀들도 자리를 비우고 밖으로 빠져나갔다. 에벤에셀이 목을 스트레칭하고는 침대를 향해 걸음을 옮겼다. 그가 방출한 냉기에 수증기가 빠른 속도로 사그라들었다.

그러자 보이는 모습……?

"힐……?"

보고 싶다고 생각했더니 이런 터무니없는 환상도 만들어낸 건가?

에벤에셀이 눈을 깜빡였다.

그의 침대를 차지하고 옆으로 누워 잠들어 있는 건 분명 힐라리아였다.

처음엔 환상이라고 생각했다. 하지만, 그게 아니라는 걸 깨달은 것은 힐라리아 주변을 맴돌고 있는 나비들 때문이었다. 정령들이 술에 취한 것처럼 흐느적거리며 힐라리아 주변을 정신 사납게 맴돌고 있었다. 에벤에셀이 자기도 모르게 기색을 더욱 줄였다. 수건을 들고 있던 에벤에셀의 팔이 아래로 축 쳐졌다. 대체 왜, 힐이 여기에?

에벤에셀이 놀란 마음을 추스르며 얼굴을 쓸어내렸다. 다시 봐도 힐라리아가 맞았다. 그러고 보니…… 오늘 이상하게 들떠 보이던 스베인과 궁인들의 모습이 머릿속을 스치고 지나갔다. 힐라리아가 우웅, 소리를 내며 몸을 뒤척였다. 에벤에셀이 한 걸음 뒤로 물러섰다. 힐라리아가 뒤척임과 동시에 그녀의 어깨에 걸쳐져 있던 실크 가운이 스르륵 흘러내렸다.

이건……. 많이 위험하다. 에벤에셀의 푸른 눈이 파문을 그리며 흔들렸다. 에벤에셀이 손에 쥔 수건을 움켜쥐었다. 자신도 모르게 뒷걸음질 치느라 그가 입고 있던 가운의 리본이 풀리는 것도 몰랐다. 스륵 흘러내린 가운 사이로 아무것도 입지 않은 알몸이 드러났다. 힐라리아가 다시 몸을 뒤척였다.

"우음……. 아……."

눈을 깜빡이던 힐라리아가 깼다.

에벤에셀이 돌처럼 굳어서는 힐라리아를 망연히 응시했다.

"어……? 에벤에셀이다."

취했구나. 저번보다 더 취했다. 대체 무슨 일이 있었길래…….

에벤에셀의 머리카락이 스륵 흘러내려 이마를 덮었다. 벌어진 가운 사이로 물방울이 그의 탄탄한 가슴을 타고 흘러내렸다. 힐라리아가 배시시 웃었다. 옆으로 누운 힐라리아는 요부처럼 요염했는데 웃고 있는 얼굴만큼은 어린아이처럼 순수했다.

"에벤에셀……."

힐라리아의 목소리에 에벤에셀의 귀가 곤두섰다.

소름이 오소소 돋는 것 같았다.

"……아무것도 안 입었네요? 다 보여요."

분명 어눌한 발음이었는데 한 단어도 빠지지 않고 에벤에셀의 귀로 파고 들었다. 해맑게 웃는 힐라리아의 웃음소리만이 침실을 가득 채웠다. 에벤에셀의 손에서 수건이 툭하고 떨어졌다.

***

"여, 여기가 어디야."

힐라리아가 데굴 구르며 벌떡 일어났다. 익숙한 그녀의 침실이 아니었다. 놀라서 몸을 일으키다가 느껴지는 인기척에 힐라리아가 고개를 홱 하고 돌렸다. 침실에서 서류를 보며 간단한 아침을 먹고 있던 에벤에셀이 얼음장 같은 미소를 흘렸다.

"일어났군요, 황비."

"폐하……?"

대체 왜 내가 여기 있는 거지? 알 수 없는 일이다. 힐라리아가 가운을 여미며 침대에서 내려왔다. 어제 있었던 일이 드문드문 기억나긴 했지만, 그녀의 기억은 스틸로즈 궁에서 멈춰 있었다. 힐라리아가 어색한 미소를 지으며 에벤에셀을 보았다.

"간밤에 좋은 꿈 꾸셨어요?"

아주 무난하고 상냥한 아침 인사였다고 생각했다.

에벤에셀이 대꾸하기 전까지는.

"좋은 꿈이라."

에벤에셀이 서류철을 탁 소리가 나게 내려놓았다.

"아주 좋은 꿈을 꿨지요, 힐라리아 황비. 덕분에."

에벤에셀의 푸른 눈에 타오르고 있는 불꽃을 발견한 힐라리아가 어색하게 웃었다. 아. 잠 못 잤구나? 내가 뭘 한 건가? 아무런 기억도 나질 않았다. 힐라리아가 사뿐사뿐 걸어서 에벤에셀의 건너편에 앉았다. 좋은 술을 마셔서 그런지 다행히 숙취가 없었다.

"제가 실례를 범했나요?"

"실례라."

에벤에셀의 어두운 눈이 힐라리아를 직시했다.

"짐이 아주 즐거운 경험을 했답니다. 황비 덕분에."

"그 무슨……."

"그래. 짐의 나체를 감상한 기분은 어떠십니까?"

뭘 감상해? 내가? 나 아무런 기억도 안 나는데.

"그, 글쎄요. 저는 그런 기억이 없어서."

"그러시면 안 되지요, 황비. 나는 순결을 잃었는데. 당연히 기억해야지."

"뭐, 뭘 그런 걸로 순결까지."

"황제의 정절을 우습게 여기지 마. 힐, 어떻게 책임질 거지?"

에벤에셀이 낮은 목소리로 물었다. 화가 난 건 아니었다. 그저 복잡 미묘한 기분이었다. 해맑게 말한 힐라리아가 다시 눈을 감고 잠들지 않았다면 이렇게 미묘하진 않았을까? 정말 부끄러운 기분이었다. 에벤에셀이 이를 까득 갈자 힐라리아가 다시 어색하게 웃었다.

"어떻게 책임을……. 아, 저도 벗으면 될까요?"

힐라리아가 고개를 갸웃하며 물었다. 그런 답변을 기대한 것은 아니었던 에벤에셀이 깜짝 놀라서 몸을 뒤로 물렸다.

"저는 괜찮은데. 자신 있거든요."

힐라리아가 농밀한 미소를 흘리며 가운에 손을 얹었다.

"자신이라니……."

"제가 말했었잖아요, 에벤에셀. 우리 자지 않겠느냐고."

또 그 말을 들을 줄이야. 그것도 벌건 아침부터!

"그러니 공평하게 나도 벗는 건 어떨까요? 대신 나는 아무것도 기억하지 못하니까 에벤에셀도 벗어요."

왜 이야기가 그렇게 되는 건데!

에벤에셀이 이를 악물고는 몸을 벌떡 일으켰다.

"이른 아침부터 바쁩니다. 짐은 나가봐야 하니 아침을 먹고 돌아가세요."

그게 에벤에셀의 최선이었다. 힐라리아가 남몰래 안도의 한숨을 내쉬었다.

에벤에셀이 침실을 빠르게 빠져나가고 나서 힐라리아가 머리를 움켜쥐었다.

"무슨 짓을 한 거야……. 힐라리아!"

정말 나 때문에 못 살겠다.

***

"어디 가십니까?"

스베인의 물음에 반에이크가 멈칫했다.

'저 귀신 같은 놈…….'

아무도 몰래 다녀오려고 했는데 팔짱 끼고 있던 스베인에게 들켰다.

스베인이 이상하다는 듯이 고개를 갸웃하며 물었다.

"가셔야 하는 길은 이쪽인데 왜 반대로 가시는지?"

"다녀올 곳이 있네."

"어디를? 이 황성에 제가 모르는 곳이 없으니 어딜 가시는지 말씀해주시면 동행해드리지요."

"폐하는 어쩌고 이러나, 자네."

반에이크가 능청스럽게 물었다. 물론 이른 아침에 에벤에셀이 일정이 있다는 사실을 알고 서둘러 온 것이었다.

"오늘 폐하께서는 이른 아침부터 외무대신과 회의를 하고 계시지요. 오후에 황태후 마마의 생신을 축하하는 사절단들이 도착한다고 하지 않습니까? 주말에도 쉬지 못하게. 그래서 공께서도 주말에 출근하신 거 아닙니까."

스베인의 말에 반에이크가 너털웃음을 터뜨렸다.

"그랬지. 그래서 그 전에 잠시 다녀올 곳이 있었을 뿐이야. 힐라리아 황비 마마께 드릴 말씀이 있어서……."

"흠?"

"별일 아니야. 금세 다녀올 수 있는 일이지."

반에이크가 어색하게 방긋 웃었다.

왜 저렇게 착하게 웃지? 스베인이 의심의 눈초리를 거두지 않았다.

지금 대륙의 긴장감은 무럭무럭 고조되고 있는 시점이었다. 지난 전쟁에서의 패배는 윈프리드의 위상을 깎아내렸다. 윈프리드에서 떨어져 나간 나라들이 이제는 윈프리드를 향한 야욕을 드러내고 있었다. 그런 상황에 사절단들이라니. 그래서 비상이 걸린 마당에 반에이크가 힐라리아 황비를 찾는다? 추론을 마친 스베인이 활짝 웃었다.

"아. 힐라리아 황비 마마께 자문을 구하러 가는 길이시군요! 힐라리아 황비 마마라면 새로운 시각으로 지금의 국면을 보고 계실지도 모르니까. 같이 가시지요. 저도 힐라리아 황비 마마의 고견을 듣고 싶습니다."

반에이크가 스베인을 아연한 눈으로 쳐다보았다. 원래 눈치 없는 줄은 알았지만, 이 정도였구나. 에벤에셀이 잘도 데리고 다닌다 싶었다.

반에이크가 스틸로즈 궁에 들르려고 하는 건 별다른 이유가 없었다. 그저 한번 보고 싶었을 뿐이었다. 생생하게 살아 흐려지지도 않길래 힐라리아의 얼굴을 한 번 더 보고 싶었다. 그러면 도로 옅어질까 싶어서…… 말도 안 되는 걸 알지만, 그런 핑계를 댔다.

반에이크가 한숨을 내쉬고는 동행을 수락했다. 에벤에셀이 힐라리아를 향해 드러내고 있는 감정을 모르는 바가 아니다. 스베인에게 경계심을 심어줄 필요는 없었다. 반에이크의 이 사소한 감정은 그의 몫이니까.

***

에벤에셀의 침실에서 돌아온 힐라리아가 첼로스테와 케이티를 불렀다.

긴장하고 들어온 두 사람에게 힐라리아가 물었다.

"혹, 어제 무슨 일이 있었니?"

"아니요."

"그럼 내가 왜 황제 폐하의 침실에 있었는지 알고 있니?"

힐라리아가 조심스럽게 물었다. 아무런 기억이 없는 데다가 나비들도 아무것도 기억 못하고 있었다.

어제만큼은 힐라리아가 취한 만큼 나비들도 취한 것 같았다. 힐라리아의 반응을 알아챈 케이티가 나섰다.

"마마께서 황제 폐하를 찾으셔서요."

그 대답에 첼로스테가 깜짝 놀라는 것 같았지만, 케이티가 자기만 믿으라는 듯이 첼로스테의 손을 잡았다가 놓았다.

"내가?"

"네. 자꾸 찾으시길래 데려다드렸어요."

뻔뻔하게 대답하며 케이티가 생긋 웃는 여유까지 부렸다. 힐라리아를 알 만큼 알아서 그러는데, 그녀는 아무것도 기억 못 하는 것 같았다. 저렇게 어색한 반응이라니. 이 상황을 무난하게 넘기려면 이게 가장 좋은 방법이었다.

케이티의 말에 힐라리아가 입을 꾹 다물었다가 한숨을 내쉬었다. 더 이상 이 이야기는 하고 싶지 않아졌다. 힐라리아가 이마를 짚은 채로 말했다.

"다른 이들은?"

"아직 일어나지 못하셨어요. 다들 만취하셔서."

"그랬구나……."

힐라리아가 허탈하게 수긍하고는 케이티와 첼로스테를 무겁게 불렀다.

"오늘부터는 들어오는 식사부터 입는 옷까지 전부 독을 검사하도록 해."

올리비아는 치졸한 수로 베니체를 죽였다. 이번에도 그런 전철을 밟지 않으리란 보장이 없었다.

힐라리아가 정령의 힘을 타고 나서 체내에 독에 대한 자정작용이 있는 것은 맞긴 하다. 하지만, 독으로 죽진 않아도 앓을 수는 있었다. 그런 시간조차 아깝다. 어제 올리비아와 황태후를 대적했으니 어디서 공격이 들어올지 모른다.

'헤엄치지 못하게 만들면 된단다.'

헤엄치지 못하게? 그러다 미꾸라지한테 물릴 것은 생각지도 못하고.

힐라리아가 피식 웃었다.

"네, 황비 마마."

"네."

케이티와 첼로스테가 불안한 얼굴로 고개를 끄덕였다. 힐라리아가 가졌어야 할 두려움을 마치 그녀들이 짊어진 것처럼. 이 상황에서도 힐라리아는 차분하고 냉정해 보였다. 케이티가 힐라리아 주변을 느긋하게 유영하는 나비들을 보며 옅은 한숨을 내쉬었다.

'기네비어 분들이 아시면 나는 죽은 목숨일 거야…….'

힐라리아를 위험에 노출시키다니! 케이티가 속으로 자신의 신세를 한탄하고 있을 때, 힐라리아가 다시 케이티와 첼로스테를 불렀다.

"초대에 응하신 손님이 오시고 계시네."

"누구 말씀이세요?"

"반에이크 공작과 스베인 시종장. 아무래도 할 말이 있는 모양이야."

베아트리체를 제외한 외부인에게 열린 적이 없었던 스틸로즈 궁의 문이 열렸다. 반에이크에게로.

***

힐라리아의 말대로 반에이크와 스베인이 스틸로즈를 방문했다. 척척 걸어오는 반에이크의 뒤를 눈을 동그랗게 뜬 스베인이 어물거리며 쫓아온 것이다. 그들을 맞이하러 직접 내려온 첼로스테와 케이티가 소리 죽여 대화를 나눴다.

"대체 어떻게 미리 아신 거야?"

"비밀이라니까. 정말 알고 싶어?"

첼로스테가 잠시 생각하다가 고개를 저었다. 힐라리아를 알면 알수록 그냥 깊게 관여하지 않는 편이 좋다는 것을 깨닫고 있었다.

모르는 게 나을 때도 있는 법.

"아니."

"그런데 스베인 시종장 말이야. 소문은 되게 안 좋은데 전혀 그렇게 안 보여. 뭐가 진실이야?"

"겉은 순진해 보여도 속이 안 그렇다는 게 진실. 조심해. 폐하께서 원하시면 어디까지 해낼지 모르는 사람이야."

"그래?"

"쉿."

스베인과 반에이크가 가까워지자 두 사람의 대화도 일단락되었다. 케이티와 첼로스테가 기계적인 미소를 내보이며 두 사람을 맞이했다.

"어서 오세요, 반에이크 공. 그리고 스베인 시종장님."

"일전에 황비께서 초대해주신 기억이 나서 들렀습니다. 연락도 없이 와서 황비께 무례를 범한 것은 아닌지……."

반에이크가 사람 좋은 미소를 내보이며 말했다.

"아닙니다. 기다리고 계십니다. 이쪽으로."

첼로스테와 케이티의 뒤를 따라 두 사람이 걸음을 옮겼다. 두 사람이 안

내받은 곳은 스틸로즈 궁의 응접실이었다. 아무도 없는 텅 빈 응접실에는 모락모락 김이 올라오고 있는 잔 두 개가 놓여 있었다.

"황비 마마께서는 어디 계시오?"

"곧 오실 겁니다. 두 분이 먼저 담소를 나누고 계시면 됩니다."

열린 문으로 시녀들 다섯이 순서대로 들어왔다. 벽 쪽에 한 명씩 서는 것을 기다린 첼로스테가 마저 입을 열었다.

"힐라리아 황비 마마께서 아끼는 시녀들입니다. 담소를 나누는 내내 곁을 지킬 텐데 혹여나 불편하실까요?"

반에이크는 첼로스테의 말 속에 담긴 진의를 똑똑히 읽었다. 에벤에셀을 두고 다른 외간 남성과 밀폐된 공간에 있었다가는 구설수에 오를 테니 미연에 방지하기 위함일 것이다. 이럴 줄 알았으면서도 묘한 실망감이 반에이크를 뒤덮었다.

'반에이크 속을 감춰. 네 감정을 드러내선 안 돼.'

실로테를 그렇게 비난해놓고서 이래서야 말이 되나. 이제 실로테는 정신을 차리고 에벤에셀 대신 힐라리아의 줄을 잡았는데. 이러다가는 반에이크가 끈 떨어지게 생겼다. 반에이크가 그린 듯이 미소 지으며 답했다.

"아닙니다. 당연한 일이지요. 스베인, 불편한가?"

"왜 저한테 화살을 돌리시는지. 저는 물론 괜찮습니다. 이게 옳은 일이라고 생각합니다. 황제 폐하께서도 흡족해하실 거예요."

스베인의 눈에 뿌듯한 웃음기가 묻어났다.

"그럼, 황비 마마를 모셔오겠습니다."

첼로스테만 남겨두고 케이티가 방을 나갔다.

"공께서는 무엇을 물어보시기 위해 여기까지 오셨습니까?"

"일전에 내가 하는 사업에 관심이 많으셨던 것 같아서 말이야. 새로운 일자가 잡혀서 말씀을 드리러 왔네."

사업이라. 에벤에셀이 스베인과 반에이크에게 시키는 일들은 결이 매우 달랐다. 그리고 두 사람은 서로가 하는 일들을 잘 모르고 있었다. 그런 일들을 대부분 사업이라고 통칭하곤 했는데.

'황제께서 반에이크가 하는 일에 황비를 끌어들이시려는 건가?'

일전에 두 사람이 함께 외출했다는 이야기는 들은 바가 있었다.

'그럴 만도 하지. 힐라리아 황비께서 좀 똑똑하셔야지.'

스베인이 금세 수긍했다.

"힐라리아 황비께서는 정말 다재다능하신 것 같습니다. 황제 폐하를 웃게 하시지, 능력도 출중하시지, 황제 폐하를 쩔쩔매게 하시지, 황제 폐하께서 선물도 고르게 만드시지. 그렇다고 외모가 빠지시나요."

"중간에 황제 폐하에 대한 이야기가 많이 들어간 것 같은데?"

반에이크의 말에 스베인이 눈을 빛내며 의자를 끌어당겨 앉았다.

"이렇게 폐하를 동요하게 하는 사람을 보신 적이 있으십니까? 저는 요새 하루, 하루가 설레어 죽겠습니다. 글쎄 어제도 꽤 즐거운 일이 있었지요."

"어제?"

어제면 실로테를 비롯한 황비들이 이곳에서 머문 날이라는 건 알고 있었다. 세 황비가 똘똘 뭉쳐서 티파티 후에 저녁 만찬 장소로 이동했다는 건 지금 입이 있는 자라면 다들 떠들어대고 있었다.

기네비어와 클라리넷, 마지막으로 로마노프까지. 거기에 제너시스 후작가까지 더해졌다지. 힘 좀 있다 싶은 가문의 연합이라고 확대해석하며 사람들의 온갖 관심을 끌어모으고 있었다. 이 시대의 권력 있는 여성들이 전부 모였다나. 그 모임에 끼고 싶어서 벌써부터 기웃거리는 자들을 모으면 황성을 꽉 채우고도 남을 것이다.

"무슨 일이 있었나?"

놓친 것은 없는데. 그의 물음에 스베인이 몸을 낮추고 신나게 말했다.

"어제 황비 마마께서 술에 완전히 취하신 상태로 황제 폐하의 침실로 오셨었지요."

"뭐?"

이런. 너무 날카로웠다. 하지만, 감정이 들쑥날쑥한 것을 감출 수가 없었다. 반에이크가 이를 악물고는 스베인의 반응을 살폈다.

"후후후. 얼마나 가슴을 졸였던지. 그런 이벤트라면 늘 있었으면 좋을 것 같긴 합니다만."

다행히 스베인은 반에이크가 보인 이상함을 전혀 알아차리지 못한 것 같았다. 반에이크가 안도의 숨을 내쉴 무렵 누군가 밖에 도착했다. 또각또각, 구두소리가 들렸다. 한데 문이 열리고 들어온 것은 힐라리아가 아니었다.

"실로테 황비……?"

"오랜만이에요, 반에이크 공. 그리고 스베인."

실로테가 구불구불한 은발을 길게 늘어뜨린 채로 의자에 앉았다. 한숨을 내쉬며 미간을 문지르곤 케이티가 준비해준 숙취해소용 음료를 단번에 들이켰다.

'아, 어제 너무 마셨어.'

가장 늦장을 부린 건 실로테였다. 제이나 황비나 베아트리체는 이른 아침에 각자의 침실로 돌아갔다고 들었다. 게다가 힐라리아는 아침부터 준비를 마치고 손님맞이를 한다지. 애쥬라의 재촉에 못 이겨 준비를 하고 나가려던 참에 케이티가 그녀를 붙들었다.

'반에이크 공과 스베인 시종장께서 와 계십니다. 함께 오찬이라도 하고 가시는 건 어떠실까요?'

그것에 응하자마자, 응접실로 안내되었다.

"오랜만에 뵙습니다, 실로테 황비. 건강이 좋지 않습니까?"

무심한 질문에 실로테가 눈을 흘기고는 대답했다.

"괜찮습니다. 가벼운 두통이에요."

"황제 폐하께 고해 의원을 보내드릴까요?"

"그러지 않아도 좋습니다. 알아서 할 수 있어요."

실로테가 차갑게 잘라 대답하고는 허리를 펴고 똑바로 앉았다. 그래도 음료를 마시고 나니 두통과 속이 모두 가라앉는 것 같았다.

"힐라리아 황비께서는?"

"곧 오실 거예요."

첼로스테의 말대로 얼마 지나지 않아 힐라리아 황비까지 도착했다.

"늦어서 미안하군요. 잠시 해야 할 일이 있어서."

힐라리아가 곱게 눈을 접어 웃으며 우아하게 사과했다. 반에이크의 시선이 힐라리아의 움직임을 좇았다. 오랜만에 보는 힐라리아는 예전과 조금도 다를 것 없이…… 반에이크를 울렁이게 했다. 항상 앞만 보고 달려오던 그를 뒤돌아보게 하는 매력이 있었다.

'에벤에셀, 너는 무슨 복을 타고나서…….'

게다가 듣기로는 어제 같은 침실에서 머물렀다지? 추악한 질투심이 고개를 치켜들었다. 힐라리아가 에벤에셀에게만 보였을 모습들이 부러웠다. 힐라리아와 에벤에셀이 관계를 쌓아갈 때마다 소문은 눈덩이처럼 불어났고 그 모든 것은 반에이크의 귀로 흘러들어 왔다. 반에이크의 서늘한 눈빛을 오롯이 받고 있던 힐라리아가 그에게 말을 건넸다. 휘어진 붉은 입술, 반짝이는 푸른 눈, 폐부가 시원해지는 것 같은 청량하고 고혹적인 향…….

"초대한 지가 언젠데. 기다리고 있었습니다, 반에이크 공."

그 말에 반에이크의 기분이 한결 나아졌다. 반에이크가 흐릿한 미소를 머금으며 힐라리아의 인사를 받았다. 기다리고 있었다. 고작 그 한 마디였다.

'단순하고 치졸하군.'

반에이크는 눈치 없는 스베인 때문에 방심하고 말았다.

네 사람은 오찬까지 함께하며 꽤 많은 이야기를 나누었다. 힐라리아는 여전히 반에이크가 하는 사업에 관심을 보였고 종종 스베인에게도 질문을 하기도 했다. 실로테는 한 걸음 물러서서 힐라리아가 그들과 나누는 이야기를 주의 깊게 들었는데 모든 정보를 기억하겠다는 듯이 날카로운 시선을 누그러뜨리는 법이 없었다.

"즐거운 식사 시간이었음이 틀림없군요. 반에이크 공, 다음 사업이 3주 뒤라고 하셨나요?"

"그렇습니다, 황비 마마."

힐라리아가 반에이크를 향해 바짝 다가섰다.

미세하게나마, 반에이크가 가슴을 부풀린 채로 어깨를 움츠렸다.

"그 사업은 앞으로 당겨질 겁니다. 최소한 2주 안으로."

"그것을 어떻게 확신하십니까?"

"내가 그렇게 만들 거니까요. 나와 공이 하는 일의 결이 그다지 다르지 않기에 알려드리는 겁니다. 비밀을 지켜주실 거지요?"

힐라리아가 부드러운 목소리로 속삭였다. 반에이크가 뻣뻣이 굳어서는 고개를 끄덕였다. 많은 것을 유추할 수 있는 말임에도 아무런 생각이 들지 않았다. 힐라리아가 그에게서 물러서고 스베인이 그 사이를 끼어들었다.

"황비 마마, 제가 하는 일에는 더 이상 관심이 없으십니까?"

스베인은 힐라리아에게 잘 보이고 싶은 듯 눈을 반짝이고 있었다. 예전에 처음 그를 봤을 때와는 완벽히 다른 모습이었다. 힐라리아가 설핏 웃고는 강아지 다루듯이 상냥하게 말을 건넸다.

"물론, 늘 주의 깊게 보고 있습니다. 다음에도 즐거운 대화를 나눌 수 있으면 좋겠군요."

"물론입니다!"

스베인이 만족해서는 물러났다.

"황비, 늦으신 김에 차도 한잔하고 가시지요."

"좋아요. 잠시 오빠를 배웅해주고 돌아올게요."

실로테가 반에이크와 스베인이 나가는 길을 좇아갔다.

"시종장, 바빠 보이시는데."

"네? 그렇지 않습니다만."

"아니, 바빴으면 좋겠다고 말하고 있는 거네."

그제야 스베인이 아, 하고는 인사를 건네고 먼저 자리를 떴다. 실로테가 반에이크의 팔뚝을 붙들었다. 언젠가 반에이크가 실로테에게 했듯 그녀가 반에이크에게 경고를 하기 위함이었다.

"반에이크 공."

"말씀하십시오."

반에이크가 서늘하게 맞받아쳤다.

"더 이상 힐라리아에게 접근하지 마세요. 그 추잡한 눈빛을 감출 수 있는 게 아니라면."

실로테가 이를 악물곤 뇌까렸다.

"식사하는 내내 속이 미식거릴 정도더군요. 감히 어떻게 힐라리아에게."

실로테가 부들부들 떨었다. 악에 받친 눈동자로 반에이크를 노려보는 실로테에게 그는 아무 말도 하지 못했다.

"공이 내게 경고했었죠. 죽고 싶지 않으면 주제를 지키라고. 그 말을 내가 되돌려주지요. 죽고 싶지 않으면 정도를 지키고 물러서요."

"……."

"나도 아는데, 힐라리아가 모를 거라고 생각해요?"

실로테가 반에이크를 붙든 손에 힘을 주었다. 푸른 드레스를 입은 실로테에겐 평소와 다른 위엄이 서려 있었다. 반에이크가 저도 모르게 뒷걸음질을 쳤다. 들켰다. 홀로만 간직한 작은 흔들림이었는데.

"누가 또 알지?"

반에이크가 실로테의 어깨를 붙들고 물었다.

"나만 알지, 또 누가 알아. 반에이크. 나도 내 눈을 믿을 수가 없었는데! 정말 죽고 싶은 거야? 이제는 살만한가 봐?"

"스쳐 지나가는 바람이야."

"정말 그렇게 끝날 거라고 생각해? 조심해, 반에이크. 누군가에게 이용당하기 쉬운 감정이니까. 특히, 황제에게."

"……네게 충고를 듣는 날이 오다니. 걱정 마. 아무 일도 없을 거니까."

그건 스스로를 향한 다짐이기도 했다. 실로테를 거칠게 뿌리친 반에이크가 그녀에게서 멀어졌다. 성큼성큼 걸어가는 반에이크의 뒷모습을 보며 실로테가 한숨을 내쉬었다. 하필이면 힐라리아야. 반에이크가 곧 결혼해서 가정을 꾸려야 한다는 건 알고 있었다. 클라리넷 공작가의 존속을 위해서라도. 그런데 눈에 담은 게 힐라리아다.

하지만, 그보다 더 열렬한 눈으로 힐라리아를 주시하고 있는 이가 있었다. 바로, 황제. 누구보다 강력한 권력을 휘두를 수 있는 사람이었다. 그는 반에이크와 실로테를 구했듯 다시 지옥으로 밀어 넣을 수도 있었다. 실로테가 한참을 반에이크의 뒷모습을 지켜보다가 몸을 돌렸다.

'멍청하긴.'

예전에 반에이크가 했던 말을 되돌려주며.

***

"배웅은 잘 하고 왔어요?"

"물론이지요. 오랜만에 보는 오빠라."

힐라리아가 은은하게 웃으며 찻잔을 손에 쥐었다. 실로테가 약간 조바심이 인 얼굴로 힐라리아의 반응을 살폈다. 아까 한 말대로 실로테가 눈치챘는데 힐라리아가 모를 리가 없었다. 한데도 힐라리아는 너무 평온한 얼굴이었다. 대체 무슨 생각을 하는지 조금도 짐작하지 못할 만큼.

오찬 내내 오갔던 이야기는 모두 머릿속에 저장했다. 힐라리아에게 도움이 될만한 정보들도 꽤 있었다. 반에이크에게 다행인 점이 있다면, 그 또한 힐라리아에게 도움이 되는 패라는 것이다. 실로테가 여전히 조바심을 감추지 못한 얼굴로 말을 꺼냈다.

"반에이크 공이 말한 사업이 저번에 함께 외출했던 일을 말하는 건가요?"

"아무래도 그렇겠지요? 꽤 재밌는 외출이었습니다. 얻은 것도 있고요."
"앞으로도 반에이크 공과는 좋은 관계를 쌓아두시는 게 좋을 듯합니다. 황제의 최측근이기도 하고 머리도 좋은 자라……."
"실로테."
힐라리아가 고개를 들고는 실로테와 눈을 마주했다. 파르르 떨리는 금안을 가만히 주시하던 힐라리아가 찻잔을 내려놓고 실로테를 향해 손을 뻗었다. 실로테의 보들보들한 뺨에 따뜻한 손을 얹은 채로 힐라리아가 속삭였다.
"걱정하지 않아도 됩니다."
"무, 무슨……."
실로테의 얼굴이 희게 질렸다.
"아무 일도 없을 테니까요. 반에이크 공은 자신의 주제를 확실히 아는 사람이라."
"무슨 말씀을 하시는 건지……."
실로테가 애써 말을 돌렸다. 힐라리아에게서 눈을 돌리고 싶은데 고개가 돌아가질 않았다. 실로테의 입술이 달싹이는 모양새를 보던 힐라리아가 가볍게 웃음을 흘렸다.
"내가 모를 거라고 생각했습니까?"
"힐라리아……."
"처음부터 눈치채고 있었던 것을요. 하지만, 무슨 문제가 되려구요."
힐라리아가 나지막이 말했다.
"매혹적인 사람에게 홀리는 건 여자든, 남자든 매한가지인 것을."
힐라리아가 붉은 입술을 끌어 올렸다. 실로테가 떨리는 목소리로 물었다.
"알고 있었어요?"
"반에이크 공이 나를 보는 눈이 심상치 않다는 것? 당연히 알고 있었지요. 모를 리가 있겠어요?"
힐라리아가 여상하게 대답했다. 힐라리아는 지금 황성에서 벌어지는 모든 일에 감각을 곤두세우고 있었다. 그건 에벤에셀이나 반에이크 같은 황성의 주요 인사들에겐 더욱 관심을 기울이고 있다는 말이었다.

힐라리아는 이 일에 그녀의 인생을 걸었다. 소홀할 리가 있나. 에벤에셀의 감정이 변해가는 과정도, 첫날부터 힐라리아에게 감정을 품었던 반에이크도 전부 알고 있었다. 그녀에겐 그것보다 더 중요한 것이 많았을 뿐.

"모르는 게 없군요. 그럼 어쩔 작정이에요?"

"그거 알아요?"

힐라리아가 붉은 미소를 베어 물었다.

"남자의 연심만큼 이용하기 좋은 게 없다는 것. 나는 에벤에셀도 반에이크도 마음껏 이용할 거예요. 내가 원하는 바를 위해서라면."

이 말을 듣고 있을 누군가가 있다는 것을 알면서도 대범하게 말했다. 실로테가 소름이 한껏 돋은 팔을 감싸 안았다. 아무래도 에벤에셀이나 반에이크나 위험한 감정을 품은 것 같았다. 반에이크가 감정을 들키면 에벤에셀에게 이용당하다 버림받을 거라고 생각했는데 아무래도 이용하는 주체는 힐라리아가 될 것 같았다.

'반에이크, 진심으로 하는 말인데…… 도망 가.'

실로테가 혀를 내둘렀다. 처음으로 반에이크에 대한 연민이 들었다.

그런데 힐라리아에게 사랑이란 게 있긴 한 걸까? 실로테가 힐라리아를 힐끗 보았다. 힐라리아가 찻잔 너머로 새파란 눈빛을 빛내고 있었다. 일전에 느꼈던 두려움이 물씬 올라왔다. 목덜미를 당장이라도 물어뜯을 것 같은 짐승이 힐라리아 안에 도사리고 있는 듯했다.

"겁내지 않아도 돼요, 실로테 황비. 우리는 한 배에 탔잖아요?"

"……반에이크 공은 그 배에 타지 않은 건가요?"

"남자는 태우지 않아요. 곧잘 변심하기도 하거든요."

힐라리아가 피식 웃었다. 그녀가 다녀온 미래에서도 배신자는 있었다. 황제를 배신하고 나라를 팔아먹은 자. 바로 스베인, 반에이크, 네이선. 그 셋 중에 주인공이 있었다. 황제의 번견으로 불리는 스베인, 황제의 충실한 왼팔인 반에이크, 황제의 이복동생이자, 황태후를 배신하고 황제의 손을 들었던 네이선.

'이번에도 똑같을까?'

아직은 알 수 없는 일이다.

힐라리아가 비죽이 입술을 끌어 올렸다.

***

반에이크가 새하얗게 질린 얼굴로 집무실에 오자 스베인이 걱정스러운 얼굴로 물었다.

"체하셨습니까?"

"그런 것 같군."

"식사는 잘만 하시더니. 의사라도 불러드릴까요?"

반에이크가 손을 내저었다. 에벤에셀이 반에이크를 힐끗 보고는 시선을 내렸다. 체한 건 식사 때문이 아니었다. 실로테가 한 말이 머리를 맴돌았다.

'감히 어떻게 힐라리아에게…….'

'멍청하게 굴지 말고…….'

에벤에셀이 자리에 털썩 주저앉는 반에이크에게 서늘한 목소리로 물었다.

"못 먹을 거라도 먹었나 보지?"

"……그러게요. 먹어선 안 될 걸 먹었나 봅니다."

반에이크의 대답에 에벤에셀이 피식 웃었다. 무슨 일이 있었는지는 대충 전해 들어 알고 있었다. 얼음 새장 속에 갇힌 힐이 에벤에셀의 시선에 날개를 파닥였다.

'연심이라.'

가슴이 선득해졌다. 반에이크를 향한 살심이 일순 솟구쳤다가 가라앉았다. 그가 아무리 힐라리아에게 연심을 품었다 한들…….

'남자의 연심만큼 이용하기 좋은 게 없다는 것. 나는 에벤에셀도 반에이크도 마음껏 이용할 거예요. 내가 원하는 바를 위해서라면.'

에벤에셀이 듣고 있다는 걸 알면서도 힐라리아는 잔인한 말을 속살거렸다. 힐라리아에게 반에이크든, 에벤에셀이든 똑같은 것이다.

겨우, 이용하고 버려도 상관없는 장기말.

그나마 에벤에셀이 한발 앞서 있는 건 그가 힐라리아와 결혼한 사이라는 것. 고작 알량한 서류 한 장이 에벤에셀의 마음을 조금이나마 누그러뜨려 주었다. 에벤에셀이 조급한 마음을 달래며 머리카락을 쓸어 넘겼다.

'허락해줄게. 나를 사랑해도 좋아.'

분명 그렇게 얘기해놓고. 하긴. 힐라리아는 단 한 순간도 에벤에셀에게 그녀의 사랑을 말한 적 없었다. 솔직하고 대담한 소리만 해댔지. 그럼에도.

'당신뿐이야.'

그 한 마디에 매달려 스스로를 달랬다. 에벤에셀이 반에이크를 힐끗 보았다. 한 번도 누군가에게 품어본 적 없었던 감정이 물씬 피어올랐다. 동변상련. 그래도 상대보다는 내가 낫다는 치졸한 감정도 함께 동반되었다.

'한심하군.'

에벤에셀이 속내를 꼭꼭 감추기 위해서 만년필을 꾹 쥐었다.

***

에라스모 백작가에 손님이 찾아들었다.

지금 사교계의 관심을 한 몸에 받고 있는 또 다른 주인공이었다.

"오시느라 고생 많으셨습니다, 전하."

"오랜만이오, 에라스모 백."

백금발에 연푸른 눈. 황태후를 빼닮은 남자가 부드러운 미소를 덧그렸다. 하지만, 그의 미소 속에 담긴 온유함과 부드러움은 황태후와 달랐다.

네이선 윈프리드. 에벤에셀의 배다른 동생이자 황태후의 하나뿐인 아들로, 황태후가 저지른 반역의 정황을 모두 뒤집어쓰고 황태후를 대신해서 유배까지 당한 몸이었다.

하지만, 정당한 황위 계승권을 가진 황자의 귀환이 황도에 어떤 바람을 불러일으킬지 아무도 알 수 없었다. 지금도 분열되어 있는 사교계가 어떻게 뒤흔들릴지…….

"황태후께서 든든하시겠습니다. 이렇게 장성한 황자님도 돌아오시고."

"어머니께서는 잘 지내고 계시오? 오랫동안 뵙지 못했는데."

"제가 잘 보필하고 있었습니다. 곧 있으면 황태후 마마 탄신연인데 황자님이 가장 큰 선물이 되시겠군요."

네이선이 속모를 얼굴로 설핏 웃었다.

'어머니께 내가 가장 큰 선물이라.'

선물. 네이선은 그를 물건 취급하는 우를 범한 에라스모 백작을 보며 입이 씁쓸해지는 것을 느꼈다. 황태후의 손발처럼 움직이는 수족이다. 그가 네이선을 향한 모욕을 서슴지 않는다는 건 황태후가 네이선을 어떻게 생각하고 있는지 대신해 보여주는 것과 진배없었다.

'여전하시군.'

황태후는 네이선을 사랑한 게 아니라, '황자'인 네이선을 사랑했다. 네이선을 황제로 만들어 이 윈프리드의 실세가 되는 것이 황태후의 최종 목표였다. 그녀의 목표 속에 네이선의 생각은 조금도 담겨 있지 않았다. 하지만, 네이선은 황태후의 바람을 모른 척할 순 없었다.

선황제는 에벤에셀의 친모를 마음 깊이 사랑했다. 그녀가 죽은 후에도 잊지 못했고 황태후는 그 틈을 파고들었다.

황태후는 황비에서 황후가 되었고 정당한 에벤에셀의 후견인이 되었다. 황제는 죽기 직전 일주일 동안 사람구실을 못했으니, 에벤에셀의 명운이 황태후에게 떨어진 건 당연한 일이었다.

선황제는 어머니를 일찍 여읜 아들에 대한 애틋함과는 별개로 에벤에셀이 황태자의 자리에 오르는 것을 원하지 않았다. 그러니 그사이를 이간질하는 것은 더욱 쉬웠으리라.

에벤에셀이 한동안 황태후를 피해 베른하르트 영지로 내려갔었던 것은 제국민이라면 전부 알았다. 베른하르트는 에벤에셀의 외가로 세가 기울어 제국에서 가장 작은 영지를 다스리는 가문이었다. 사냥을 나갔던 황제와 에벤에셀의 친모는 베른하르트 영지에서 만났다고 전해진다. 사랑의 힘으로 황후까지 되었으나, 그 가문에 무슨 권력이 있었겠는가.

하지만, 대체 무슨 수를 쓴 것인지 에벤에셀은 로마노프를 얻고 차례로 클라리넷을 얻더니 황제가 되었다. 정식으로 신전의 인정을 받지 못한 네이선을 황제로 내세우고 권력을 휘두르던 황태후는 반역자의 굴레를 쓰고 뒤로 물러서야 했다.

그리고 여전히 황태후는 또 다른 기회를 노리고 있었다. 네이선은 그가 황도로 돌아온 게 왠지 모르게 위험한 함정처럼 느껴졌다.

"네이선 황자 전하?"

"아, 내가 다른 생각을 하느라. 그래, 무슨 말을 하셨소?"

"곧 오찬 시간이지 않습니까. 제 질녀가 저택에 와 있사온데 함께 식사하셔도 괜찮으시겠습니까?"

네이선이 에라스모 백작을 물끄러미 보았다. 되지도 않을 일에 기를 쓰며 달려드는 사람은 여기에도 있었다. 에라스모 백작과 황태후는 이런 면에서는 소름 끼칠 정도로 닮았다. 네이선이 옅게 웃으며 고개를 끄덕였다.

"그렇게 해도 좋소. 내가 낯을 가리는 편은 아니라."

***

그 시각. 힐라리아는 여가 시간을 유리온실에서 보내고 있었다.

골골거리는 고양이처럼 힐라리아를 쫓아다니는 일리가 그녀의 발치에 앉아 꾸벅꾸벅 졸고 있었다. 차갑고 매끄러워, 마치 실크 같은 일리의 머리카락을 쓰다듬으며 힐라리아가 나비들이 나른 소식을 전해 듣고 있었다.

'네이선 황자가, 드디어.'

모든 주요 인물들이 황도로 몰려들고 있었다. 미래에서 네이선 황자는 황태후와 함께 오스발트에 나라를 팔아먹은 죄로 처형당했었다. 황제의 자리를 포기하겠다는 말로 에벤에셀의 환심을 사놓고는 뒤통수를 때린 남자였다. 힐라리아가 손가락을 맞부딪쳤다. 유리온실을 가득 채우고 있던 나비들이 파닥이며 빠져나갔다.

"케이티."

힐라리아가 손을 내밀자 케이티가 한숨을 내쉬며 그녀의 손바닥 위로 붉은 마석을 쏟았다. 붉게 번들거리는 마석을 사탕처럼 씹어 먹으며 힐라리아가 눈을 감았다. 그녀의 주변으로 황금빛 바람이 휘몰아쳤다. 푸른 힐라리아의 눈이 금빛으로 물들고 마력이 들끓기 시작했다. 그녀의 기세에 잠에서 깨어난 일리가 눈을 가늘게 뜬 채 금빛 아우라에 손을 뻗었다.

힐라리아가 불러낸 것은 또 다른 샐리스트였다.

"무리하시면 안 된다니까요."

"아직은 견딜만해."

힐라리아가 금빛으로 반짝이는 눈 위를 손바닥으로 꾹 누른 채로 대답했다. 힐라리아가 걱정되는 듯 그녀의 주변을 맴돌던 정령이 힐라리아의 머리 위에 내려앉았다.

"가. 가서 네이선 황자를 감시해. 그에 대한 모든 정보를 끌어모아 와."

황태후는 블라디슬라프 내부에 있으니 힐라리아가 직접 감시할 수 있지만, 네이선은 아니었다.

'뭘 할 거니, 네이선.'

힐라리아가 소파 위에 축 늘어진 채로 눈을 깜빡였다.

"케이티, 첼로스테는 어디 갔니?"
"모르겠어요. 마마께서 심부름 보내신 거 아니었어요?"
힐라리아가 눈을 가늘게 떴다.
황태후의 탄신연을 앞두고 블라디슬라프가 술렁이고 있었다. 물론, 블라디슬라프뿐만이 아니겠지만. 지금의 술렁임은 시작에 불과할 것이다. 전초전이 끝나고 본선이 시작되었다. 끝에 웃게 되는 자가 과연…… 누구일지.
'그게 누구든 간에 이 대륙을 손에 넣게 되겠지.'
머리를 쓰다듬는 것을 멈춘 힐라리아의 손등에 일리가 머리를 비볐다.
"걱정이 많아 보이세요."
"걱정? 걱정이 아니라……."
힐라리아가 일리의 볼을 톡톡 치고는 나긋한 목소리로 대답했다.
"흥분되는 거야. 나는 꽤 능숙한 사냥꾼이거든. 절대로 목표물을 놓치지 않지. 첫 번째 사냥감을 고르는 중이었단다."
"가까운 것부터 사냥하시면 되지요."
"흐음. 가까운 것이라."
힐라리아가 유리온실 밖으로 시선을 돌렸다. 그녀의 시선에 걸린 것은 에벤에셀이 머물고 있는 블라디슬라프의 본궁이었다. 요새 힐라리아가 공들이고 있는 것은 단연 에벤에셀이다. 힐라리아가 생각하건대 에벤에셀은 세상에 다시없을 조신남이었다. 힐라리아가 물러설 때는 대범하게 다가서더니, 오히려 힐라리아가 손을 내미니 몸을 사린다.
'황비. 짐은 순수해서 마음이 중요하다고 생각합니다.'
힐라리아가 입술을 삐죽였다. 순수가 다 죽었네. 분명 힐라리아도 확실한 호감을 표시했는데 에벤에셀은 그 정도로는 성에 차지도 않는 듯했다.
'무슨 남자가 이렇게 어려워?'
힐라리아가 나른한 한숨을 내쉬었다.
"다른 걱정이 있으세요?"

“일리. 남자는 어떤 거에 약해? 유혹을 해도 넘어오지 않을 때는 어떻게 해야 할까?”

“흐응. 저는 힐라리아 황비 마마께 약한데.”

힐라리아가 고양이처럼 가릉거리는 일리의 머리를 쓰다듬었다. 그의 정체가 세바스찬의 카르탈이라는 것을 알고 있으면서도 일리에게서 묻어나는 어머니의 기운이 좋았다. 일리는 기네비어의 본궁에서 기르는 고양이, 미네르바와 꼭 닮아 있었다. 미네르바는 사람을 좋아하고 특히 힐라리아를 잘 따랐었다.

‘어머니도 악취미시지.’

힐라리아가 일리를 힐끗 보고는 다시 본궁 쪽으로 시선을 돌렸다. 대체 어떻게 하면 그 남자 옷을 벗길 수 있지? 그녀가 두 번째 한숨을 내쉬었다.

***

〈오후 2시, 빨래터에서.〉

첼로스테가 어제 새벽에 받은 쪽지에 적혀 있던 내용이었다. 쪽지는 아기 주먹보다 더 큰 에메랄드와 함께 놓여 있었다. 첼로스테는 감당하지 못할 정도의 대가가 오가는 것을 보고는 위험한 일이라는 걸 직감했다. 불안한 마음에 쫓겨 첼로스테가 종종걸음으로 걸음을 옮겼다.

블라디슬라프의 하녀들이 빨래터를 이용하는 시간은 보통 3시부터 6시 사이였다. 그 이전에는 빨래터를 오가는 사람들이 거의 없었다. 첼로스테를 불러낸 사람은 아마도 블라디슬라프의 일과를 잘 아는 자일 게 뻔했다.

“잔느?”

“첼로스테 시녀장님.”

첼로스테를 불러낸 것은 올리비아의 시녀였다. 맨 처음에 세탁물을 총괄 관리하는 시녀로 일했었으니 빨래터에서 일하는 일과를 아는 건 당연한 일이었다. 첼로스테가 치맛자락을 보이지 않게 움켜쥐었다.

중요한 건 잔느의 과거가 아니다. 지금은 잔느가 올리비아의 밑에서 일하고 있다는 사실이 중요한 거다. 잔느가 첼로스테에게 무슨 말을 꺼낼지 충분히 짐작할 수 있었다. 올리비아는 힐라리아에게 그런 모욕을 당하고도 가만히 있을 사람이 아니었으니. 첼로스테가 차분하게 마음을 가다듬었다.

"나와 주셔서 감사합니다, 시녀장님. 긴히 드릴 말씀이 있어서요."

"이렇게 비밀리에 만나서?"

"네. 이건 아주 특별한 비밀이라 첼로스테 시녀장님만 아셔야 하거든요."

"무슨 비밀인지 들어라도 봐야겠군, 그래."

"저는 제안을 드리려고 해요. 시녀장님은 힐라리아 황비가 하는 일이 옳다고 생각하세요?"

"글쎄."

잔느가 첼로스테에게 주머니를 내밀었다.

"전에 받으신 것보다 더 많은 것들이 있답니다."

확실히 묵직한 주머니 안은 알록달록한 보석들로 가득 차 있었다. 그것을 받아 든 첼로스테가 무덤덤한 얼굴로 주머니를 갈무리했다.

"그리고 올리비아 황비께서는 후하신 분이지요. 그분의 뜻을 따르신다면 더 많은 것을 얻게 되실 겁니다."

첼로스테가 비릿한 미소를 지었다. 미래를 약속한 힐라리아와 당장의 영광을 약속하는 올리비아. 고민은 길지 않았다.

"내가 무엇을 하면 되지?"

잔느가 환하게 미소 지었다.

***

시간은 빠르게 흘렀다. 힐라리아는 황태후의 생일 선물을 꽤 고심해서 골랐다. 이른 아침부터 입궁해서 힐라리아의 옆에서 잔소리를 해대던 베아트리체가 하품을 쩍 했다.

"흐어어어엄. 그, 그거 말구우! 케이티, 내가 예전에 선물해준 허리띠 안 가져왔어?"

"잠시만요, 아가씨. 이거요?"

"그래, 그거!"

힐라리아가 따분한 얼굴로 거울에 비친 자신의 모습을 살폈다. 머리카락을 손질해서 길게 늘어뜨린 다음, 앞머리를 전부 넘기고 다이아가 촘촘히 박힌 세 줄 머리띠로 고정시킨 뒤에 하얀 생화로 머리를 장식했다. 그것만으로도 충분하다 생각했는데 다른 이들은 아니었나 보다.

귀에는 큼지막한 다이아 귀걸이를, 목에는 드러난 가슴팍을 전부 덮는 다이아 목걸이를 했다. 얇은 어깨끈으로 지탱하는 드레스는 힐라리아의 매혹적인 실루엣을 전부 드러내고 있었다. 하늘하늘한 실크 천의 트인 옆으로 매끈한 허벅지가 드러났다. 허리에는 하얀 진주를 엮어서 길게 늘어뜨린 허리띠가, 은색의 구두는 촘촘히 박힌 보석들로 반짝였다.

"오늘 드레스는 처음 보는 디자인인데?"

"아주 심혈을 기울였다고."

"의상실은 언제부터 연다고 했지?"

"다음 주. 너 꼭 와야 해. 약속했어."

"알았다니까."

힐라리아가 트인 옆으로 드러나는 허벅지를 확인하고는 생긋 웃었다.

"아주 마음에 들어."

베아트리체도 뿌듯한 얼굴로 고개를 끄덕였다. 그녀가 만든 드레스를 이렇게 잘 소화하는 것도 힐라리아밖에 없을 것이다. 힐라리아는 베아트리체의 완벽한 뮤즈였다.

"이제 준비 끝난 거지?"

"네, 황비 마마."

"그럼, 출발해볼까?"

힐라리아의 가는 팔에는 귀걸이와 같은 장식이 달린 팔찌가 허전함을 달래주고 있었다. 케이티가 문을 열었다. 바람이 불 때마다 드레스가 휘날리며 우아한 힐라리아의 곡선을 드러냈다.

"에스코트는?"

"황비가 그런 게 어디 있어. 다 혼자 가는 거지. 나는 오빠들도 다 기네비어에 있잖아. 실로테는 반에이크 공이 에스코트해주려나."

"헤. 그러면 힐라리아는 내가 에스코트해줄게."

베아트리체가 배시시 웃고는 힐라리아의 팔짱을 꼈다. 그렇게 힐라리아와 베아트리체가 천천히 계단을 내려올 때였다.

"황제 폐하……?"

스틸로즈 궁의 1층에 힐라리아를 마중하기 위해 모여 있던 사람들이 술렁이기 시작했다. 머리카락을 전부 넘기고 황제의 정복을 갖춰 입은 에벤에셀이 열린 문을 걸어 들어오고 있었다.

"아무도 안 온다며."

"그러게. 그럴 줄 알았지."

힐라리아가 멍하니 읊조렸다. 베아트리체가 칫, 하고 혀를 차고는 먼저 계단을 내려가 버렸다. 그사이에 계단 앞으로 온 에벤에셀이 힐라리아를 향해 손을 내밀었다.

"여긴 어떻게?"

"짐의 황비를 데리러왔지요."

"다른 황비들은 홀로 갈 텐데요."

"그들과 힐라리아 황비를 같다고 보십니까? 나는 아닌데."

"무엇이 다르지요?"

힐라리아가 에벤에셀의 손에 자신의 손을 얹으며 속삭이듯 물었다. 나긋한 목소리가 에벤에셀을 칭칭 휘어 감았다. 에벤에셀이 눈을 접어 웃으며 대답했다. 힐라리아가 원하는 대로.

"짐은 황비에게 특별한 사람이지 않습니까. 무려, 사랑을 허락해주셨는데."

"그럼 우리 오늘 자나요?"

에벤에셀이 헛웃음을 지었다. 정말 한시도 방심하게 하지 않는다. 에벤에셀이 손 위에 놓인 힐라리아의 손을 꾹 잡았다. 살짝 손을 당기는 힘에 힐라리아가 천천히 걸음을 내디뎠다. 힐라리아가 걸을 때마다 드러나는 매끈한 다리가 에벤에셀의 시선을 잡아끌었다.

"황비. 대체 이 드레스는……."

"잘 어울리려나요?"

에벤에셀이 이를 악물었다. 가뜩이나 시선을 끄는 사람인데 오늘 연회의 주인공마저 되게 생겼다. 힐라리아가 황궁의 꽃이 되기 싫다며 황실에서 드레스를 맞춰 입는 것을 거부했다고 들었다. 그리고 얼마 전 실로테도 황실의 드레스 대신 사들인 드레스를 입기 시작했다. 그 소식을 들었을 땐 별생각이 없었는데. 에벤에셀이 이글이글 타오르는 눈으로 힐라리아의 드레스를 태워버릴 듯이 응시했다.

"잘 어울리십니다. 무엇을 입어도 아름답겠지요. 힐라리아, 당신이니까."

힐라리아가 살짝 미소 짓고는 천천히 다리를 움직였다. 부러 벌어진 틈으로 속살이 드러나도록. 에벤에셀이 힐라리아의 얼굴을 노려보았다.

"맞아요. 유혹하는 거. 어때요, 넘어올 생각이 드나요?"

"황비……."

"나는 정말 마음에 들었는데, 이 드레스. 에벤에셀이 보기에도 마음에 드나요?"

힐라리아가 은밀한 미소를 지으며 에벤에셀의 가슴에 손을 얹었다. 왠지 모르게 두 사람 사이에 흐르는 긴장감에 사용인들이 얼굴을 붉히며 고개를 돌렸다. 그중에는 베아트리체도 섞여 있었다.

'뭐, 뭐야!'

차라리 먼저 가는 게 나을 것 같았다. 큼큼 목을 가다듬으며 베아트리체가 빠르게 그 자리를 벗어났다. 에벤에셀이 빈손으로 이마를 짚고 한숨을 내쉰 뒤 힐라리아의 허리에 손을 얹었다. 드레스가 얼마나 얇은지 손을 얹으니 그대로 속살이 만져지는 느낌이었다. 에벤에셀이 이를 악물었다.

"대체 이 드레스는 누가 만든 겁니까?"

"글쎄요. 나는 점점 더 이 드레스가 마음에 들려 하는군요."

힐라리아가 에벤에셀 쪽으로 고개를 기대며 나긋나긋하게 말했다.

"에벤에셀의 체온이 전부 느껴지거든요. 뜨거워……."

에벤에셀이 한숨을 탁 내쉬었다. 그리고는 힐라리아의 어깨를 붙들며 몸을 돌렸다. 이를 악물고 있어 팽팽하게 당겨진 에벤에셀의 턱을 힐라리아가 쓰다듬었다. 그러다 목을 타고 올라간 손가락이 천천히 입술을 더듬고, 그 틈을 비집은 손끝이 단단한 치열마저 훑어냈다. 힐라리아가 붉게 웃었다.

"키스할래요?"

"……황비."

"키스해줘요, 에벤에셀."

결국 두 손을 든 쪽은 에벤에셀이었다. 허리를 숙이고 요망하게 에벤에셀을 괴롭히던 입술을 머금었다. 촉촉한 입술이 마약처럼 에벤에셀을 중독시켰다. 힐라리아의 숨결을 갈급해하며 그녀의 허리를 바짝 끌어당겼다. 이미 이성이 날아간 채라 이곳이 어디인지 잊어버렸다. 에벤에셀이 힐라리아의 볼을 감싼 채로 숨결을 들이마셨다.

힐라리아의 말대로 뜨거웠다. 그도, 힐라리아도. 에벤에셀이 힐라리아의 드러난 살결을 손으로 매만지며 숨을 몰아쉬었다. 하. 이렇게 인내심이 약할 줄 몰랐다. 심장이 말이라도 탄 것처럼 뛰고 있었다. 에벤에셀이 힐라리아로부터 떨어졌다. 여전히 그녀의 볼을 감싼 손은 내리지 않은 채였다.

"여기서 멈출 건가요? 에벤에셀, 너무 인내심이 긴 남자는 사랑받지 못하는 법이랍니다."

"후회하지 않을 자신 있어?"

묵직하게 가라앉은 목소리가 힐라리아의 귓가를 스쳤다. 에벤에셀이 고개를 수그려 힐라리아의 귓불에 뜨겁게 키스했다.

"흣."

"나는 한번 시작하면 멈추지 않아. 힐, 나를 감당할 수 있겠어?"

"일단 부딪혀보는 거죠. 뭘 그렇게 걱정이 많아. 그래서 오늘 밤?"

에벤에셀이 잇새로 작게 욕설을 내뱉고는 다시 입을 맞췄다. 주고받는 숨결이 점점 달아올랐다. 만약, 황태후의 탄생연만 아니었다면 연회에 참석하는 것을 취소했을지도 모른다.

***

늦은 덕에 의도치 않게 연회의 주인공이 되었다. 케이티가 급하게 고쳐준 화장 덕에 두 사람이 무슨 일을 했는지 아무도 알아차리지 못했다. 그저 뒤늦게 열린 문으로 함께 걸어온 두 사람에게 관심이 쏠렸을 뿐이다.

사뿐사뿐. 요정처럼 꾸민 힐라리아에게 귀부인들의 시선이 집중되었다. 티파티에서 힐라리아가 선보였던 드레스와는 완전히 다른 드레스였다. 공통점이 있다면, 둘 다 예쁘다는 것? 그리고 힐라리아에게 기가 막히게 어울린다는 것? 황실에 연이 닿은 시녀들을 재촉해서 힐라리아의 드레스를 어디서 디자인한 것인지 알아내야겠다는 다짐을 거듭하게 만들었다.

그리고 여태껏 한 번도 어느 황비와도 함께 입장한 적이 없었던 에벤에셀이었기에 더욱 시선을 끌었다. 사람들이 힐라리아와 에벤에셀의 사이를 확정지었다. 곧 아이가 태어날 거라는 식으로.

힐라리아가 입술을 끌어 올리고는 에벤에셀과 함께 사람들 사이를 누볐다. 연회를 즐기고 있던 사람들이 황제와 황비에 대한 예를 취했다.

"황제 폐하. 황비 마마."

"계속 즐기시오."

그들이 당도한 것은 황태후의 앞이었다.

"축하드립니다, 어마마마."

"축하드립니다, 황태후 마마. 약소한 선물을 준비했는데, 받아주실 거죠?"

힐라리아가 부드럽게 웃으며 미리 베아트리체에게 받아서 가져온 선물 상자를 내밀었다.

"고맙소, 황비. 이렇게 다정할 수가 있나."

황태후가 느리게 상자의 리본을 잡아당겼다.

힐라리아가 흥분을 감추기 위해 고개를 살짝 숙였다. 그들이 보이는 위치에서 친한 이들과 어울리고 있던 베아트리체가 혀를 찼다. 저 속에 뭐가 들었는지는 힐라리아와 직접 준비한 베아트리체만이 알고 있었다. 베아트리체는 웃고 있는 황태후의 얼굴이 금방 구겨질 것이라 예상했다. 상자가 온전히 열리는 순간, 힐라리아가 에벤에셀의 팔을 잡은 손에 힘을 줬다.

상자 속에 들어 있던 것은 반지였다.

성인 남성이 엄지에 낄만한 크기의.

힐라리아가 웃음을 참기 위해 목을 가다듬었다. 태연하던 황태후의 얼굴이 하얗게 질렸다. 안에 든 물건의 정체를 알아차린 까닭이었다.

이건 알케스터 자작가의 인장 반지였다.

힐라리아가 입술을 말아 무는 황태후에게 부드럽게 속삭였다.

"진짜와 똑같이 만들기 위해 노력했답니다."

황태후가 고개를 치켜들었다.

눈동자에 힐라리아의 화사하게 웃는 얼굴이 비쳤다.

"감히……."

힐라리아가 좀 더 목소리 크기를 줄였다.

"예. 감히, 제가 황태후 마마를 협박하는 겁니다. 조용히 계시라고."

물론 그런다고 해서 가만히 있을 황태후도 아니지만. 하얗게 질렸다가 분노로 달아오르는 얼굴이 퍽 재미있었다.

오늘과 내일, 내일모레. 3일에 걸쳐 있을 일들이 기대된다. 하지만, 힐라리아는 아주 친절하게 경고했으니 이 뒤에 벌어질 일은 전부 황태후 책임이었다. 힐라리아가 온순한 표정으로 허리를 세웠다.

***

"아아아악!"

올리비아가 머리를 쥐어뜯으며 소리를 질렀다. 황태후의 연회가 열린 곳은 성에서도 가장 큰 에스테르 홀이었다. 그중의 프라이빗 룸 하나를 올리비아가 차지했다.

마지막에 여유롭게 황제와 걸어 들어오던 힐라리아의 모습이 뇌리를 떠나지 않았다. 그동안 베니체나 실로테, 제이나는 물론 올리비아도 단 한 번도 황제와 손을 잡고 연회장을 통과한 기억이 없었다. 힐라리아가 유일했다.

"어째서!"

씨근덕거리는 숨을 내쉬며 올리비아가 프라이빗 룸의 화장대를 손으로 쓸었다. 와장창 깨지는 화장품들도 올리비아의 기분을 풀어주진 못했다. 올리비아가 방 안을 서성였다. 왜 그녀는 안 되는 것들이 힐라리아는 되는 것인지. 올리비아가 이를 악문 채로 시녀장 플뢰레트를 악독하게 노려보았다.

"준비는 단단히 하고 있겠지?"

"예, 황비 마마. 믿어주세요."

"오늘도 이렇게 넘어갈 셈이야?"

"하면……?"

"여자애들을 매수해. 시골 촌뜨기들이라도 매수해서 힐라리아의 드레스라도 끊어지게 만들란 말이야. 천박한 기네비어 계집. 입고 있는 드레스를 봤어?"

사람들은 달의 여신이다, 우아하다, 흰사슴 같다 찬양했지만, 올리비아는 속지 않았다. 천박한 힐라리아의 속내를. 드레스 사이로 드러나던 그 야해 빠진 다리를 보라지. 분명 남자들을 유혹하기 위함임이 분명했다.

올리비아가 잔뜩 비꼬인 생각을 하며 의자에 털썩 앉았다. 플뢰레트가 빠르게 와서 흐트러진 올리비아의 머리를 정리했다. 올리비아가 뒤쪽으로 주머니를 내밀었다. 속에 든 게 무엇인지는 묻지 않아도 알 수 있었다.

“시킨 일을 하고 와, 잔느.”

“예, 황비 마마.”

시녀가 고개를 꾸벅 숙이고는 주머니를 갈무리했다. 올리비아가 섬뜩하게 웃었다. 힐라리아, 내가 가지지 못한 것을 가지게 둘 것 같아?

***

힐라리아와 에벤에셀 말고도 네이선 또한, 사람들의 온갖 관심을 받고 있었다.

“네이선 황자군요.”

“그를 아십니까?”

“황태후를 닮았길래요. 저, 이것 좀 놓아도 됩니까?”

“될 것 같습니까?”

에벤에셀이 은근하게 속삭였다.

“이런 집착적인 면이 있으신지 짐작도 하지 못했군요.”

“짐은 집착도 심하고 질투도 심한 편입니다. 그러니 다른 사내들이 그대에게 조금도 시선을 두지 못하게 내 옆에 붙어 계세요.”

“저보다 파인 옷을 입은 사람들도 많습니다.”

힐라리아의 말에 에벤에셀이 그녀의 손등을 농밀하게 쓰다듬었다. 힐라리아가 눈가를 접어 웃으며 그의 어깨에 고개를 기댔다.

"못된 고양이. 달콤한 말을 원해? 그대만큼 아름다운 사람은 없다는 걸 알면서 부러 그러는 거지?"

힐라리아가 키득키득 웃었다. 두 사람에게 말을 걸고 싶어서 주변을 맴도는 사람들에게는 조금의 시선도 주지 않은 채였다. 그 분위기를 깨고 에벤에셀에게 말을 건네는 이가 있었다.

"황제 폐하."

에벤에셀이 힐끗 시선을 올렸다.

"네이선. 오랜만이구나."

순간 홀에 숨 막히는 긴장감이 흘렀다.

"오랜만에 뵙습니다. 이렇게 다시 불러주셔서 감사합니다, 폐하."

"당연한 일을. 우리는 가족이지 않느냐."

하지만, 네이선을 보는 에벤에셀의 시선은 얼음이 떨어질 것처럼 차가웠다. 힐라리아가 흥미로운 눈으로 네이선을 살폈다. 황태후보다는 확실히 온화하게 생겼다. 그가 폭탄이라는 걸 알면서도 인기가 많았던 이유가 있었다. 에벤에셀이 냉미남이라면 네이선은 온미남이랄까. 예전에는 꼭 그런 것도 아니었지만.

"처음 뵙겠습니다, 황자 전하. 힐라리아라고 합니다."

"처음 뵙습니다, 황비 마마. 네이선입니다."

힐라리아에게 네이선이 흥미로운 존재이듯 네이선에게도 힐라리아가 흥미로운 존재였다. 황제의 곁을 당당하게 차지한 사람은 처음이었다. 게다가 에벤에셀은 연회장에 들어온 이후로 단상 위의 고압적인 의자에 앉지 않고 힐라리아와 연회를 즐기고 있었다. 무슨 이야기를 나누는지 웃기도 하고 힐라리아에게 음료를 권하기도 하면서.

"다음에 스틸로즈 궁을 한번 찾아주세요, 황자 전하. 향기로운 차 한 잔, 대접하고 싶군요."

에벤에셀이 못마땅한 얼굴로 힐라리아를 쳐다보았지만, 그녀를 저지하진 않았다.

"언제든지요."

네이선의 대답이 들려오는 순간 등 뒤로 차가운 무언가가 스치고 지나갔다. 위험을 감지한 듯 나비들이 팔락였고 힐라리아가 짙은 미소를 지었다.

이렇게 재미있을 수가 있나! 오늘 얌전히 넘어갈 거라고는 애초에 생각지도 않았다. 사늘한 천의 감촉이 등을 타고 흘러내리는 게 느껴졌다.

천의 끝자락에 나비들이 다닥다닥 들러붙었다. 드레스를 낑낑대며 끌어올리는 정령들의 움직임을 읽은 것은 에벤에셀도 마찬가지였다.

에벤에셀이 힐라리아의 등에 손을 얹었다. 커다란 손이 힐라리아의 등을 덮으며 드레스를 고정시켰다.

태우는 것이 힐라리아의 힘이라면 얼어붙게 하는 것이 에벤에셀의 힘이다. 에벤에셀의 힘을 덧씌운 드레스 천이 사각이며 얼었다. 덕분에 드레스가 이전보다 더욱 단단하게 들러붙었다.

"짐도 아직 벗겨보지 못한 드레스라."

에벤에셀이 힐라리아를 향해 나지막이 속삭였다.

"복수해드릴까요?"

에벤에셀의 연푸른 눈이 기이한 분노로 번뜩이고 있었다. 이런 짓을 저지를 이들은 한정되어 있었고 지금의 에벤에셀에게 힐라리아만큼 중요한 이는 없었다.

감히, 그가 보는 앞에서 힐라리아에게 위해를 끼친 것이다.

힐라리아가 에벤에셀의 가슴을 다정하게 짚었다.

"제가 합니다, 그 복수. 여기는 보는 눈이 많습니다, 폐하. 게다가 황자께서도 기다리고 계시지 않습니까?"

갑자기 힐라리아를 가리고 선 에벤에셀을 네이선이 의아하게 보고 있었다.

"짐의 황비께서는 할 줄 아는 것이 많아 짐이 할 일이 별로 없으니 기쁘기 한량없군요."

"어머, 비꼬시는 거예요?"

힐라리아가 생긋 웃었다. 에벤에셀이 부리는 심술이 왠지 모르게 귀엽게 보였던 까닭이었다. 힐라리아의 반응에 한숨을 푹 내쉰 에벤에셀이 물었다.

"무슨 생각을 하고 있습니까?"

"벗겨보지 못한 건 다른 후궁의 드레스도 마찬가지 아니십니까?"

"황비."

"그래서 제가 벗겨보려 합니다. 눈에는 눈, 이에는 이 아니겠어요?"

힐라리아가 환하게 웃었다. 그녀가 에벤에셀을 살짝 밀쳤고 그가 뒤로 물러섰다. 그들의 대화가 끝나기를 기다리고 있던 네이선이 어색하게 웃었다.

"형님께서 이렇게 황비 마마와 친근한 모습을 보이시는 건 처음인 것 같습니다."

"우리 잘 어울리나요?"

힐라리아가 천연덕스럽게 물었다.

"네. 부러울 정도로 잘 어울리세요."

"그러면 황자께서도 결혼을 서두르셔야겠군요."

평범한 가족들이 나눌만한 대화였다. 그녀가 힐끗 네이선의 어깨를 바라보자 앞서 보내두었던 나비가 앉아 보란 듯 날개를 살랑거리고 있었다. 네이선을 쫓아다니며 그의 일거수일투족을 보고하고 있는 기특한 녀석이었다.

"이런. 그런 말씀을 하시다니. 저는 이만 도망쳐야겠군요."

네이선이 눈을 찡긋하고는 에벤에셀과 힐라리아에게 가볍게 인사했다. 그리곤 자신을 기다리고 있던 귀족들 사이로 파고들었다.

"어떤 생각을 하고 있는 것 같습니까?"

"네이선 황자요?"

"네. 짐은 사람을 파악하는 데 능숙하다고 생각했는데 네이선만큼은 항상 예상 밖에 있어서. 일전에 황태후가 꼬리를 자르듯 네이선을 잘라냈는데도, 네이선 황자는 태연하더군요."

"제가 판단하기에 네이선 황자는 상황에 따라 변할 수 있는 사람 같습니다. 폐하의 편으로 끌어들여 보는 건 어떠신가요?"

미래에서도 네이선 황자는 끝까지 갈팡질팡했던 인물이었다. 결국 어미인 황태후의 손을 들어 아예 반역자가 되었지만, 그 전에는 분명 망설이고 있었다. 네이선, 당신이 가진 정의는 무엇일까? 힐라리아가 눈을 가늘게 뜬 채로 귀족들에게 둘러싸여 있는 네이선을 쳐다보았다.

황태후는 네이선을 유약하다고 판단했지만, 힐라리아가 보기에 네이선은 인정이 넘치는 사람이었다. 네이선은 진심으로 에벤에셀과 황태후 둘 모두를 가족으로 여겼던 것 같다.

'좀 더 지켜봐야겠어.'

명백하게 흑과 백으로 나뉘는 이들보다 저런 이들이 더 무서운 법이다.

언제든 배신을 할 수 있으니.

"네이선은 제쳐두고. 황비께서 어떤 복수를 하실지 궁금하군요."

"즐거운 것을 보여드려야겠군요. 사실 이런 유치한 짓은 제 성미에 맞지 않는다는 걸 꼭 알아주셔야 합니다. 이런 건 제 취향이 아니에요."

"명심하도록 하지요."

에벤에셀이 슬쩍 웃었다.

힐라리아가 사뿐사뿐 걸어서 그에게서 멀어졌다.

***

"대체 왜 저 계집이 아무렇지도 않은 거야?"

올리비아가 히스테릭하게 외쳤다.

"저, 저는……."

"시키는 대로 한 것이 맞아?"
"예, 예!"
잔느가 머리를 조아리며 덜덜 떨었다. 서슬 퍼런 올리비아의 시선에 잔느의 온몸이 오그라드는 것 같았다. 잔느와 올리비아, 그리고 몇 시녀들만이 있는 프라이빗 룸에서 잔느를 구해줄 이는 아무도 없었다.
"그런데 어째서……!"
올리비아가 소리를 지르던 그때, 프라이빗 룸의 문이 열렸다. 황실의 황비가 머물고 있는 프라이빗 룸의 문을 열 수 있는 건 동등하거나 더 높은 신분을 가진 자뿐이었다. 올리비아가 고개를 홱 돌렸다.
"올리비아 황비."
열린 문으로 사뿐사뿐 들어선 것은 힐라리아였다. 아래로 나른하게 내리뜬 눈이 올리비아를 노려보았다. 힐라리아의 뒤를 쫓아온 베아트리체와 케이티가 서로를 마주 보고는 한숨을 내쉬었다. 가만히 있는 사자 코털은 대체 왜 건드리는 거지?
"제가 올리비아 황비에게 줄 선물이 있어서 이렇게 왔어요."
힐라리아의 뒤로 문이 닫혔다. 그녀의 손에는 붉은 와인잔이 들려 있었다.
"대체 무례하게 이 무슨! 당장 나가요!"
"먼저 무례했던 건 내가 아니라 당신이었겠지."
힐라리아가 바닥에 꿇고 앉은 시녀를 힐끗 내려다보았다. 힐라리아와 시선이 마주친 잔느가 덜덜 떨다가 까무룩 정신을 잃었다. 올리비아만으로도 겁에 질려 있었는데 힐라리아까지 나타나니 미력한 정신이 버텨내지 못한 것이다.
"경고하러 온 거예요, 올리비아. 앞으로 황태후 마마의 탄신연은 3일간 지속되겠죠. 그때까지 우리 친하게 지냈으면 해서."
힐라리아가 달콤한 어조로 말하곤 올리비아를 향해 점차 가까워졌다. 올리비아가 힐라리아의 손에 들린 와인잔을 불안하게 보며 뒤로 물러섰다.
"오지 말아요!"

"올리비아, 나는 먼저 건드리지 않으면 절대로 먼저 무는 사람이 아니에요. 상냥하고 온순한 사람이거든."

힐라리아가 천천히 와인잔을 기울였다.

"뒤에서 유치한 짓 하는 것보다는 대놓고 하는 걸 좋아하는 편이라."

힐라리아가 환하게 웃었다. 뒤로 몸을 기울인 올리비아의 어깨에서부터 흘러내린 와인이 드레스에 스며들었다.

"이, 이게 뭐 하는 짓이에요!!! 미쳤어요?"

이렇게 대놓고 일을 저지른 건 또 처음 본다. 하지만, 힐라리아는 아무렇지도 않은 얼굴로 와인이 전부 쏟아질 때까지 멈추지 않았다. 그리곤 와인잔을 뒤로 휙 던졌다. 두꺼운 카펫 위를 뒹구르르 구른 와인잔이 잔느의 손가락에 부딪히고는 멈춰 섰다. 힐라리아가 서늘한 어조로 명령했다.

"깨우렴."

"네, 네! 황비 마마."

주변에 서 있던 올리비아의 시녀들이 놀라 잔느를 흔들어 깨우는 사이 힐라리아가 느긋하게 말을 이었다.

"올리비아 황비. 나는 착한 사람이라 몇 번이고 황비에게 기회를 줄 수 있지만, 그 인내가 계속될 거라고는 생각하지 마세요."

"언제까지고 네가 원하는 대로 될 것 같아? 이번엔 어떤 술수를 썼는지는 모르겠지만, 곧 후회하게 될 거야! 가만히 기네비어에나 처박혀 있을 것이지 천박한 년이 여기가 어디라고!"

발을 구르며 소리를 지르는 올리비아의 얼굴이 새빨갛게 달아올랐다. 올리비아의 예상을 자꾸만 비껴가는 힐라리아라는 존재가 눈엣가시 같았다. 에벤에셀은 저런 계집이 뭐가 예쁘다고 자꾸 시선을 주는 것인지.

연회장에서 내내 붙어 있던 에벤에셀과 힐라리아가 마뜩잖았던 참에 일을 벌인 것인데 그 또한 뜻대로 되질 않았다. 오히려 와인을 뒤집어쓰고 드레스를 갈아입게 생긴 쪽은 올리비아였다.

"천박한 건 그대지."

힐라리아가 한숨 섞인 목소리로 말을 이었다.

"그래도 같은 여잔데. 저렇게 사람 많은 곳에서 내 드레스를 벗기려고 하지 않았니? 그게 바로 천박한 거야, 올리비아."

새파랗게 타오르는 눈이 올리비아를 옭아맸다.

"우리 천박하게 굴지는 말자, 응? 제대로 된 적수가 되어 보라고. 이런 유치한 짓은 그만하고."

"……좋아. 나라고 가만히 있었던 것은 아니지, 힐라리아. 가졌던 것을 하나씩 잃을 준비를 하라고."

올리비아가 이를 악물고 뇌까렸다. 좋을 대로. 힐라리아가 나지막하게 대답하고는 바들바들 떨고 있는 잔느 쪽으로 고개를 돌렸다.

"재밌는 짓을 하더구나, 너. 대담하기도 하지. 내 곁엔 황제께서 계셨는데 말이야."

"저, 저, 저는……!"

"돈이면 무엇이든 하는 건가?"

"잘, 잘못했습니다! 황비 마마! 살려주세요!"

눈물을 죽죽 흘리며 용서를 비는 잔느를 힐라리아가 웃으며 쳐다보았다.

"베베. 이 아이를 어떻게 하면 좋을까?"

베아트리체가 어깨를 으쓱했다.

"궁에서 쫓아내 배라도 태워 보내줄까? 그도 아니면……."

잔느가 힐라리아가 쏟아내는 말들을 듣곤 고개를 마구 저었다.

"나를 욕보이려 해놓고 아무것도 각오하지 않았다는 말이구나. 세상에."

힐라리아가 놀랍다는 듯이 손뼉을 쳤다.

"최소한 목숨 정도는 각오했어야지."

"자, 잘못했어요! 다, 다시는……!"

"내가 왜? 내가 왜 용서해야 하지? 네가 나한테 무엇이길래?"

"무, 무엇이든 하겠습니다! 바라시는 건 무엇이든……!"

힐라리아가 올리비아를 향해 고개를 돌렸다.

"그렇다는데요? 황비, 이 아이를 내가 데려가도 되겠습니까?"

"……원하는 대로."

올리비아가 짜증스럽게 뇌까렸다.

"너는 앞으로 내가 되었다 할 때까지 스틸로즈 궁에서 머물게 될 것이다. 그게 절대로 편한 일이라고 생각하지 마. 네 마음은 가시밭길 지옥이 될 테니."

힐라리아가 재밌다는 듯이 말했다.

"스틸로즈 궁의 시녀들은 충성심이 아주 깊거든. 케이티, 데려가렴."

"네, 마마."

케이티와 잔느가 먼저 나가고 그 뒤를 베아트리체와 힐라리아가 이어서 나왔다. 닫히는 문을 고깝다는 듯 노려보던 베아트리체가 힐라리아의 팔짱을 꼈다.

"사고 칠 줄 알았더니."

"나는 고상한 사람이라서."

"그런데 첼로스테는 어디 갔어?"

"글쎄. 나도 모르겠는걸?"

힐라리아의 입술에 걸린 미소가 짙어졌다. 베아트리체가 소름이 돋은 팔을 힐라리아에게 바짝 붙였다.

"으……. 무슨 짓을 하려는 건지 알고 싶지도 않다."

베아트리체가 고개를 내저었다.

***

"황태후가 의외로 얌전했어요."

"원래 대놓고 움직일 사람은 아니라서. 올리비아를 움직이거나 또 다른 영애들을 움직이겠죠. 곧 있으면 네이선 황자가 결혼할 거예요."

"결혼?"

힐라리아가 그녀의 드레스와 속옷을 하나씩 벗겨내는 에벤에셀의 머리카락을 쓰다듬었다. 으슥한 밤이 그들을 둘러쌌다. 에벤에셀의 침실에 너울거리는 불꽃들이 몽환적인 분위기를 자아냈다.

"그래요, 결혼. 황태후는 네이선에게 좋은 뒷배를 만들어주고 싶어 하거든."

"그럴 수도 있겠네요. 후보가 누구일까요?"

"쉬이. 이런 이야기는 나중에 하고. 왜 짐만 긴장하고 있는 것 같을까."

힐라리아가 키득키득, 작게 웃었다.

"내 긴장까지 에벤에셀이 전부 가져가버려서 그런가 봐요."

힐라리아가 에벤에셀을 향해 손을 뻗었다. 그의 셔츠 단추를 푸르며 힐라리아가 생긋 웃었다. 너무 태연한 모습에 에벤에셀이 헛웃음을 지었다.

벌어진 셔츠 사이로 펜던트가 툭하고 떨어졌다.

"어……?"

힐라리아가 고개를 갸웃했다.

그녀의 위로 드리운 익숙한 펜던트에 눈을 동그랗게 뜬 채였다.

"이거 본 적 있는데……."

"어디서?"

에벤에셀이 의뭉스럽게 되물으며 힐라리아의 드레스를 바닥으로 떨어뜨렸다.

"에벤에셀은 음흉한 사람이었군요."

힐라리아가 뾰로통하게 말했다. 에벤에셀이 힐라리아에게 선물했던 구두에 달려 있던 펜던트와 모양이 똑같았다. 어쩜 이렇게 깜찍한 짓을 할 수가 있지?

"그때부터였거든."

에벤에셀이 훤히 드러난 힐라리아의 어깨에 입술을 묻었다. 따뜻한 체온에 입술이 달아올랐다. 힐라리아에게서 항시 풍기는 장미향이 물씬 풍겼다.

두근두근, 힐라리아의 맥박이 그대로 전해졌다.

"당신이 신경 쓰이기 시작한 게."

에벤에셀이 고개를 들고는 힐라리아의 뺨을 쓰다듬었다.

"이 펜던트는 어떤 의민데?"

"돌아가신 어머니가 남겨주신 것이지."

"당신 어머니?"

"그래, 내 어머니."

힐라리아가 반짝이는 눈으로 물었다.

"어떤 사람이었는데?"

"사람이 아니었지. 아버지께서 마음 깊이 사랑하셨던 내 어머니는 인간이 된 정령이셨거든. 그러니 나 같은 변종이 태어난 거지."

"어떤 정령?"

에벤에셀이 나지막이 웃으며 힐라리아의 뺨에 키스했다. 어떤 생각을 하고 있는지 훤히 내보이는데도 귀엽기만 하다. 힐라리아가 에벤에셀의 뒤를 캐고 있다는 건 알고 있었다. 그저 알면서도 당해주고 싶을 뿐. 에벤에셀이 달콤한 복숭아 같은 힐라리아의 볼을 베어 물었다.

"물의 정령."

에벤에셀이 짧게 대답하고는 힐라리아의 입술에 키스했다. 부드럽게 맞닿아오는 입술을 맞아들이며 힐라리아가 눈을 깜빡였다. 물의 정령? 정령이 인간과 아이를 낳았다는 소리는 들어본 적이 없는데. 게다가 물의 정령이라면 헬레나미아가 다루는 정령들이었다. 헬레나미아는 정령들에 대해 아무 말도 해주지…….

'어머니도 알고 계셨던 건가?'

헬레나미아는 비밀이 많은 사람이었다.

'에벤에셀의 존재를 알고도 나를 보내셨다고?'

다른 가족들은 몰라도 헬레나미아는 힐라리아가 성으로 갈 때, 배웅까지

하지 않았던가. 그럼에도 순순히 보내셨다니. 위험하다는 걸 알면서도.

'대체 뭐가 어떻게 된 거야.'

어머니와 이야기를 나눠봐야 할 것 같은데.

"아!"

힐라리아가 눈살을 찌푸렸다.

못된 에벤에셀이 힐라리아의 입술을 또 깨문 탓이다.

"쉬. 지금 다른 생각을 하는 건 아니지."

에벤에셀이 힐라리아의 뺨을 쥔 채로 낮은 목소리로 을렀다.

"그러다 혼쭐이 나는 수가 있어, 못된 고양이."

힐라리아가 입술을 혀로 훑었다. 부어오른 게 느껴지긴 했지만, 상처가 난 것 같지는 않았다. 힐라리아가 새초롬한 미소를 지으며 에벤에셀의 목을 끌어안았다.

"다른 생각을 못하게 만드는 건 에벤에셀이 할 일이지."

힐라리아가 에벤에셀의 볼에 짧게 키스했다.

"일단 옷부터 벗어볼래?"

-2권에서 계속-